El desconocido

Robert Crais

El desconocido

Robert Crais

Traducción de Juan Soler

EDICIONES B
GRUPO ZETA

Barcelona • Bogotá • Buenos Aires • Caracas • Madrid • México D.F. • Montevideo • Quito • Santiago de Chile

Título original: *The Forgotten Man*

Traducción: Juan Soler

1.ª edición: noviembre 2007

Bailén, 84 - 08009 Barcelona (España)
www.edicionesb.com

Printed in Spain
ISBN: 978-84-666-3433-5
Depósito legal: B. 43.483-2007

Impreso por LIMPERGRAF, S.L.
Mogoda, 29-31 Polígon Can Salvatella
08210 - Barberà del Vallès (Barcelona)

Para Pat, con todo mi amor

Agradecimientos

En el aspecto personal, debo dar las gracias al doctor Robert Beart y su selecto equipo del Centro para el Cáncer USC/Norris por haber accedido a prestarme su ayuda. Asimismo, el doctor Randy Sherman del USC y de la Escuela Keck de Medicina nos proporcionó un acceso a urgencias que de otro modo no habríamos tenido. Imposible saldar la deuda.

En el aspecto profesional, la ayuda, los conocimientos técnicos y los consejos vinieron de muchos sitios: el inspector John Petievich, jubilado, aclaró cuestiones relacionadas con el Departamento de Policía de Los Ángeles; Craig Harvey, investigador forense principal del Departamento del Forense de Los Ángeles, fue generoso con su tiempo y paciente con mis preguntas; y nuevamente el doctor Randy Sherman fue esencial en lo tocante a las explicaciones científicas.

En el aspecto literario, Jason Kaufman, mi editor, contribuyó enormemente a la evolución y el desarrollo de este manuscrito. Gracias.

PRÓLOGO

LA CASA VACÍA

Temecula, California

Al final de uno de aquellos crepúsculos perfectos en los que el cielo brillaba cobrizo como el último pulso de calor desprendiéndose de un cadáver, Padilla y Bigelow abandonaron la autopista y tomaron una estrecha calle residencial. Entornando los ojos por el sol en lo alto, se apresuraron a colocarse sus respectivas viseras.

«Dios —pensó Padilla—; es como conducir de cabeza al infierno.»

Al ver a las mujeres en la calle, Bigelow se incorporó en el asiento.

—A la izquierda. Llamaré yo —dijo.

Bigelow llevaba tres meses de rondas frente a los nueve años y pico de Padilla, y aún le emocionaba todo aquello, la radio, los días en que Padilla le dejaba conducir y responder ante un posible crimen importante.

—Llama, pero no te muestres demasiado excitado —contestó Padilla—. Parece que esto te ponga. Te diré una cosa: llama, de acuerdo, pero ten en cuenta que son unos gilipollas, quieren atención, están confusos, borrachos, lo que sea, así que procura aparentar que te conoces el rollo.

—Vale.

Padilla echó un vistazo a su compañero.

—Pareces aburrido; ¿por fin te has dado cuenta de que ser poli es una mierda? —preguntó.

—¿Crees que voy a ponerte en evidencia? —inquirió Bigelow a su vez.

—Se me ha pasado por la cabeza.

Un grupo de mujeres y niños estaba a pie de calle, entre hileras de apretujadas casas de estuco, todos ellos en pantalones cortos y sandalias. En los caminos de entrada había aparcadas camionetas Ford y algún que otro bote. El barrio se parecía al de Padilla, sólo que el de Padilla estaba más cerca de la ciudad, donde el valle era verde, no como aquí, con las colinas aplanadas formando una especie de desierto. En ese lugar el paisaje era de piedra volcánica, gravilla azul y hierba muerta.

Padilla aparcó y se apeó mientras Bigelow hacía la llamada. No le hizo ni pizca de gracia salir del coche; incluso en el crepúsculo estaban a cuarenta grados.

—Muy bien, ¿qué pasa aquí? ¿Quién ha llamado? —preguntó el agente Padilla.

Una mujer rechoncha de piernas delgadas y pies anchos se separó de dos chicas adolescentes para acercarse caminando.

—Yo, Katherine Torres —dijo—. Está en el suelo. Creo que es ella, pero no estoy segura.

Habían recibido una llamada de emergencia de Katherine Torres diciendo a gritos que su vecina estaba muerta y que había sangre por todas partes. Y allí estaban ellos, Padilla y Bigelow, agentes de patrulla del Departamento de Policía de Temecula. La mano de Katherine Torres se agitaba como poseída por un tic nervioso.

—Sólo he visto sus pies, pero creo que es Maria —prosiguió la mujer—. Llamé a través del mosquitero porque sabía que estaban en casa, pero al ver que no contestaban entré. Tenía los pies mojados, y también las piernas... no sé, pero parece sangre.

Bigelow apareció mientras Padilla estudiaba la casa con la mirada. El sol casi estaba detrás de las montañas y se veía luz en la mayoría de las viviendas. La casa en cuestión estaba a oscuras, pero no obstante podía ser que Katherine Torres hubiese visto algo, una toalla que se le cayera a alguien camino de la ducha, Dr. Pepper derramado, unos pies húmedos de sangre...

—¿Tienen perro? —preguntó Padilla.

—No, no hay perro.

—¿Cuántas personas viven aquí?

—Cuatro —contestó una de las chicas—, los padres y dos hijos. Son muy majos. Yo salgo con la pequeña.

Bigelow, tan ansioso por entrar en la casa que iba cambiando el peso de pierna como un niño que se está meando, preguntó:

—¿Alguien ha oído ruido de disparos, pelea o algo así?

Nadie había oído nada en absoluto.

Padilla pidió a las mujeres que esperaran en la calle, y entonces él y Bigelow se acercaron a la casa. La tierra crujía bajo sus botas. Grandes hormigas negras cruzaban el suelo en una trayectoria irregular, saliendo al crepúsculo cada vez más intenso. El cielo cobrizo se había vuelto púrpura en el oeste a medida que la oscuridad daba caza al sol. La casa estaba en silencio. El aire estaba quieto como sólo puede estarlo cuando flota en el vacío del desierto.

Padilla llegó a la puerta de la calle y llamó tres veces con fuerza.

—Policía. Agente Frank Padilla —dijo—. ¿Hay alguien en casa?

Padilla se inclinó sobre la mosquitera, intentando mirar dentro, pero estaba demasiado oscuro para ver nada.

—Voy a abrir la puerta —anunció.

Padilla sacó la linterna, intentando recordar cuántas veces había llamado a puertas y ventanas a todas horas de la noche, normalmente para ver qué pasaba con ancianos que alguien temía que hubieran muerto, cosa que había sucedido dos veces.

—¡Policía! —repitió—. Estamos entrando. *Toc toc.*

Padilla abrió de golpe la puerta mosquitera y al acceder encendieron sus linternas. Bigelow arrugó la nariz.

—Huelo algo —dijo.

Las luces enfocaron el cuerpo de una mujer de treinta y pocos años, tendida boca abajo en el suelo del salón. La mayor parte del cuerpo quedaba oculta bajo una otomana que había sido empujada hasta el centro.

—Joder —soltó Bigelow.

—Vigila dónde pisas.

—Tío, esto es repugnante.

La mujer gritó desde la calle:

—¿Qué ven? ¿Es un cadáver?

Padilla desenfundó el arma. De pronto empezó a latirle el corazón con tanta fuerza que le costaba oír. Tuvo náuseas y miedo de que Bigelow le disparara. Le daba más miedo Bigelow que el asesino.

—No vayas a dispararme, maldita sea. Vigila dónde tiras —le advirtió.

—Dios Santo, mira las paredes —dijo Bigelow.

—Olvida las puñeteras paredes y mira dónde apuntas. Las paredes no pueden matarte.

La mujer lucía unos shorts deshilachados y una camiseta de Frank Zappa desgastada por el cuello. La camiseta y las piernas estaban manchadas de sangre seca. Tenía aplastada la parte posterior de la cabeza, de manera que parecía llevar el pelo moldeado con gel rojo. Había otro cuerpo tendido entre el salón y el comedor, éste de un hombre. Su cabeza, como la de la mujer, estaba deformada y su sangre se había encharcado formando un dibujo irregular que a Padilla le recordó una marca de nacimiento en el pie de su hija pequeña. El lugar estaba desordenado, como si ambos hubieran intentado huir de su agresor, y las paredes y el techo se veían salpicados de pinceladas de sangre. El arma utilizada para matar a aquellas personas debió de subir y bajar muchas veces, manchando las paredes una y otra vez. Había un fuerte olor a intestino evacuado.

Padilla agitó la pistola indicando el pasillo que conducía al dormitorio y luego a la cocina.

—Miraré en la cocina —dijo—. Vigila el pasillo desde aquí, luego iremos juntos a las habitaciones de atrás.

—No me moveré.

Padilla había dicho su frase más alto de lo normal, para que, en caso de que alguien lo escuchara, saltara por la ventana y huyera. Sorteó el cadáver del hombre y entró en la cocina. En el suelo descubrió el cuerpo de un niño de unos doce años, parcialmente debajo de una mesa pequeña, como si hubiera intentado escapar. Padilla se obligó a apartar la mirada. Sólo podía pensar en asegurar la maldita casa antes de llamar a los inspectores.

Bigelow llamó desde el salón:

—Eh, Frank...

Padilla retrocedió cruzando la puerta. Ahora las habitaciones estaban iluminadas porque Bigelow había encendido las luces.

—Frank, mira esto.

Bigelow señaló al suelo.

Bajo la luz, Padilla vio pequeñas manchas con forma de clepsidra apretadas en la alfombra; formas diminutas que examinó hasta que se dio cuenta de que eran huellas. Rodeaban los cadáveres, iban de la mujer al hombre, entraban y salían de la cocina, rodeaban de nuevo los cuerpos y otra vez a empezar. Las huellas se bifurcaban del pasillo para adentrarse en el dormitorio.

Padilla tomó el pasillo dejando atrás a Bigelow. Las huellas se debilitaban, eran cada vez más borrosas, y desaparecían en la última puerta. Padilla entró en la habitación oscura con la boca seca, e iluminó la estancia con la linterna antes de encender la luz.

—Me llamo Frank Padilla. Soy policía. He venido a ayudar —dijo.

La pequeña estaba sentada en el suelo, al pie de la cama, con la espalda apoyada en la pared. Sostenía una sucia funda de almohada contra su nariz mientras se chupaba el dedo índice. Padilla siempre recordaría eso: se chupaba el índice, no el pulgar. Tenía la vista fija al frente y movía la boca mientras chupaba. En sus pies se apreciaba sangre seca. No tendría más de cuatro años.

Bigelow apareció por detrás y se asomó a la puerta.

—Dios mío, ¿quieres que llame? —preguntó.

—Necesitamos una ambulancia, los Servicios Sociales y los inspectores —dijo Padilla—. Diles que tenemos un homicidio múltiple y una niña.

—¿Está bien ella?

—Llama. No dejes que la gente se acerque a la casa, y

que no te oigan. No respondas a sus preguntas. Al salir cierra la puerta de la calle para que no puedan ver aquí dentro.

Bigelow se fue a toda prisa.

Frank Padilla enfundó el arma y entró en la habitación. Sonrió a la pequeña, pero ésta no lo miró. Era muy menuda, tenía las rodillas huesudas, unos grandes ojos negros y manchones de sangre en la cara. Padilla quería acercarse y abrazarla como habría hecho con su hija, pero no quería asustarla y se quedó donde estaba. Ella parecía tranquila. Mejor que siguiera así.

—No pasa nada, cariño —le dijo—. Todo va a ir bien. Ahora estás a salvo.

No sabía si ella lo escuchaba o no.

Frank Padilla se quedó mirando a la niña menuda y ensangrentada, con las huellas en miniatura que ella había dejado al ir de su madre a su padre y de éste a su hermano, incapaz de despertarlos, yendo de uno a otro, dando vueltas a través de rojos bajíos como un niño perdido en la orilla de un lago, hasta que finalmente regresó a su habitación para esconderse de la vista de todos. Padilla se preguntó qué le había pasado a la pequeña y qué es lo que habría visto. Ahora ella tenía la mirada perdida, ocupada en chupar su dedo como si fuera un chupete. Padilla se preguntó si la niña aún llevaría pañales y si habría que cambiarlos. Cuatro años eran muchos para llevar pañales. Se preguntó qué estaría pensando. Tendría sólo cuatro años. Quizás ella misma no lo sabía.

Cuando llegó el primer grupo de inspectores, Padilla accedió a quedarse con la pequeña en su dormitorio. Era preferible que permaneciera en su habitación a hacerla esperar a los asistentes sociales en el interior de un coche patrulla.

Al cabo llegaron más inspectores y varios coches patrulla, dos investigadores forenses y un equipo de criminalistas de la oficina del sheriff. Padilla oyó portazos de coches y hombres que iban y venían por la casa dando voces. Un helicóptero estuvo dando vueltas en círculo y luego se fue. Padilla esperaba que descubrieran al homicida escondido en un cubo de la basura o debajo de un coche para poder darle un par de puñetazos antes de que se llevaran al hijoputa. Sería un gustazo, dos trompazos en los dientes, pum, pum, y sentir cómo las encías se hacen puré, pero Padilla debía permanecer con la niña y aquello no sucedería.

Mientras esperaban, Max Alvarez, investigador jefe de Homicidios y tío de la esposa de Padilla, abrió la puerta. Alvarez llevaba treinta y dos años en el oficio, veinticuatro en la Oficina Sur de Homicidios de Los Ángeles y otros ocho en Temecula.

Alvarez hablaba con calma. Tenía siete hijos, ya todos crecidos y con familia propia.

—¿Está bien la niña?

Padilla asintió, temeroso de que el sonido de las palabras pudiera perturbarla.

—¿Y tú?

Padilla asintió de nuevo.

—Bien, si quieres un descanso me lo dices. Los asistentes sociales están de camino. Diez minutos máximo.

Cuando Alvarez se hubo marchado, Padilla se sintió mejor. Una parte de él quería hacer el trabajo de poli y encontrar al criminal, pero otra parte más importante había asumido el papel de proteger a la niña. Ésta permanecía tranquila, de modo que protegerla significaba mantenerla en ese estado, aunque le preocupaba qué podía estar rondando por su cabecita. Quizás aquella tranquilidad no era algo bueno. Tal vez una niña así no debería estar tranquila después de lo sucedido.

Dos horas y doce minutos después de que Padilla y Bigelow entraran en la casa, llegaron unas trabajadoras de la sección de Menores del Departamento de Servicios Sociales, dos mujeres en traje de calle que hablaban suavemente y mostraban sonrisas amables. La pequeña se fue con ellas tan dócilmente como si fuera a la escuela, dejando que una le tapara la cabeza con la chaqueta para que no viera otra vez la carnicería. Padilla las siguió afuera y vio a Alvarez en el patio delantero. Alvarez tenía el rostro sudoroso por el calor y llevaba las mangas subidas hasta los codos. Padilla se puso a su lado y observó cómo las asistentas sociales subían a la niña al coche y le abrochaban el cinturón.

—¿Qué ha pasado? —preguntó Alvarez.

—Un robo que se les ha ido de las manos, seguramente. Hemos encontrado el arma, un bate de béisbol que han dejado caer detrás del garaje, y un par de huellas de zapatos, pero casi no hay pruebas. Y hasta ahora parece que nadie ha visto nada.

Padilla observaba a Katherine Torres y a los vecinos aún congregados en la calle. Padilla no era inspector, pero había visto suficientes escenas del crimen para entender que aquél pintaba mal. Las primeras horas después de un homicidio eran cruciales; los testigos que sabían algo solían dar un paso al frente.

—Vaya mierda. En un día laborable como éste, con todas esas mujeres y niños en casa, tienen que haber oído algo —dijo Padilla.

—Si crees que los testigos siempre tienen algo que decir, es que ves demasiada televisión —repuso Alvarez—. Trabajé en un caso en Los Ángeles, un gilipollas que clavó a su mujer veintiséis puñaladas a las ocho de la noche de un jueves; era un edificio de tres plantas, vivían en la segunda. El rastro de sangre de la mujer comenzaba en el dormitorio y seguía por el pasillo hasta la entrada del apartamento. La mujer se había arrastrado por el suelo, gritando a voz en cuello, y ningún inquilino oyó nada. Entrevisté a esas personas. No mentían. Cuarenta y una personas en casa esa noche, cenando, viendo la tele, haciendo las cosas habituales, y nadie oyó nada. Esto es lo que hay. En cuanto a los que han matado aquí, quizá los tres chillaron como desesperados, pero nadie se ha enterado porque pasaba un avión o porque un chucho ladraba o porque en la televisión ponían el maldito *Precio justo*, o quizá todo pasó demasiado deprisa, joder. Ésta es mi explicación. Pasó tan deprisa que nadie supo qué hacer y ni siquiera se les ocurrió gritar. Hay que joderse. Nunca sabes por qué hace las cosas la gente.

Alvarez parecía tan cabreado como agotado, así que Padilla lo dejó despacharse a gusto. Las asistentas sociales se abrocharon el cinturón y pusieron el coche en marcha.

—¿Por qué crees que no han matado a la niña? —preguntó Padilla.

—No lo sé. Tal vez pensaron que, siendo tan pequeña, no podría acusarlos, pero ahora mismo me da la impresión de que no la vieron. Por el modo en que las huellas regresan a su habitación, cuando pasó todo probablemente estaba durmiendo o jugando, y los asesinos se marcharon antes de que apareciera. Los psicólogos ya le preguntarán sobre eso. Nunca se sabe. Quizá tengamos suerte, a lo mejor lo vio todo y puede explicarnos exactamente qué pasó y quién lo hizo. Si no puede, entonces quizá nunca lo sepamos. Con los homicidios pasa esto. A veces no se descubre nada. He de volver a trabajar.

Alvarez se acercó a otro inspector y los dos se dirigieron al flanco de la casa. Padilla no quería volver al trabajo; quería irse a casa, ducharse, tomar una cerveza fría con su mujer en el patio trasero mientras sus hijos veían la televisión en el comedor. Pero se quedó observando.

Las asistentas sociales se abrían paso lentamente con el coche entre los vecinos y los policías que abarrotaban la calle. Padilla no alcanzaba a ver a la niña. Era demasiado menuda, parecía como si el coche se la hubiera tragado. Padilla había sido policía suficiente tiempo para saber que los asesinos que habían actuado esa noche perseguirían a cualquier implicado durante el resto de su vida. A los vecinos que bordeaban la cinta les preocupaba que los criminales volvieran. Unos sentirían la culpa del superviviente y otros tendrían miedo. Estallarían inseguridades, fracasarían matrimonios, y más de una familia vendería la casa para salir de Dodge antes de que le ocurriera lo mismo. Con los homicidios pasaba esto. Perseguiría a las personas que vivían en el lugar, y a los policías que investigaban el caso, y a los amigos y parientes de la víctima, y sobre todo a la niña. El crimen la cambiaría. La pequeña sería diferente de lo que habría podido ser. Se convertiría en una persona distinta.

Padilla vio que el coche cogía la autopista, y luego se santiguó.

—Rezaré por ti —susurró.

Se volvió y entró de nuevo en la casa.

PRIMERA PARTE

PARIENTE CERCANO

1

Me llamaron para ver el cadáver una húmeda mañana de primavera, cuando la oscuridad envolvía mi casa como una telaraña. Algunas noches son así; más ahora que antes. Imagínense al Mejor Detective del Mundo, protagonista a su pesar de artículos de seguimiento en *Los Angeles Times* y en la revista *Los Angeles*, estirado sobre su sofá en una casa de secuoya prefabricada y con forma de A mirando a la ciudad, desvelado a las 3.58 de la madrugada, cuando sonó el teléfono. Pensé que sería un periodista, pero igualmente contesté.

—Hola.

—Soy la inspectora Kelly Diaz, del Departamento de Policía de Los Ángeles. Perdone que le llame a estas horas, pero debo hablar con Elvis Cole.

Tenía la voz ronca, lo que delataba la hora temprana. Me incorporé y me aclaré la garganta. Cuando la policía llama antes del amanecer, es seguro que trae malas noticias.

—¿Cómo ha conseguido mi número? —pregunté. Me había cambiado el número cuando empezaron las noticias y rumores, pero los periodistas y los chiflados seguían llamando.

—Uno de los criminalistas lo tenía o lo ha conseguido, no estoy segura —prosiguió la inspectora—. En cualquier caso, lamento llamarle por esto, pero se ha producido un homicidio. Y tenemos motivos para pensar que usted conoce al fallecido.

Algo afilado se me clavó detrás de los ojos y me incorporé para llevar los pies al suelo.

—¿Quién es? —pregunté.

—Nos gustaría que viniera aquí y lo viera usted mismo. Estamos en el centro, cerca de la Doce y Hill Street. Puedo mandarle un coche patrulla.

La casa estaba oscura. Unas puertas de cristal correderas daban a una terraza que sobresalía como una plataforma sobre el cañón de detrás. La luz en el risco del otro lado era turbia debido a la niebla y las nubes bajas. Volví a aclararme la garganta antes de seguir preguntando.

—¿Se trata de Joe Pike?

—Pike es su compañero, ¿no? El ex poli de las gafas de sol.

—Sí. Lleva unas flechas tatuadas en el deltoides. Rojas.

Ella tapó el auricular, pero yo oí voces amortiguadas. La mujer estaba preguntando algo. El pecho se me llenó de una presión creciente; no me gustaba que ella tuviera que preguntar, pues eso significaba que podía tratarse de él.

—¿Es Pike? —inquirí.

—No, no es Pike —repuso la inspectora del otro lado—. Este hombre lleva tatuajes, pero no así. Lamento haberle asustado. Escuche, podemos mandar un coche.

Cerré los ojos dejando que desapareciera la presión.

—No sé qué decir. ¿Qué le hace pensar que lo conozco?

—Antes de morir, la víctima dijo algunas cosas. Venga y eche un vistazo. Le mando un coche.

—¿Soy sospechoso?

—Nada de eso. Sólo queremos ver si nos puede ayudar a identificarlo.

—¿Cómo se llama usted?

—Diaz...

—Muy bien, Diaz... son las cuatro de la mañana. Hace dos meses que no duermo y no estoy de humor. Si usted cree que conozco a ese tipo, es porque piensa que soy sospechoso. Todo aquel que conoce a una víctima de homicidio es sospechoso hasta que se demuestra su inocencia, así que dígame de quién se trata y pregúnteme lo que quiera saber.

—Pues tenemos a un hombre anglosajón muerto que, por lo visto, ha sido víctima de un robo. Le han quitado la cartera, así que no puedo darle ningún nombre. Esperamos que en este sentido usted pueda ayudarnos. Vamos a ver...

—¿Por qué cree que lo conozco?

Ella prosiguió con la descripción como si yo no hubiera hablado.

—Varón anglosajón, pelo negro teñido, raleando en la coronilla, ojos castaños, de unos setenta años pero podría ser mayor, supongo, y lleva crucifijos tatuados en las palmas de las manos.

—¿Por qué cree que lo conozco? —repetí.

—Lleva más tatuajes de tipo religioso en los brazos, Jesús, la Virgen, cosas así. ¿Le resulta familiar?

—No tengo ni idea de quién puede ser.

—Se trata de un hombre muerto con la descripción que le he dado, y un disparo en el pecho. Por el aspecto y el lugar, parece un indigente, pero aún lo estamos investigando. Yo soy la agente que lo ha encontrado. En ese momento él todavía estaba consciente y, por las cosas que dijo, deduje que tal vez usted reconocería la descripción.

—Pues no.

—Mire, Cole, no quiero ponerme pesada. Sería mejor si...

—¿Qué dijo ese hombre exactamente?

Diaz no contestó enseguida.

—Dijo que era su padre.

Me quedé sentado e inmóvil en el sofá, en la oscuridad del salón. Había comenzado aquella noche en la cama, pero la había acabado en el sofá, esperando que el continuo golpeteo de la lluvia tranquilizaría mi corazón; pero el sueño no había llegado.

—¿Nada más? —pregunté.

—Intenté que hiciera una declaración, pero sólo dijo algo de que usted era su hijo. Luego murió. Usted es el mismo Elvis Cole que escribía las historias, ¿verdad? ¿En el *Times*?

—Sí.

—Él tenía los recortes. Al pensar que era su padre, imaginé que usted reconocería los tatuajes, pero parece que no es así.

La trampa me molestó, y mi voz sonó áspera al contestar.

—No conocí a mi padre —dije—. No sé nada de él, y por lo que yo sé él tampoco me conoce.

—Nos gustaría que viniera a echar un vistazo, señor Cole —insistió la inspectora—. Querríamos hacerle unas preguntas.

—Pensaba que no era un sospechoso.

—En este momento no lo es, pero aun así tenemos preguntas para usted. Hemos enviado un coche patrulla. Ahora mismo ya debería estar llegando.

Mientras ella decía esto, unos faros que se acercaban iluminaron mi cocina. Oí el coche pararse lentamente frente a la casa, y un nuevo haz de luz llenó la entrada.

—Muy bien, Diaz, dígales que apaguen las luces —dije al teléfono—. Tampoco es cuestión de despertar a los vecinos.

—El coche es una cortesía, señor Cole. Por si no se viera usted capaz de conducir —repuso Diaz.

—Claro. Por eso seguía ofreciéndomelo como si fuera elección mía, aunque ya estaba de camino.

—Aún es elección suya. Si usted quiere ir con su coche, puede seguirles. Sólo queremos hacerle unas preguntas.

El resplandor de fuera desapareció, y mi casa volvió a quedar a oscuras.

—De acuerdo, Diaz, voy para allá —dije al cabo—. Dígales que se lo tomen con calma ahí fuera. Tengo que vestirme.

—No hay problema. Nos vemos en unos minutos —añadió Diaz antes de cortar.

Colgué el teléfono, pero seguí sin moverme. Hacía horas que no me movía. Fuera caía una ligera lluvia silenciosa, semejante a un susurro. Seguramente yo esperaba la llamada de Diaz. ¿Por qué otra cosa habría estado despierto aquella noche y todas las demás sino para esperar como un niño perdido en el bosque, un niño olvidado que espera que lo encuentren?

Al cabo de un rato me vestí y salí de mi casa para seguir al coche patrulla.

2

La policía estaba situada en ambos extremos de un callejón, al otro lado de una floristería que había abierto para recibir sus pedidos matutinos. Había cinta amarilla extendida a través del callejón para evitar que la gente pasara y mirara pese a que las calles estaban desiertas; las únicas personas que vi eran cuatro trabajadores del mercado de las flores y los polis. Seguí al coche patrulla dejando atrás una furgoneta de identificación especial, más coches patrulla y un par de Crown Victoria aparcados en el otro lado de la calle. En el centro no llovía, pero las nubes estaban bajas y amenazaban con descargar.

Los policías se apearon del coche y me pidieron que aguardara junto a la cinta. El agente de más rango se dirigió al callejón en busca de los inspectores, y su compañero más joven se quedó conmigo. En casa no habíamos hablado, pero ahora él me observaba con los pulgares enganchados en el cinturón.

—¿Era usted el que salió en la tele? —preguntó.

—No, era el otro.

—No quería ser grosero. Recuerdo haberle visto en las noticias.

No contesté nada. Él me miró un instante y acto seguido dirigió la mirada al callejón.

—Supongo que habrá visto alguna vez una escena del crimen —dijo.

—Más de una.

El cadáver estaba tirado junto a un Dumpster en mitad del pasaje, pero me tapaban la vista una mujer con shorts y camiseta y dos hombres con chaqueta negra. La mujer de la camiseta era lozana y atlética, y su notoria presencia destacaba como una luz en el sombrío callejón. El tipo mayor era un hombre grueso con el pelo mal cuidado, y el más joven era alto y espigado y tenía mala cara. Cuando el policía llegó hasta ellos, intercambiaron unas palabras y luego la mujer regresó con él. Olía a alcohol medicinal.

—Soy Diaz. Gracias por venir —me dijo.

Kelly Diaz tenía el cabello corto y negro, los dedos romos y la constitución fornida de una deportista madura. Llevaba un discreto corazón de plata colgando de una cadena al cuello. No encajaba con el resto.

—No creo que conozca a ese hombre —dije.

—De todos modos me gustaría que le echara un vistazo y respondiera a unas preguntas. ¿Le parece bien?

—Si no me lo pareciera, no estaría aquí.

—Sólo quiero asegurarme de que entiende que no tiene por qué hablar con nosotros si no quiere. Si tiene alguna duda, mejor que hable con un abogado.

—Estoy tranquilo, Diaz. Si no lo estuviera, la habría emprendido con sus hombres a la puerta de mi casa.

El poli joven rió, pero su compañero no. Diaz alzó la cinta para dejarme paso y caminamos juntos hasta el Dumpster. Cuando llegamos junto a los otros, ella hizo las presentaciones. El inspector de más rango era un supervisor de Homicidios de la Comisaría Central llamado Terry O'Loughlin; el otro era un D-1 de nombre Jeff Pardy. O'Loughlin me estrechó la mano y me dio las gracias por haber venido, pero Pardy no ofreció la suya. Permaneció delante del cadáver como si yo fuera un ejército enemigo y él estuviera resuelto a no ceder terreno.

—Muy bien, dejemos que lo vea —dijo O'Loughlin.

Los polis se separaron como las aguas del mar Rojo para que yo pudiera ver el cuerpo. El callejón estaba iluminado por las luces que habían instalado para trabajar. El hombre muerto estaba tendido sobre su lado derecho, con el brazo derecho estirado al frente y el izquierdo pegado al costado izquierdo; la camisa estaba empapada de sangre y había sido abierta con unas tijeras. Su cabeza tenía la forma de una pirámide boca abajo, con una frente amplia y una barbilla puntiaguda. El pelo revelaba el negro subido de un tinte mediocre y un pico entre las entradas. No parecía especialmente viejo, sólo deteriorado y triste. El crucifijo pintado en su palma izquierda daba la impresión de que estaba sujetando la cruz; se apreciaban más tatuajes en el estómago, bajo la sangre, así como una herida de bala unos seis centímetros a la izquierda del esternón.

—¿Le conoce? —preguntó Diaz.

Ladeé la cabeza para verle como si estuviéramos mirándonos uno al otro. Sus ojos estaban abiertos y seguirían así hasta que un profesional de pompas fúnebres se los cerrara. Eran castaños, como los míos, pero apagados por la pérdida de sus lágrimas. Es lo primero que aprendes cuando trabajas con muertos: hemos palmado cuando ya no lloramos.

—¿Qué opina? ¿Conoce a este tipo? —insistió la inspectora.

—Hummm...

—¿Lo ha visto antes?

—Creo que no puedo ayudarle —dije finalmente.

Cuando levanté la vista, los tres me estaban mirando. O'Loughlin hizo a Pardy un gesto con la mano.

—Enséñale las historias —dijo.

Pardy sacó de la chaqueta un sobre de papel manila que contenía tres artículos sobre mí y un niño que había sido secuestrado a principios de otoño. Los artículos no habían sido recortados del periódico original, sino de fotocopias. Los tres artículos me ponían mejor de lo que era o había sido. «Elvis Cole, el mejor detective del mundo»... «El héroe de la semana»... Ya los había visto antes, y hacerlo de nuevo me dejó abatido. Se los devolví sin leerlos.

—Muy bien, tenía unos recortes sobre mí. Parece que los fotocopió en la biblioteca —dije.

Diaz seguía mirándome fijamente.

—Me dijo que estaba intentando encontrarle.

—Cuando todo este rollo llegó a los noticiarios, recibí llamadas de absolutos desconocidos diciéndome que les debía dinero y pidiéndome préstamos. Recibí amenazas de muerte, cartas de admiradores y ofertas de multipropiedad, también de desconocidos. Tras las primeras cincuenta cartas, empecé a tirar el correo sin abrirlo y desconecté el contestador. No sé qué más contarle. No había visto a este hombre en mi vida.

—Quizás estuvo rondando cerca de su oficina. Pudo haberlo visto por allí —aventuró Diaz.

—Ya no voy por mi despacho.

—¿Tiene alguna idea de por qué pensaría él que era su padre?

—¿Por qué absolutos desconocidos creían que yo les prestaría dinero? —pregunté a mi vez.

—¿Estuvo usted por aquí anoche? —intervino Pardy.

Justo lo que me esperaba. La oficina del forense se encargaba de identificar víctimas desconocidas y notificarlo al pariente más cercano. Siempre que la policía tomaba medidas para identificar a una víctima, procuraba favorecer la investigación de los forenses. Diaz me había llamado a las cuatro de la madrugada para ver si yo estaba en casa; había mandado un coche para confirmarlo, y me había pedido que viniera para poder calibrar mi reacción. Quizás incluso había puesto a alguien para vigilarme.

—He estado en casa toda la noche. Con mi gato —respondí.

Pardy se me acercó.

—¿Puede el gato confirmarlo?

—Pregúntele a él.

—Calma, Pardy. Por Dios —terció Diaz.

O'Loughlin avisó a Pardy con la mirada.

—No quiero que esto parezca una acusación —dijo—. Cole sabe que es nuestro deber verificar lo más básico. Colaborará.

—Estuve en casa toda la noche —dije mirando al rostro a los inspectores—. Hablé con un amigo sobre las nueve y media. Puedo darles su nombre y su número, pero es la única hora que puedo justificar.

Pardy miró a O'Loughlin; no parecía muy convencido.

—Fantástico, Cole —dijo—; lo comprobaremos. ¿Estaría dispuesto a hacerse una prueba galvánica? Sólo para ayudarnos. No es nada incriminatorio.

O'Loughlin lo miró torciendo el gesto, pero no puso objeciones. Un test de residuos de disparos les diría si yo había disparado un arma recientemente o no... en caso de que no me hubiera lavado las manos o no hubiera llevado guantes.

—Claro, Pardy, tome las muestras. Esta semana no he matado a nadie —dije.

O'Loughlin miró la hora como si sospechara que aquello iba a ser una pérdida de tiempo, pero el caso es que teníamos un muerto. Diaz llamó a un criminalista y me hizo firmar un documento según el cual yo conocía mis derechos y estaba cooperando sin coacción. El criminalista frotó en mis manos dos trozos de paños especiales que luego dejó caer en un tubo de cristal. Mientras el criminalista trabajaba, le di a Pardy el nombre y el número de Joe Pike para que confirmara la llamada, y luego pregunté a O'Loughlin si consideraban que el homicidio era fruto de un robo chapucero. Volvió a mirar la hora como si responderme fuera otra pérdida de tiempo.

—Por ahora no tenemos nada. Estamos a seis manzanas de Skid Row, Cole. Tenemos más criminales aquí abajo que en ninguna otra parte de la ciudad. Éstos se matan unos a otros por cinco centavos o por una mamada, y todos los malditos asesinos parecen no haber roto un plato en su vida. Seguro que éste de aquí no llevaba encima documentos clasificados.

No, llevaba historias sobre mí.

—Parece que ya lo tiene resuelto —le dije.

—Si usted hubiera visto tantos homicidios como yo aquí abajo, lo tendría resuelto también.

De pronto O'Loghlin reparó en que estaba hablando demasiado y pareció azorado.

—Si se nos ocurre algo que preguntarle, ya se lo comunicaremos. Gracias por su colaboración —concluyó.

—De nada.

Miró a Diaz.

—Kelly, ¿te parece bien que Jeff lleve esto? —le preguntó—. Será un buen aprendizaje para él.

—Me parece bien —repuso la inspectora.

—¿Y a ti, Jeff?

—Por supuesto. Ya estoy en ello.

Pardy se volvió para llamar a los forenses, y O'Loughlin se fue con él. Dos funcionarios de la morgue sacaron una camilla y procedieron a examinar otra vez el cadáver. La ropa del muerto estaba gastada pero limpia, y su cara no era oscura como la de la gente que vive en la calle. Levanté la vista hacia Diaz; ella también lo estaba mirando.

—No parece un vagabundo —dije.

—Seguramente ha sido detenido hace poco. Una buena noticia para nosotros; sus huellas estarán todavía en los archivos.

El callejón iba a lo largo de una larga manzana entre fachadas de tiendas y un hotel abandonado. Las letras de neón del viejo letrero del hotel se perfilaban en la calle oscura. Alcancé a leer el casi ilegible nombre pintado en los ladrillos: Hotel Farnham. Pero sin las luces de los coches patrulla habría sido imposible. La oscuridad me incomodaba. El cadáver estaba casi a veinte metros de la otra calle, de modo que el hombre tomaría un atajo que conocía bien o iría con alguien más. Andar por ahí a solas habría dado un poco de miedo.

—¿Lo ha encontrado usted? —le pregunté a la comisaria.

—Estaba por Grand cuando oí dos disparos. Primero pasé de largo, pero luego lo oí agitarse, y ahí estaba. Intenté parar la hemorragia con un torniquete, pero era demasiado fuerte. Fue espantoso... Dios santo.

Diaz levantó las manos como si quisiera apartarlas, y vi que le temblaban. La ropa que llevaba seguramente sobraba del vestuario de otra poli. Probablemente se había cambiado su ensangrentada ropa en la ambulancia y se había lavado con alcohol. Con seguridad querría deshacerse de la ropa manchada de sangre, pero era policía con paga de policía, así que cuando llegara a casa la lavaría ella misma y la limpiaría en seco en la esperanza de que la sangre desapareciese. Diaz se volvió. Los forenses tenían la camilla montada y se estaban poniendo guantes de látex.

—¿No tenía cartera? —pregunté.

—No; se la quitaron. Sólo estaban los recortes, una moneda de cinco centavos y dos peniques.

—¿Llaves?

De pronto ella exhaló un suspiro; parecía cansada y ansiosa.

—Nada. Mire, puede irse, Cole. Yo sólo quiero terminar, marcharme a casa y acostarme. Ha sido una noche larga.

No me moví del sitio.

—¿Ha mencionado mi nombre? —pregunté.

—Así es.

—¿Qué ha dicho?

—No me acuerdo exactamente, algo sobre intentar encontrarle, pero yo estaba preguntando qué había pasado... estaba preguntando por al autor del disparo. Entonces él dijo que tenía que dar con su hijo. Dijo que había recorrido un largo camino para encontrar a su chico, que no había llegado a conocerle, pero quería recuperar los años perdidos. Le pregunté quién era su hijo, y él respondió su nombre. Quizá no dijera exactamente eso, pero sí algo parecido. —Me miró y luego miró al cadáver—. Escuche, Cole, he detenido a personas que creían ser de Marte —prosiguió—. He trincado a gente que pensaba que estaba en Marte. Ya ha escuchado a O'Loughlin; por aquí abajo tenemos vagabundos, yonquis, borrachos, adictos al crack, esquizofrénicos, lo que quiera. No sabemos qué tipo de enfermedad mental sufría este tipo.

—Pero aún tienen que absolverme.

—Si ha estado en casa toda la noche, no se preocupe. Él estará en los archivos. Cuando tengamos un nombre se lo haré saber.

Aparté la mirada del cadáver y vi a Pardy mirándome. Su mala cara parecía concentrada.

—No hace falta, Diaz. No se moleste —dije.

—¿Está seguro? No me cuesta nada.

—Seguro.

—Muy bien, como quiera; allá usted.

Empecé a andar hacia mi coche, pero ella me detuvo.

—Cole —llamó.

—¿Qué?

—He leído los artículos. Lo que hizo al salvar a ese chico fue algo increíble, amigo. Felicidades.

Di media vuelta y me marché sin responder, pero volví a detenerme al llegar a la cinta amarilla. Diaz estaba ahora con O'Loughlin y Pardy mientras los forenses metían el cadáver en un saco de plástico.

—Diaz —la llamé. Ella y Pardy se volvieron. El cadáver estaba tieso por el rígor mortis. Los forenses tenían que esforzarse para doblarle los brazos y meterlo en el saco. Una mano se salió del plástico azul oscuro como si estuviera señalándome. La introdujeron dentro y cerraron la cremallera—. Cuando sepa su identidad, comuníquemelo.

Les dejé que terminaran su trabajo.

3

A principios de otoño, tres hombres secuestraron al hijo de mi novia, Ben Chenier. Junto a Joe Pike, un ex agente del Departamento de Policía de Los Ángeles, salvamos al chico, pero murió mucha gente en el proceso, incluidos los tres secuestradores. Para colmo, aquellos tres hombres habían sido contratados por el propio padre de Ben y no eran criminales comunes y corrientes sino mercenarios profesionales buscados en aplicación de la Ley Internacional de Crímenes de Guerra. Con tantos muertos, Joe y yo nos enfrentamos a acusaciones graves, pero los gobiernos de Sierra Leona y Colombia intercedieron ante Naciones Unidas. El hecho morboso de un padre encargando el secuestro de su propio hijo desató el fuego arrasador del periodismo sensacionalista, pero lo peor de todo fue que Lucy Chenier llegó a la conclusión de que realmente no valía la pena correr el riesgo de vivir conmigo, así que cogió a su hijo y se fue a su casa. Tenía derecho a marcharse. No compensaba el hecho de estar con alguien que recibe una llamada a las cuatro de la madrugada para decirle que un desconocido ha sido asesinado y que antes de morir ha dicho ser el padre que nunca conoció.

Conduje de vuelta a casa a través de una fina llovizna, fingiendo que mi vida era normal. Cuando llegué, me preparé unos burritos de huevos revueltos y puse las noticias de primera hora. El titular principal informaba de que el Asesino del Semáforo Rojo había actuado de nuevo. Llevaba varias semanas rompiendo cámaras de tráfico, y el número de cámaras destrozadas ya ascendía a doce, cada una de las cuales había recibido un disparo a través de la lente con un arma de perdigones del calibre 22. Se habían creado páginas web dedicadas al Asesino del Semáforo Rojo; en todas las salidas de autopista sin peaje se vendían camisetas con eslóganes como LIBERTAD PARA EL ASESINO DEL SEMÁFORO ROJO; y todo esto porque la ciudad había instalado cámaras para multar a los conductores que se saltaban los semáforos en rojo en hora punta. Lo que, en el agresivo tráfico de Los Ángeles, significaba todo el mundo. La presentadora del noticiario intentaba poner cara seria, pero su compañero y el hombre del tiempo se choteaban del «número de víctimas» en aumento y no paraban de reírse. No se hizo mención alguna del hombre anónimo encontrado muerto en un callejón del centro. Las personas asesinadas eran algo habitual; las cámaras asesinadas eran noticia.

Apagué el televisor y fui a la terraza; me sentía apático y perdido. La lluvia se había apergaminado hasta formar una espesa niebla, y comenzaba a clarear. Más tarde, los inspectores de Homicidios interrogarían a mis vecinos sobre si la noche anterior me habían visto entrar o salir de casa. Pardy seguramente les mostraría una foto del muerto, y preguntaría si alguien lo había visto por la zona, y mis vecinos empezarían a pensar que a lo mejor yo había hecho algo. Pensé en llamarles y ponerles sobre aviso, pero aún habría sido peor, así que lo dejé correr. Lo que más deseaba era llamar a Lucy; pero había querido llamarla desde el día que se marchó, o sea que no era nada nuevo. También dejé correr esto, y me quedé observando cómo el valle se llenaba lentamente de luz.

Las personas que vivían en las colinas pronto saldrían de sus casas a inspeccionar las cuestas en busca de grietas y abultamientos. Cuando llovía en Los Ángeles, el mundo se volvía inestable. El suelo se mantenía firme sólo unos momentos antes de fluir repentinamente como lava, arrastrando coches y casas como si fueran juguetes. La tierra perdía su certidumbre, y echar el ancla no servía de nada.

Un gato negro saltó a la terraza en la esquina de la casa. Se quedó paralizado al ver a alguien, los ojos amarillos y furiosos, pero la furia se le pasó al reconocerme.

—Sí, estoy bajo la lluvia —dije.

—Miau —dijo él.

Caminó por el flanco de la casa manteniéndose lo más lejos posible de la niebla, se introdujo en la seca calidez de la casa y luego se lamió el pene. Los gatos hacen esas cosas. Seguramente él pensaba que yo era estúpido.

Cuando mi madre tenía veintidós años desapareció durante tres semanas. Desaparecía a menudo, se iba sin decir adónde, pero siempre regresaba, y aquella vez llegó embarazada de mí. Mi madre nunca describió a mi padre de manera significativa, tal vez ni siquiera sabía su nombre. No revelé estos hechos a los periodistas que me abrumaron con entrevistas tras el episodio de Ben Chenier, pero por algún motivo la información se coló en sus historias. Lamenté no haber leído los recortes que Diaz encontró en el callejón. Quizás alguno mencionara la situación de mi padre, lo cual acaso inspirara al hombre para inventar su fantasía. Seguramente sería eso, y seguramente yo habría hecho bien en olvidarlo todo, pero me preguntaba si el hombre había intentado establecer contacto conmigo. Cuando dejé de ir al despacho, había desconectado el contestador y tirado el correo, pero de esto hacía varias semanas. Si el muerto me había escrito desde entonces, su carta me estaría esperando en la oficina.

Volví al interior de la casa y le puse comida al gato antes de salir para coger el coche y conducir por el valle hasta la pequeña oficina que tenía en el bulevar de Santa Mónica.

El correo estaba desperdigado dentro de la puerta, donde el cartero lo dejaba a través de la abertura. Lo recogí, puse una cafetera al fuego y encendí el contestador. La Agencia de Detectives Elvis Cole volvía oficialmente al trabajo. Naturalmente, como durante las últimas seis semanas había rechazado todos los posibles encargos, la verdad es que no tenía nada que hacer.

Miré las cartas. Había montones de facturas y mucho correo comercial, pero siete de ellas eran lo que yo consideraba correo divertido: una propuesta de matrimonio escrita a mano por alguien llamada Aidi; cuatro cartas de felicitación por haber llevado a tres asesinos en serie ante la justicia; una foto anónima de un hombre desnudo cogiéndose el pene; y una carta de alguien llamado Leal Anselmo que nos describía a Pike y a mí como «Vigilantes peligrosos no mejores que los monstruos que habéis encerrado». Hay gente que nunca está contenta.

Guardé cuatro de las cartas con la intención de mandar notas de agradecimiento y tiré las demás. Tras pensarlo un poco, saqué la carta de Anselmo de la papelera y la metí en una carpeta que tenía para lunáticos y amenazas de muerte. Si alguien me mataba mientras estuviera durmiendo, al menos que la policía tuviera pistas.

Me serví una taza de café y me decepcionó que nada

condujera al hombre muerto. Quizá me había escrito y yo había tirado la carta, pero nunca lo sabría. Quizá llamó cuando el contestador estaba apagado, pero tampoco lo sabría jamás.

Estaba intentando establecer una nueva vía de investigación cuando sonó el teléfono.

—Agencia de Detectives Elvis Cole. Vuelvo a su caso, y justo a tiempo —dije al auricular.

—Soy yo, Diaz. ¿Está en su despacho o esto está grabado? Le he llamado antes a casa.

—Estoy en el despacho. ¿Han identificado al hombre?

—No, lo siento. Estaba casi segura de que ese tío estaría archivado, pero no. El investigador forense lo buscó a través del Live Scan en cuanto llegaron al depósito de cadáveres, pero no salió nada.

El Live Scan era un procesador de huellas digitales que las digitalizaba y comparaba con archivos del Departamento de Justicia de California, que está en Sacramento. Si no había nada era porque no había cumplido condena ni había sido detenido en California.

—Muy bien. ¿Y ahora qué? —pregunté.

—Sacramento meterá las huellas en el sistema de telecomunicaciones NLETS. Aún hay una oportunidad con los federales, pero esto podría tardar unos días. Usted ha dicho antes que tenía un montón de cartas que no había contestado...

—Vine aquí precisamente por eso, Diaz. No hay nada. Tal vez mandó algo días atrás, pero ahora no hay nada. Acabo de revisar el correo.

—Detesto pedirle esto, pero lo haré igualmente. Voy a ir a la morgue. ¿Nos vemos allí?

—Creía que el caso lo llevaba Pardy.

—Y lo lleva Pardy, que ha estado hace un rato con el

médico forense. Dice que el muerto está totalmente cubierto por esos extraños tatuajes. Sé que usted no lo ha reconocido, pero quizás algo en esos dibujos o en la tinta utilizada le hagan cambiar de opinión.

Sentí un pinchazo de cólera, aunque quizás era vergüenza.

—No es mi padre. No hay nada que hacer —dije secamente.

—Sólo venga y mire, Cole. A lo mejor uno de estos tatuajes le remite a un nombre o un lugar. No le va a hacer ningún daño.

No dije nada, y Diaz prosiguió:

—¿Sabe dónde está el forense? En el Centro Médico USC.

—Sí.

—Delante hay un aparcamiento. Nos vemos allí en media hora.

Colgué el teléfono, fui al cuarto de baño y me miré en el espejo. El hombre muerto tenía la cabeza como una mantis religiosa y yo como un colinabo. No me parecía a él en nada. No era como él en nada. Nada.

Al cabo de un rato subí a mi coche y puse rumbo al depósito de cadáveres.

4

Hombres invisibles

Frederick Conrad —como se hacía llamar ahora— se metió en el aparcamiento de caravanas para dirigirse a su camión, cuando Juanita Morse salió dando tumbos de su casa parecida a una araña parda que estuviera tendiendo su trampa.

—¡Frederick! —lo llamó la mujer, y llegó hasta él para agarrarle el brazo con una mano huesuda de bruja, reteniéndole aunque él estaba loco por irse—. Frederick, la semana pasada fuiste muy amable cuando no podía andar y me trajiste las provisiones. Toma, es para ti, una tontería.

Frederick se metió en su personaje inmediatamente, ocultando su furia con la mueca torcida «Frederick Conrad» que todo el mundo conocía tan bien. Le devolvió el dólar y se lo apretó en la mano.

—Por favor, Juanita, no tienes por qué hacerlo.

—Cógelo, Frederick, te lo mereces por lo amable que fuiste conmigo.

Así que Frederick aceptó el dólar, fingiendo agradecimiento, mientras su furia chisporroteaba como un cable eléctrico caído y sus ojos conservaban la calma. Quería que Payne regresara a casa. Necesitaba averiguar qué había pasado. Le aterraba que Payne hubiera confesado.

Payne, ese traidor gilipollas. (Payne Keller era el nombre que usaba ahora.)

—No tiene por qué hacerlo, señora Morse, pero gracias —dijo Fredercik—. ¿Cómo está su pierna?

—Todavía duele, pero al menos puedo andar. Esta mañana me tomé el Tylenol y me puse la esterillla.

Frederick le dio unas palmaditas en la mano como si no le importara un comino el último latido doloroso de aquel cuerpo marchito.

—Bueno, pues si necesita algo, ya sabe —dijo antes de despedirse.

Más palmaditas. Sonrisas. Bruja repelente.

Cuando por fin se libró de ella, Frederick se apresuró hasta su camión deseando aplastarle la asquerosa garganta y triturarle los huesos a la señora Morse. Puso el Dodge en marcha y salió a la carretera para recorrer despacio los cuatro kilómetros con cien metros que había hasta el taller-gasolinera de Payne. Frederick era famoso por ser el conductor más lento de la ciudad.

Aparcó detrás de los talleres de servicio, se colgó nuevamente en la cara la sonrisa de corto de entenderas como un letrero de Negocio Abierto y se encaminó a la oficina como si tal cosa.

—Hola, Elroy —saludó al entrar—. Esta mañana te he llamado tres o cuatro veces, pero no contestabas. ¿Qué sabes de Payne?

Elroy Lewis era el otro empleado a tiempo completo de Payne. Era un hombre flacucho, de cuarenta y tantos, con un michelín escurriéndose tras el cinturón y dedos amarillos de tanto encadenar cigarrillos Newport. El perro de Lewis, *Coon*, dormía en medio de la estancia. *Coon*, un perro perezoso con malas caderas, movió la cola al ver a Frederick pero éste no le hizo caso. Elroy apoyó los codos sobre el mostrador y puso cara larga.

—Precisamente quería hablar contigo de eso —dijo. Frederick pasó por encima del perro y se dirigió al despacho de Payne aparentando a la perfección que todo estaba en orden.

—Me llamó anoche y me dijo que te llamaría. Supongo que habrá estado ocupado con su hermana.

—Maldita sea, ¿cuánto va a tardar en morirse esa cabrona?

—Elroy, debería darte vergüenza decir una cosa así. Es su hermana.

Payne Keller había desaparecido hacía once días sin decir nada ni dejar una nota a nadie. Entonces, Frederick contó a Elroy la sandez de que la hermana de Payne había sido atropellada por un conductor borracho, pero la verdad es que no tenía ni idea. La súbita desaparición de Payne lo aterraba. Payne podía estar en cualquier parte y decir cualquier cosa; Payne y su compinche Jesús confesando sus pecados.

«Espero que estés muerto, cabrón. Espero que tu corazón se abra como una fruta podrida. Espero que te pongas una pistola en la sien. Espero que estés muerto, y espero, maldita sea, que no me lleves contigo.»

Frederick había decidido borrar sus huellas y prepararse para lo peor. Elroy le siguió caminando hasta el despacho de Payne.

—Vale, siento lo de su hermana —dijo—, pero qué quieres que te diga, es el colmo de la grosería largarse sin decir nada. La semana que viene voy con mi mujer a casa de los suegros. Payne sabía que tenía estos días libres y que igual me iba.

Frederick rodeó la mesa de Payne, cogió las llaves del cajón de arriba y exhibió su sonrisa generosa y afable.

—Pues vete, Elroy. Por eso llamó Payne anoche, para pedirme si podía sustituirte. Y le dije que no hay problema.

Elroy le dirigió una mirada indecisa.

—¿Lo harás?

Frederick volvió a rodear la mesa, mientras un Maxima blanco se paraba en los surtidores de autoservicio. Del coche bajó una adolescente que parecía no aclararse con el surtidor. Frederick observó cómo Elroy miraba atento a la chica.

—Diablos, Elroy, no me importa —dijo—. Tú lo harías por mí, y los dos lo haríamos por Payne. No hay problema.

Ahora Elroy se sentía culpable por haberse cabreado.

—Escucha, cuando vuelvas a hablar con Payne, dile que deseo lo mejor para su hermana —dijo en tono conciliador.

—Se lo diré. Descuida.

—Por cierto, no sabía que tuviera una hermana.

—Será mejor que vayas a ver si esa chica necesita ayuda. Yo tengo que ir a casa de Payne a dar de comer a sus gatos.

Elroy volvió a mirar a la chica, y Frederick le adivinó el pensamiento; los shorts ajustados, la camiseta corta mostrando un vientre fino y liso, el *piercing* colgando del ombligo.

—Sí —dijo Elroy convencido—, más vale que salga. Vamos, *Coon*.

Elroy dio un golpecito a *Coon* con el pie antes de salir

seguido del perro, y Frederick salió a su vez para cruzar los talleres hasta el almacén trasero. Con las llaves de Payne abrió los tres candados y quitó la barra de acero que cerraban el cobertizo. Encontró la pala y una lata de dos galones que Payne utilizaba para llevar gasolina a los conductores que se quedaban tirados en la carretera. Tras las cajas de filtros de aire, líquido de frenos y lubricante, buscó la vieja máquina expendedora Tri-Call que Payne solía poner fuera para vender cacahuetes y Snickers. Payne y Frederick tenían escondites mejores para sus cosas secretas, pero Payne conservaba el cobertizo para guardar sus mercancías.

Frederick comprobó que Elroy seguía ocupado. Como si obedeciera una orden, *Coon* colocó su hocico de lleno en la delantera de la chica. Elroy regañó al perro y ella rió; luego le agarró la cara para poder pillar furtivamente un roce gratis con las intimidades femeninas. Frederick había visto a Elroy hacer ese truco cientos de veces. Elroy entrenaba a su chucho para que fuera directo a las tetas, y *Coon* jamás le fallaba.

Frederick abrió la máquina expendedora y buscó un estuche de cuero de casi un metro de largo. Pesaba, pero era un peso reconfortante. Se metió el maletín bajo el brazo, volvió a cerrar el cobertizo y se dirigió al camión. Elroy seguía fingiendo que intentaba evitar que *Coon* se acercara a los apetecibles atributos de la chica, y allí estaba ella, con la cara roja y riendo, pero sin subir al coche. Frederick metió dos galones de súper en la lata (calculando que la súper ardería más), cargó dos latas de propano en el camión y arrancó. Elroy no miró siquiera.

A unos tres kilómetros de la gasolinera, Frederick se paró y abrió el estuche. Dentro había una Remington recortada del calibre 12, cargada con seis balas del número cuatro. Junto a la escopeta había un sobre blanco que contenía mil dólares en billetes de veinte y dos carnés de conducir de Illinois —ambos caducados— en los que aparecían Frederick Conrad y Payne Keller con otros nombres. Frederick metió un cartucho en la recámara, guardó el arma debajo del asiento delantero y volvió a la carretera.

A Frederick se le pasó por la cabeza pisar el acelerador y largarse de la ciudad, pero eso sería como agitar una bandera roja de neón. Si Payne no le había denunciado, huir sería un grave error —las dos desapariciones serían muy reveladoras hasta para los polis más tontos—. Frederick tenía que averiguar qué le había pasado a Payne y librarse de las pruebas.

La casa de Payne estaba a sólo kilómetro y medio, aislada y oculta tras unos árboles, por lo que nadie podía ver lo que allí ocurría.

5

El Departamento del Forense estaba repartido entre dos edificios modernos de cemento situados en un extremo del Centro Médico del condado, al otro lado del río, frente a la prisión principal. El edificio norte albergaba oficinas para unos treinta y cinco investigadores, y el sur los laboratorios. Los forenses aparcaban sus vehículos en la parte delantera, pero los cadáveres entraban por detrás, seguramente para que los pacientes del Hospital de Mujeres y Niños no vieran los fiambres.

Dejé el coche al otro lado de la calle y me encontré con Diaz frente a la entrada principal. Ese día lucía unos vaqueros y chaqueta sport, y sostenía algo que parecía una máscara de gas con dos cilindros morados sobresaliendo por delante.

—¿Qué es esto? —pregunté.

—Un filtro de partículas. Tenemos que llevarlo cuando bajemos al depósito de los cadáveres —dijo Diaz.

—¿Por qué hemos de ponernos una cosa así?

—Tuberculosis, síndrome respiratorio agudo, ébola... no se puede imaginar la cantidad de cosas que llevan los difuntos. Éste es mío. Abajo encontraremos algo para usted.

—¿Ébola? —repetí asombrado. El ébola era el virus africano que disolvía tus células hasta que te derretías en un charco de pringue.

—Ellos dicen que lo llevemos, y yo lo llevo —repuso Diaz, al tiempo que se encogía de hombros y se volvía hacia la entrada—. A ver si acabamos con esto y puedo dormir un poco.

El recepcionista nos entregó pases de visitante, y a continuación cogimos el ascensor hasta la planta de servicio. Cuando se abrieron las puertas me golpeó un halo de olor a desinfectante y sangre de cavidades, y salimos a un pasillo color lavanda. Había una luz ultravioleta en lo alto de una pared, y un exterminador de insectos zumbaba como si estuviera cocinando una mosca. Control de gérmenes.

Diaz me hizo doblar una esquina hasta que llegamos a otro largo pasillo donde había estacionadas dos camillas de acero, cada una con un cadáver envuelto en grueso plástico translúcido. Dentro del plástico se acumulaba un líquido rojo.

—Creía que necesitaríamos las máscaras cuando estuviéramos con los cadáveres —le dije a Diaz.

—No va a pillar nada. No sea blandengue —contestó ella.

Intenté no respirar.

El forense era un hombre alto con gafas de montura y pelo espeso llamado Dino Beckett. Lo había visto en la escena del crimen, pero no le conocí hasta que apareció al final del pasillo y Diaz nos presentó. El hombre llevaba una mascarilla de tela como los médicos en los quirófanos, y me entregó una parecida.

—Colóquese la cinta elástica alrededor de las orejas y sujétese la tira de metal en la nariz —dijo.

Hice lo que me dijo mientras Diaz se ponía su máscara.

—¿Por qué la máscara del forense es más grande? —le pregunté.

—Filtra el ciento por ciento del aire, que es lo que usted deberá llevar si entra en la sala de autopsias como hacen los inspectores de Homicidios. La que llevamos nosotros sólo filtra el noventa y cinco por ciento del aire.

—¿Y qué hay del otro cinco por ciento?

—Por Dios, Cole, no piense en ello. —Se volvió hacia el investigador forense y preguntó—: ¿Dónde está?

Le seguimos hasta una habitación larga y estrecha donde el ambiente era frío. Se me puso la carne de gallina, pero no a causa del frío. En las paredes había estantes del suelo al techo, como literas en un submarino, cada una con dos cadáveres. Estaban envueltos con un plástico oscuro, pero no tan oscuro que impidiera ver los cuerpos desnudos en su interior. Los pies asomaban a través de agujeros, algunos con una etiqueta atada al dedo gordo. Traté de no mirar, pero los cadáveres ocupaban toda la pared.

—Esto no es nada —dijo Beckett—. Tenemos tres habitaciones como ésta.

—¿Toda esta gente está esperando la autopsia? —pregunté.

—Oh, no. La mayoría de los cuerpos que ve aquí están esperando ser reclamados por el pariente más cercano; o identificados.

—¿Hay muchos sin identificar?

—Cada año entran aquí unas trescientas personas no identificadas, pero a la mayoría le ponemos nombre. Tampoco importa de dónde vengan. Hemos tenido inmigrantes ilegales de México, Centroamérica, incluso de

China, y los hemos encontrado. También pondremos nombre al suyo.

Algunos pies eran tan translúcidos que se podía ver una débil mancha de hueso dentro de la carne. Beckett explicó que algunos de los cadáveres llevaban tanto tiempo en los estantes que los tejidos se habían quedado sin fluidos tras años de espera.

Beckett nos llevó junto a una camilla que había en el otro extremo de la estancia.

—Muy bien, vamos allá —dijo—. Si quieren tocar algo, tendrán que ponerse guantes.

Nos pusimos guantes, y acto seguido Beckett levantó el plástico que cubría el cuerpo. El indocumentado #05-1642 estaba desnudo, con una bolsa de papel marrón entre las rodillas y el historial sujeto a la camilla con un clip. La bolsa contenía sus ropas ensangrentadas, que antes de ser examinadas pasarían por una máquina de secado. Beckett cogió la bolsa y se apartó.

—Dios santo —soltó Diaz—, Pardy tenía razón. Este tipo creía ser el Hombre Ilustrado.

Beckett resopló ante el cadáver como si fuera una muestra de laboratorio.

—Curioso, ¿eh? —dijo—. Nunca había visto nada igual, la forma de hacerlo, todos los tatuajes al revés...

Crucifijos de distintos diseños y tamaños salpicaban los antebrazos, los muslos y el vientre, todos al revés. Los tatuajes estaban al revés porque se los había hecho él mismo. Habían estado derechos mientras los miraba cuando aplicaba tinta a su piel. Algunas de las cruces eran líneas finas y frágiles, pero otras eran estructuras tridimensionales con sombras y tonalidades. Entre las cruces se apreciaban imágenes de Jesús llorando y palabras boca abajo: DOLOR, PIEDAD, DIOS, PERDÓNAME. Parecían dibujadas por un niño. Me sentí mareado. Aquellas marcas no eran lo que comúnmente se entiende por católico; el tipo se había profanado a sí mismo.

Miré a Diaz y descubrí que estaba otra vez mirándome, lo cual me irritó un poco.

—¿Qué pasa? ¿Cree que me parezco a él? —le pregunté.

—No se parece a él en nada —dijo ella—. ¿Le suenan de algo los tatuajes?

—Pues no. Sólo veo cruces.

Diaz miró a Beckett.

—¿Tiene más en la espalda?

—No. Todo está delante, donde él alcanzaba. No hay nada en la tinta que permita identificarlo. Es como el nombre de un barco, el símbolo de una banda o algo así... Lo que hay es lo que se ve.

Diaz observó el cadáver con ceño y luego meneó la cabeza.

—Muy bien, quiero que hagan una comprobación de sexo. Si consigue un frotis, determine el ADN.

—Sí, Pardy ya me lo dijo —respondió Beckett.

—Bien. También drogas. Estaba en ese callejón por algo.

El forense dejó la bolsa para apuntar algo, y al verlo se me ocurrió una idea.

—¿Ha mirado si tenía el nombre en la ropa? —pregunté.

Beckett sonrió burlón.

—Siempre lo hacemos, y también miramos dentro de los zapatos. En mi primer caso salí escaldado por una cosa así... Había un tipo ahí tumbado, sin identificación ni huellas en el fichero, y resulta que su madre le había escrito el nombre en la parte interior del cinturón, y así supimos quién era.

Asentí y volví a mirar a Diaz.

—Y ustedes no han hallado anillos, relojes, alguna cartera...

—No tenía nada, Cole. Sólo los recortes y siete centavos —dijo Diaz.

Examiné el cadáver de nuevo, sintiéndome lejano e indiferente. Bajo los tatuajes, el pecho del hombre era fino y suave, con un bronceado de granjero revelando una carne pálida en contraste con los brazos oscuros. Aparte de un leve arañazo en la base del cuello, no se apreciaban otras señales. La mitad inferior del cuerpo mostraba una lividez moteada donde se había depositado sangre; el tejido sin sangre de encima había adquirido un brillo ceroso que parecía realzar los tatuajes. El orificio por donde había penetrado la bala era violeta y azul con unas partículas de pólvora alrededor. Le habían disparado de cerca, con la boca del cañón tal vez a medio metro. Los dedos no revelaban presencia de anillos, pero en la muñeca izquierda se veía la ligera señal dejada por un reloj de pulsera. Un leve hoyuelo cruzaba el exterior de la cadera hacia la pelvis izquierda, tan poca cosa que podía ser un pliegue o una arruga.

—¿Qué es esto? —pregunté.

Beckett cogió el historial de debajo de la camilla y sacó una radiografía de buen tamaño.

—Una cicatriz quirúrgica —dijo—. Hay otra igual en la otra pierna. Mire, ya hemos hecho las placas.

Sostuvo la radiografía frente a la luz del techo. Las sombras de la articulación pélvica estaban compensadas por unas barras blancas perfectas que recorrían el exterior de cada fémur. Beckett las señaló.

—Parece algo correctivo, o sea que seguramente le operaron de pequeño. Estas franjas blancas son algún tipo de aparato. Estos aparatos a veces llevan el nombre del fabricante y un número de serie. Si se da el caso, podremos localizar el fabricante y así averiguar la identidad de la víctima.

—¿Cuándo entrará en el quirófano? —inquirió Diaz.

Beckett comprobó su portapapeles.

—Parece que mañana por la tarde. Puede que afecte el trabajo del día siguiente, pero sí, creo que lo abriremos mañana.

Contemplé otra vez el cadáver. El rígor mortis había endurecido la cara hasta convertirla en una máscara deforme. Un ojo cerrado y el otro abierto. La piel de los pómulos estaba estirada, y las cuencas de los ojos eran pronunciadas. La boca le colgaba abierta como si estuviera durmiendo y pudiera despertarse. Quise cerrársela.

Algo me tocó y me dio un sobresalto. Diaz estaba mirándome.

—Cole, ¿se encuentra bien? —preguntó.

—Claro. ¿Y ahora, qué?

Diaz me miró fijamente un instante y luego se dirigió a Beckett.

—Bien, Dino, hemos acabado —le dijo—. Necesito primeros planos de los tatuajes y de la cara. Algo que no nos haga pensar en *La noche de los muertos vivientes*, ¿vale?

—No hay problema. Nos vemos en el ascensor.

Beckett volvió a cubrir el cadáver mientras Diaz y yo nos quitábamos los guantes; luego la seguí hasta el pasillo. Cuando ya estábamaos lejos del depósito de cadáveres se dirigió a mí de nuevo.

—La cosa va a ir así —dijo—. Daré las fotos a Pardy para que haga copias, y luego me voy a la cama. Pardy las entregará al jefe de patrullas; intentaremos encontrar a alguien que conozca a este tío.

—¿Pardy ha llevado antes algún caso?

—Es una buena oportunidad para él, Cole. Pardy llegó desde Metro. Está ansioso y quiere hacerse un nombre. Lo hará bien.

Miré hacia la puerta de vaivén tras la que estaban las paredes llenas de cadáveres, algunos desde hacía años.

—¿Le importa si participo? —le pregunté a la inspectora.

—¿Qué significa eso? ¿Que Pardy no es lo bastante bueno y el Mejor Detective del Mundo ha de echar una mano?

—Quiero saber por qué el tipo creía que era mi padre. ¿No le pasaría a usted lo mismo?

—Todavía no le hemos absuelto.

—Pero lo harán. Vamos, Diaz, piénselo. Incluso podría encontrar al autor del disparo.

Sus ojos se endurecieron por algo que yo no supe descifrar en sus estanques oscuros. Sonrió, pero su sonrisa carecía de humor, y a la vez era ilegible. Luego meneó la cabeza.

—Espero que esté siendo sincero —dijo.

—¿Sobre qué?

—Espero que no me esté ocultando nada, Cole.

—¿Como qué?

—¿No reconoció al muerto?

—Sólo sé que un hombre que dijo ser mi padre está tendido en una nevera.

Ella me dirigió una mirada dura y se volvió hacia el pasillo.

—Claro, Cole —dijo—. Si quiere buscar, busque. Es usted el Mejor Detective del Mundo. Lo dicen los periódicos.

Al cabo de unos minutos, Beckett se reunió con nosotros en el ascensor y le dio las fotografías a Diaz. Ésta se quitó la máscara, examinó la foto de la cara del muerto y me dio una de las copias.

—Tenga. Tal vez la necesite.

—Gracias —repuse.

—Ya se puede quitar la mascarilla.

Me la dejé puesta. No quise quitármela hasta que se abrió la puerta del ascensor y entramos en el aire nuevo y fresco. Salimos juntos del edificio y nos separamos para encaminarnos cada uno a su coche. Cuando llegué al mío, me volví para mirarla. Diaz estaba junto a un Passat azul oscuro, atenta a su foto. Alzó la vista para mirarme, y vio que yo estaba observándola. Intentó fingir que no estaba comparándonos, pero noté que así era. Se subió al coche y se marchó deprisa.

6

Escondido

Payne Keller poseía dieciséis acres de olmos, matorral, maleza y pinos, comprados por casi nada en la validación de un testamento porque la cabaña se estaba viniendo abajo. Había cavado una nueva fosa séptica y un pozo, había cambiado las cañerías, colocado nuevas tuberías de gas, un depósito de gas natural y un tejado nuevo, y había pagado para hacer llegar la electricidad y el teléfono desde la carretera. Frederick había animado a Payne a comprarse una caravana como él, pero Payne quería intimidad. Frederick tenía que reconocer que a veces la intimidad de Payne venía muy bien.

Frederick condujo su coche traqueteando por el largo camino de entrada, entre baches y hendiduras debidas a la erosión, hasta llegar a la cabaña de Payne. La casa blanca y cubierta de polvo estaba tranquila. Frederick sacó la escopeta de debajo del asiento y se apeó del vehículo. En el pasado la casa de Payne había sido bonita, pero ahora las telarañas llenaban los aleros y el lugar estaba sucio y desarrapado como una mujer a la que se le ha corrido el maquillaje de la cara.

—¡Payne! Eh, colega, ¿estás en casa?

Frederick se quedó inmóvil, escuchando. Al parecer la casa estaba desierta, pero se acercó al porche cubierto sin quitar ojo de las ventanas. Abrió el candado y empujó la puerta. Dentro, doce figuras de Jesucristo lo miraban desde doce crucifijos colgados de las paredes. Había más sobre el televisor. Jesucristo era testigo desde el mueble del televisor, la estantería y las mesas del fondo. Frederick sabía que le esperaban aún más Jesucristos en el cuarto de baño, la cocina y el dormitorio.

—¿Payne? —llamó.

Gritaba sólo para impresionar. Si Payne le había traicionado, en cualquier parte podía haber un policía o un reportero.

Frederick sintió la mirada de los Jesuses sobre la nuca, y cerró los ojos. Empezó a oír zumbidos en la cabeza, y si no los ahuyentaba se convertirían en voces.

—Haz que paren, Payne. Haz que se vayan —susurró.

El zumbido fue apagándose poco a poco, y Frederick recobró la compostura. Se precipitó a la cocina para mirar el contestador y encontró dos mensajes, pero uno era de Elroy y el otro lo había dejado él. Desde que Payne desapareciera, Frederick había inspeccionado la casa dos veces cada día esperando hallar un mensaje que le diera alguna pista sobre su paradero, pero sólo encontraba los que le dejaba él manifestando su preocupación por el estado de Payne (también para impresionar), así como los de Elroy.

Frederick borró los mensajes, fue hasta el armario y se agenció una caja de bolsas de basura. Tras salir de la casa y cerrar la puerta, regresó al camión en busca de la pala. Fue caminando por el lateral de la casa que conducía al bosque y siguió el lecho de un arroyo seco hasta llegar a la base de una roca de gran tamaño. Frederick contempló los árboles a ambos lados del cauce, aunque no estaba seguro de estar en el lugar correcto. Se sentía desconcertado y confuso, pero también agitado.

Empezó a moverse cada vez con más urgencia. Subió colina arriba por detrás de la roca y de pronto reconoció el entorno con toda precisión; cada hoja le resultaba tan familiar como los viejos amigos. Sintió un arrebato de confianza.

—Sí, es aquí —dijo sonriendo—. Sí.

Apoyó todo su peso en la pala y sacó tierra haciendo palanca. Frederick Conrad, que era el nombre que ahora usaba, trabajaba con determinación. De pronto la pala chocó con algo duro. Apartó la tierra con las manos y desenterró el primer cráneo.

Checkout Receipt

Main Branch - Iredell Co. Public Library
09/01/12 05:23PM
****

PATRON: 23114001686486

El desconocido /
CALL NO: F CRAIS
Barcode# 33114016351140
Due Date: 09/22/12

TOTAL: 1

Ask us about our eBook collection.
www.iredell.lib.nc.us
e 704-928-2014

7

Seis horas antes las calles estaban vacías, pero ahora los transeúntes se aglomeraban en las aceras, los mensajeros sorteaban los coches como colibrís a la carrera, y las tiendas de Grand y Hill se habían convertido en un bazar abierto. La policía se había marchado. La cinta amarilla, las luces, los inspectores y los coches patrulla habían desaparecido tras borrar cualquier indicio de que allí se había producido un homicidio. Para los poco avezados, era otro día perfecto en la ciudad de Los Ángeles.

Fui en coche hasta la escena del crimen. Me acerqué al bordillo de enfrente de la floristería y examiné la entrada del callejón. No podía hacer más que la policía y no estaba seguro de por qué quería intentarlo. Desde el principio no creí que la persona no identificada #05-1642 fuese o pudiera ser el padre que no había conocido. Era una especie de cliente que me había contratado y la persona que yo tenía el cometido de encontrar. Quizás estaba aburrido de tantas semanas sin trabajar; tal vez no quería volver a una casa que carecía de sentido sin Lucy y Ben. Era más fácil enfrascarme en un asesinato; era compasivo dirigir mi cólera hacia otro.

El Big Empty era una zona deprimida al este del centro de convenciones y al sur del distrito financiero, rechazada por los sin techo que solían congregarse varias manzanas al norte, en los parques y misiones de Skid Row. Las calles estaban bordeadas de tiendas al por mayor, locales para oficinas a precio rebajado, revendedores de ropa y negocios que cerraban al anochecer; los bares, los hoteles, los apartamentos y las misiones estaban a diez manzanas al norte, y no era un paseo cómodo desde el callejón. El indocumentado #05-1642 o bien vivía en la zona o bien estaba buscando un destino, aunque por allí había poco que buscar. Consulté mi mapa Thomas Brothers. Quería hablar con las personas que trabajaban en la floristería y luego buscar por el barrio comercios que pudieran haber estado abiertos en el momento del crimen.

Me metí en el callejón y aparqué. Cuando me apeé, un hombre delgado con una camiseta rosa ajustada salía por una puerta de servicio acarreando cajas de cartón aplanadas. Al verme, su mala cara se transformó en un nudo torcido.

—No puede aparcar aquí. Se lo llevará la grúa —gruñó.

—Es un asunto policial. A las tres menos cuarto de la madrugada aquí se ha producido un homicidio. La policía vendrá a hablar con usted.

—Ya ha estado alguien aquí. Un hombre alto, brusco y grosero; y esto no parece un coche de la policía.

Yo conduzco un Sting Ray descapotable de 1966, que seguramente parecería más un coche de la policía si lo lavara. Es amarillo.

—No lo es, y yo no soy policía, pero trabajo en el caso —dije—. ¿Estaba usted en su tienda a eso de las tres de la madrugada?

Al tipo le irritaba que le preguntaran. Supuse que la

tosquedad de la anterior visita lo había incomodado de veras.

—Ya he hablado con la policía —replicó—. Pues claro que no estaba aquí. No duermo aquí. No estaba aquí cuando pasó y no sé nada de esto.

Le dirigí lo que me pareció una sonrisa amistosa, intentando mitigar su enfado.

—Muy bien —dije—. Tal vez usted pueda ayudarme en algo. Estoy tratando de averiguar por qué la víctima estaba en la zona. Quiero echar un vistazo a los negocios que pudieran estar abiertos a esa hora. ¿Sabe de alguno?

Se le puso la cara tensa y pareció aún más irritado.

—No, y no puede dejar el coche aquí —espetó—. Los camiones de reparto no podrán pasar.

A diez metros un hombre había muerto desangrado por un disparo en el pecho, y ahí estaba el tío borde. Observé el espacio entre mi coche y el extremo del callejón. Había sitio de sobra.

—No hay otro sitio donde aparcar, y no tardaré —le dije.

—¿Ve la señal de «Prohibido aparcar» en la pared? Si no se lleva el coche, llamaré a la policía.

Dejé de procurar ser agradable y le dije que llamase si le apetecía. La gente así me produce urticaria.

Tardé más de lo necesario sólo para fastidiarlo. Pasé dos horas deambulando por las doce manzanas de los alrededores, pero sólo conté seis restaurantes y dos Starbucks, ninguno de los cuales había estado abierto a las 2.45 de la madrugada. Evidentemente, el indocumentado estaba en la zona porque iba a algún otro sitio.

Regresé al callejón al cabo de un rato. No se me habían llevado el coche, pero detrás habían tirado un montón de bolsas de basura. Supongo que el tío de la camiseta rosa pensó que si no podía llevarse el vehículo, me cerraría el paso. Borde.

Me dirigí al Dumpster. Después de que la policía abandonara el lugar, éste había sido limpiado a conciencia. No se veía sangre y estaba todo rociado con desinfectante. Ninguna marca de tiza revelaba el perfil del cadáver ni se apreciaban rastros reveladores de la presencia de los forenses, aunque aún había vetas húmedas de desinfectante en el asfalto.

Inspeccioné el callejón arriba y abajo, intentando imaginar su aspecto a las 2.45 de la madrugada. No habría sido muy tentador pasar por allí, pero el miedo es algo relativo. Las calles adyacentes estaban bien iluminadas, pero el indocumentado #05-1642 prefirió la oscuridad. Quizá la oscuridad significaba puerto seguro, o tal vez lo perseguían. Tal vez el homicida ya estaba en el callejón cuando llegó la víctima, lo que nos llevaba a un crimen de oportunidad. De todos modos, la mayoría de los homicidios son cometidos por familiares, amigos o conocidos; lo más probable es que la víctima y el criminal se conocieran. Si entraron juntos, el callejón no les causaría tanta aprensión. Quizá la víctima y el verdugo buscaron la oscuridad juntos, pero ¿con qué fin? Pensé en la descripción de los hechos de Diaz; según ella, tras oír el disparo no tardó más de tres minutos en encontrar al hombre y preguntarle qué había pasado. Y en vez de decirle quién le había disparado o cómo había sido todo, él le dijo que estaba intentando encontrarme. Empleó sus últimas palabras para identificarme como su hijo y decir que quería recuperar los años perdidos. No me gustó enterarme de esto. ¿Había entrado en ese callejón para buscarme? ¿Creía que iba a algún sitio donde yo estaría? ¿El criminal había afirmado conocerme y prometido presentarme?...

Miré el sitio donde había estado el cadáver y los imaginé uno delante del otro junto a los Dumpster. Apareció el arma, la víctima se resistió...

Bang.

Cerré los ojos y lo vi: el muerto marchito, de pronto vivo y de pie, haciendo frente a un agresor oculto en las sombras.

Bang.

Un disparo hizo blanco abajo, a la derecha del esternón, dejando intacto el corazón pero destrozando arterias y pulmones. La energía cinética se descargaría en su cuerpo y haría que se tambaleara. Por los tejidos se propagaría una onda por *shock* hidrostático a través del canal de la herida, rompiendo las células más próximas y navegando por la sangre de las arterias directamente hacia el cerebro. La presión reventaría capilares y cortocircuitaría los sentidos; se volvería ciego, sordo e inconsciente en un suspiro, y caería en seco como un boxeador tras recibir un gancho fulminante. Con un arma grande —del calibre 45 o 44— lo habría matado al instante al reventarle los vasos del cerebro con cien derrames simultáneos, pero con una pequeña recuperó lentamente la conciencia cuando Diaz lo encontró en el callejón. El dolor y el miedo entrarían en ebullición con los sentidos recobrados, gritaría y se retorcería tal como había contado Diaz. De repente volvería a ver y oír. Aunque se estaba muriendo, era capaz de pensar otra vez, de hablar. Alguien le había disparado y se estaba muriendo, pero no dijo quién ni por qué lo había hecho. Para él, lo más importante del mundo era decirle a Diaz que era mi padre y que estaba intentando encontrarme para compensar los años perdidos.

Me agaché para tocar el suelo.

«¿Por qué yo?»

Escruté el suelo alrededor de los Dumpster. Los polis

ya habían estado allí, pero volví a inspeccionar el lugar, un poco en una dirección y luego en la otra, después siguiendo la pared más alejada tratando de recordar si la policía había encontrado algún casquillo de bala. Busqué en los umbrales de las puertas de reparto que había frente a los Dumpster, pero no vi nada; luego desanduve el camino por el pasaje mirando en las grietas y los hoyuelos del asfalto. Los agentes y el inspector de Homicidios habían buscado en los mismos sitios, pero yo igualmente miré. Esquirlas de asfalto, vidrios marrones que antaño fueran una botella de cerveza y papeles deteriorados estaban diseminados uniformemente por donde el inspector los había dejado. Me coloqué en posición de flexión de brazos para mirar debajo del primer Dumpster, y vi un rectángulo brillante metido parcialmente entre la rueda trasera izquierda y la pared. Parecía algo demasiado visible para que a la policía se le hubiera pasado por alto, aunque quizá las brigadas de limpieza lo habían desplazado desde un lugar menos visible cuando fumigaron la zona.

Empujé el Dumpster a un lado y cogí la tarjeta por los extremos. Era una simple tarjeta azul de plástico con un triángulo blanco señalando un lado bajo las palabras INSERTAR AQUÍ. En el lado opuesto había una banda magnética a lo largo. Estaba casi seguro de que era una tarjeta de clave como las de los hoteles. El nombre del hotel y el número de la habitación no aparecían impresos porque nadie quiere que un desconocido sepa qué habitación abre la clave, pero pensé que la información se podría leer en la banda magnética. Podría haber incluso huellas dactilares.

Podía llevar la tarjeta a la Comisaría Central y dejársela a Pardy y Diaz, pero no quería esperar tres días para tener los resultados. Llamé a un criminalista del Departamento de Policía de Los Ángeles llamado John Chen. John y yo habíamos trabajado juntos tiempo atrás. Llamé a su oficina de la sección de Investigaciones Científicas, y me dijeron que tenía el día libre. Perfecto. Colgué y llamé a una inspectora que conocía de la sección de Delincuencia Juvenil en la comisaría de Hollywood, llamada Carol Starkey. Starkey había sido especialista en explosivos en el grupo de artificieros del departamento hasta que diversos golpes de mala fortuna la obligaron a cambiar de puesto; así que en cuanto a cosas técnicas sabía tanto como Chen.

Al contestar, Starkey dijo:

—¿Por fin me llamas para salir?

—No, te llamo por si puedes recuperar información de una tarjeta de clave.

Le expliqué lo de la tarjeta, el cadáver y lo que estaba haciendo.

—No jodas. ¿Crees que ese tío es tu padre? —dijo.

—No, no creo que sea mi padre. Sólo quiero averiguar qué hay en la tarjeta.

—Llama a Chen. Él sabe cómo hacer estas cosas.

—Hoy tiene fiesta —repuse.

—Un momento.

Me dejó en espera. Entretanto, cogí las bolsas de basura que el hombre de la camiseta rosa había dejado junto a mi coche y las amontoné delante de su puerta. Borde.

Starkey volvió a hablar:

—Chen se reunirá con nosotros en Identificaciones dentro de una hora.

—Creía que tenía el día libre.

—Ya no.

Le di las gracias y colgué. Miré el reloj. Habían transcurrido casi nueve horas desde que mataran al indocumentado #05-1642. La tarjeta de clave permitiría identificarlo; y saber mucho más de lo que yo quería saber.

SEGUNDA PARTE

EL PADRE SABE

8

La sección de Investigaciones Científicas del Departamento de Policía de Los Ángeles compartía sus dependencias con la Brigada Antiexplosivos, donde Carol Starkey había pasado tres años embutida en un traje reforzado para desarmar o destruir dispositivos explosivos mientras los demás se escondían detrás de un árbol. Todos hemos visto a los artificieros en los noticiarios. Son los hombres y mujeres vestidos con lo que parece un traje espacial, inclinados sobre una caja o una mochila cargada con TNT, intentando desactivarla antes de que explote. Starkey lo hacía muy bien, y le encantaba su trabajo, hasta que algo salió mal. Starkey y su supervisor volaron por los aires en un aparcamiento de caravanas por la explosión de un barril de pólvora y clavos. Los médicos le salvaron la vida y los cirujanos la suturaron, pero no la dejaron volver a la Brigada. Trabajó un tiempo en Conspiración Criminal, y ahora estaba en la sección de asuntos juveniles, pero aún echaba de menos las bombas. Toda una mujer, ¿eh?

Cuando entré en el aparcamiento, Starkey estaba apoyada en un Suburban azul oscuro de la Brigada Antiexplosivos. Tenía treinta y pocos, una cara alargada, el pelo lacio, y lucía un traje gris oscuro de raya diplomática muy adecuado para su pose. Estaba fumando.

—Eso te matará —le dije.

—Ya he estado allí, ahora estoy de vuelta —repuso con una media sonrisa—. Chen está dentro, enfurruñado porque le he hecho venir.

—Gracias por organizarlo todo, pero no tenías por qué hacer el viaje. Sé que estás muy ocupada.

—¿Y perder la ocasión de flirtear contigo? ¿De qué otro modo te voy a llevar a la cama?

Starkey es así. Se volvió hacia el edificio y la seguí mientras nos abríamos paso entre los coches aparcados.

—Entonces, ¿qué pasa con la víctima? —dijo Starkey—. ¿No crees que sea pariente tuyo?

—No, no lo creo. El hombre sólo estaba obsesionado y confuso. Ya sabes, como esos acosadores que se obcecan con una estrella de cine. No es más que eso —repuse.

—Déjame ver esas fotos.

Le había hablado de las fotos de la morgue, pero me molestó que quisiera verlas. Las miró, me miró a mí, luego otra vez a las fotografías. Aquello me hacía sentir vulnerable de una manera que no me gustaba. Finalmente, Starkey meneó la cabeza y me devolvió las fotos.

—No te pareces en nada a ese tío —sentenció.

—Ya te lo he dicho.

—Él parece una mantis religiosa y tú un colinabo.

—¿A esto llamas tú flirtear?

Starkey pasó entre dos coches estacionados y esperó a que yo diera la vuelta. Cuando proseguimos ella parecía pensativa, quizás azorada.

—Tal vez no debería bromear con esto —dijo—. No sabía que no conocías a tu padre. Ahora entiendo lo extraño que ha de ser para ti.

—No tiene nada de extraño. No estoy haciendo esto porque crea que es mi padre.

—Como quieras.

—No lo hagas más grande de lo que es.

—Mira, cambiemos de tema. ¿Qué sabes de Ben? ¿Cómo le va por allí?

Starkey había ayudado a buscar a Ben Chenier. Nos conocimos la noche que él desapareció.

—Le va bien. No hablamos tan a menudo como antes —dijo.

—¿Y la abogada?

La abogada era Lucy Chenier.

—No hablamos tan a menudo como antes.

—Supongo que tampoco tenía que haber sacado este tema.

—Supongo que no.

Starkey sacó su placa y se la mostró al recepcionista. Luego me condujo por un pasillo hacia un letrero que rezaba LABORATORIO TÉCNICO. El Departamento de Identificaciones estaba dividido en tres partes: el laboratorio técnico, el laboratorio criminalista y la unidad administrativa. Chen, como los otros investigadores sobre el terreno, trabajaba libremente entre el laboratorio técnico y el criminalista, aunque si era preciso consultaba a los especialistas.

Cuando nos vio, Chen frunció el entrecejo. Era alto y delgado, llevaba unas gafas no muy católicas, y adoptaba la postura encorvada de alguien que padece un déficit de autoestima crónico. Algunos investigadores se ponían una bata, pero la mayoría llevaba ropa de calle. Sólo John Chen tenía un estuche para lápices. Dirigió alrededor una mirada furtiva para asegurarse de que no había nadie cerca.

—Hoy es mi día libre —refunfuñó—. Me he pasado la mañana encerando el coche para ir a pasear por Westwood en busca de titis.

Chen es así. Sus únicas motivaciones son la publicidad, la promoción profesional y el sexo. No forzosamente en este orden.

—Eso es más de lo que necesitábamos saber, John —le dijo Starkey—. Limítate a resolver lo de la tarjeta.

—Sólo lo digo, nada más. Ésta me la debéis —repuso él. A continuación estiró un brazo e hizo un ademán con la mano—. Dejadme ver eso.

Yo llevaba la tarjeta de clave envuelta en mi pañuelo. Lo dejé sobre la mesa y lo desenvolví. Chen se levantó las gafas y se inclinó para ver de cerca.

—¿Esto pertenecía a la víctima o al agresor? —preguntó.

—No lo sé —dije yo—. Estaba en el callejón, así que tengo que averiguar qué es. Quizá no era de ninguno de los dos.

Chen observó con más atención, y luego alzó la vista hacia mí.

—¿Ese tipo era realmente tu padre? —preguntó.

Ya me estaba dando dolor de cabeza. Quería lo que se pudiera sacar de la tarjeta y salir de allí cuanto antes.

—Era un viejo iluso que creía ser mi padre. Nada más —respondí.

—Starkey me ha dicho que era tu padre.

—Lo entendí mal, joder —soltó Starkey—. Cole no se le parece en nada. He visto las fotos.

—¿Vais a examinar la tarjeta o no? —pregunté impacientándome, pero de inmediato me arrepentí de haberles levantado la voz.

Chen llevó la tarjeta a una terminal de trabajo que podría ser el sueño de un obseso del Napster: un ordenador de mesa estaba conectado con lo que parecían ser *decks* y componentes de VHS, VHS-C, BETA, 3/4, 8 mm y cinta digital, junto con reproductores de DVD/CD, minirreproductores de cedés y diversos lectores de banda magnética que podían haber sido adquiridos en el supermercado local. En la pared, un letrero rezaba: NO IMANES, NO INFORMACIÓN, NO EMPLEO. Humor de ratas de laboratorio.

Chen empezó a trabajar con el ordenador, y en la pantalla aparecieron diferentes ventanas.

—Aquí la mayor parte de nuestro cometido tiene que ver con tarjetas falsas y tarjetas ATM, pero también podemos analizar tarjetas de clave comerciales —explicó—. Casi todos los hoteles de Estados Unidos compran sus sistemas a una de las tres empresas de cierre magnético, y todas usan los mismos códigos. Primero lo intentaremos con los comerciales. ¿Quién está al mando?

—La inspectora Kelly Diaz. De la sección de Homicidios de la Central —contesté.

Chen tecleó el nombre.

—Tengo que llamarla para saber el número de expediente. ¿Qué tal folla?

Starkey le dio un puñetazo en la espalda, nos dijo que tenía que volver a su trabajo y se marchó del laboratorio ofendida.

—Por Dios, John, a ver si tienes un poco más de estilo —dije.

Chen pareció decepcionado con mi respuesta, pero no avergonzado por lo que había dicho. Echó un vistazo a Starkey mientras se alejaba y bajó la voz.

—Ésta me la debes, tío —dijo—. Y también me la debe tu novia, díselo.

—Starkey no es mi novia.

Chen puso los ojos en blanco.

—Ya, claro.

Chen acabó de rellenar las casillas, cogió la tarjeta de clave con unas pinzas de plástico y la pasó por un lector electrónico. La información grabada en la banda magnética apareció al instante en la pantalla:

```
0087662//116/carversystems//
0009227//suiteshomeaway047//
0012001208//00991//
```

Chen golpeó ligeramente la pantalla con el dedo.

—Aquí está, tío —dijo—. Es de la cadena Suites Home Away. El cero cuarenta y siete seguramente es la ubicación. El uno dieciséis será el número de habitación. Todo este rollo de la izquierda son sólo secuencias de códigos, no hagas caso.

Copié la información en la libreta: habitación 116; número 47.

—¿Qué es Carver Systems? —pregunté.

—La empresa que fabricó la cerradura. Te he dicho que hay sólo tres o cuatro que hagan esto, ¿no? Pues ahí lo tienes. ¿Sabe Diaz lo de la tarjeta?

—Todavía no. Iba a dársela más tarde.

Chen puso cara de preocupación.

—No puedo hacer esto al margen de las normas —le dijo—. Se trata de un homicidio.

—No te estoy pidiendo que te saltes las normas. Diaz sabe que estoy trabajando en el caso. Está de acuerdo.

—Entonces debo quedarme la tarjeta. Puedo mandar el código de identificación para ver si corresponde con las huellas de la víctima.

—¿Podrías hacerme un duplicado?

—¿Quieres decir otra tarjeta clave?

—Sí. Ahora que tienes los códigos, ¿puedes ponerlos en otra tarjeta?

—¿Hacerte una llave de la habitación ciento dieciséis?

—Eso mismo.

Chen pareció nuevamente preocupado. Ladeaba la cabeza como un loro nervioso.

—Esto no es un ajuste de cuentas ni nada, ¿verdad? —dijo—. ¿Crees que alguien mató a tu viejo? Si matas a alguien, me van a joder vivo.

—No es mi padre —repuse secamente.

—Le diré a Diaz que voy a hacerte un duplicado. También se lo diré a Starkey.

—Muy bien, díselo.

Chen hurgó en un armario hasta encontrar una caja de tarjetas en blanco. Tecleó algo en el ordenador, pasó una tarjeta nueva por el lector y luego me la dio. No parecía muy contento.

—Habitación uno dieciséis —dijo.

—Gracias, John. Te la debo.

—Mejor que no mates a nadie.

Me guardé la tarjeta en el bolsillo y empecé a andar hacia la salida del laboratorio.

—Eh, Elvis —llamó Chen desde atrás.

Me detuve. John Chen me miraba fijamente con los ojos de loro receloso, sólo que ahora los ojos parecían tristes.

—Yo tampoco me parezco a mi padre —dijo.

Salí y me dirigí al coche. Starkey ya se había ido.

9

Suites Home Away era una cadena de moteles baratos, sin lujos, pensados para vendedores y gente de paso. En el Medio Oeste abundaban, pero en el sur de California había sólo seis, dos de ellos en la zona de Los Ángeles, uno en Jefferson Park, justo al sur de Mid City, y el otro en Toluca Lake. Jefferson Park estaba más cerca del centro, así que conseguí el número en información y llamé desde un teléfono público. Contestó una mujer joven con tono jovial:

—Suites Home Away, su casa lejos de casa. ¿En qué puedo ayudarle?

—¿Es ése el número cuarenta y siete? —pregunté.

—¿Perdón?

—Ustedes tienen varias direcciones, cada una con un número. Busco la cuarenta y siete.

—Yo de esto no sé nada.

No me dijo que esperara ni se ofreció a averiguarlo, simplemente dejó de hablar. Seguramente Home Away no pagaba por tener iniciativa.

—¿Puede preguntárselo a alguien, por favor? —insistí.

—Muy bien. Espere —dijo la telefonista.

Muy bien.

Volvió a ponerse al teléfono al cabo de unos minutos.

—Señor —dijo.

—Aquí estoy.

—Nosotros somos el número cuarenta y dos. Usted quiere la ubicación de Toluca Lake.

—¿Puede darme la dirección?

—Tendré que buscarla.

—Déjelo. Llamaré a información.

Bienvenido al apasionante mundo de la Investigación Privada.

Conseguí la dirección y acto seguido me encaminé al lado norte de Griffith Park, a través de Burbank, hacia Toluca Lake.

Toluca Lake es una pequeña comunidad rural metida entre los Universal Studios y Burbank, donde confluyen las autopistas sin peaje de Ventura y Hollywood. La mayoría de los residentes nunca ha visto el lago, pues está rodeado de edificaciones caras, pero la comunidad en su conjunto es una agradable mezcla de casas de clase media, edificios de apartamentos en buen estado y tiendas en las aceras.

Fui por Riverside Drive a través de la parte trasera de Toluca Lake hasta Lankershim Boulevard, luego pasé bajo el paso elevado de la autopista y me metí en North Hollywood. La gente de Home Away había mentido con el número; pensarían que bastaba con que estuviera cerca. Y después hablan de verdad en la publicidad.

Suites Home Away 47 era una caja gris de estuco; ni restaurante, ni servicios de habitaciones, ni virguerías. El sitio ideal para un viajante de comercio o una familia con presupuesto limitado. Aparqué en la calle y entré en un vestíbulo tan sencillo y básico como el exterior. Un joven de aspecto aburrido que lucía una chaqueta gris estaba sentado tras un mostrador, leyendo. Una pareja de más edad se encontraba frente a un estante de folletos turísticos, seguramente intentando decidirse entre hacer cola para ver el espectáculo de Leno o conducir hasta Anaheim para visitar el parque temático Knott's Berry Farm. Más allá del mostrador había unas escaleras y un pasillo largo y recto que conducía a las habitaciones de la primera planta.

Yo quería hablar con el recepcionista, pero también quería buscar la habitación, aunque el chico probablemente pondría pegas. En cuanto tuve el duplicado de Chen supe que entraría en la habitación, y supe también que no iba a esperar que lo hiciera la policía. Crucé el vestíbulo como cualquier otro huésped y enfilé el pasillo. La habitación ciento dieciséis estaba a la vista de la pareja de los folletos pero no del chico de recepción. Di unos golpecitos en la puerta, escuché y metí la tarjeta en la cerradura. Abrí de golpe y entré.

La habitación estaba vacía. Al igual que el resto del motel, era simple y sobria, con un hueco para un armario y un pequeño baño detrás. Las luces estaban apagadas y las cortinas corridas, y olía a tabaco. Todo se veía limpio y ordenado porque la encargada ya había hecho la ronda. En el armario, encima de una estropeada maleta gris, colgaban dos pantalones de hombre y dos camisas. Miré si la maleta tenía alguna etiqueta identificativa. Nada. Ni en la cama ni en el tocador había pistas que relacionaran esa habitación con el hombre del callejón; y los cajones de la mesilla estaban vacíos.

El baño también estaba casi vacío; sólo se veía una cajita de artículos de tocador. Esperé que algún frasco de receta contuviera algún nombre, pero sólo había los habituales y anónimos productos de viaje que se pueden comprar en cualquier Rite Aid. Volví al armario y miré en los pantalones que colgaban de la barra. En los bolsillos no había nada. La maleta no estaba cerrada, así que la abrí. Me sonrió una mujer desnuda. Aparecía en la portada de uno de esos periódicos gratuitos llenos de anuncios de *striptease*, prostitutas y salones de masaje. Era el *Hard-X Times*. Lo aparté y entonces me vi a mí mismo.

El pecho empezó a dolerme de un modo rarísimo, como si en mi interior hubiera aumentado la presión hasta que una parte de mí se hubiera agrietado y dejara escapar la tensión. La foto formaba parte de un artículo sobre mí publicado en una revista local. La reproducción era mala y borrosa, como si hubiera sido fotocopiada de una microficha de una biblioteca: los ojos eran manchurrones oscuros, la boca una línea negra, la cara estaba moteada, pero supe que era yo. Encontré otros dos artículos bajo el primero, uno que parecía del *Daily News* y otro del *L.A. Weekly*.

Era su habitación.

El indocumentado #05-1642.

Dejé los artículos a un lado y busqué en el resto de la maleta. Palpé la ropa interior y tres camisas arrugadas, y luego el forro interior por si había alguna clase de identificación, pero sólo encontré algo duro y redondo dentro de una bola de calcetines. Desenrollé los calcetines y conté 6.240 dólares en billetes de veinte, cincuenta y cien.

Volví a contar el dinero, lo metí de nuevo en los calcetines y terminé de inspeccionar el cuarto. No había nada que identificara al ocupante; era como si estuviera ocultándose intencionadamente.

Lo dejé todo tal como lo había encontrado, salí y regresé al vestíbulo. La pareja mayor se había ido. En la identificación del recepcionista se leía «James Kramer».

Puse mi mejor tono de poli y le dije:

—Me llamo Cole. Estoy investigando un homicidio, y creemos que una o varias personas implicadas podrían ser huéspedes de su hotel. ¿Reconoce a este hombre?

Le enseñé la foto de la morgue, y vi que Kramer apretaba la boca.

—¿Está muerto? —preguntó.

—Sí, caballero, en efecto. ¿Lo reconoce?

—Así parece un poco diferente.

Cuando están muertos siempre parecen diferentes. Guardé la foto y saqué la libreta.

—Estamos intentando identificarle. Creemos que estaba en la habitación ciento dieciséis. ¿Me puede decir cómo se llamaba?

Kramer tecleó en el ordenador el número de la habitación para sacar la factura.

—Es el señor Faustina... Herbert Faustina.

Me lo deletreó. A continuación leyó una dirección de College Ridge Lane, en Scottsdale, Arizona, y luego un número de teléfono.

—Muy bien —le dije—. ¿Y el número de su tarjeta de crédito?

—Pagó en metálico. Lo hacemos así si el cliente deja un depósito de trescientos dólares en efectivo.

Di unos golpecitos a la libreta pensando la siguiente pregunta mientras él me miraba fijamente. No hay que darles nunca la oportunidad de pensar.

—¿Cómo ha dicho que se llamaba? —dijo.

—Cole.

—¿Puedo ver su placa?

—Si el tipo hizo llamadas desde su habitación, saldrán en la factura, ¿verdad? —repuse.

El chico empezaba a parecer nervioso.

—¿Es usted policía?

—No, soy investigador privado. No pasa nada, señor Kramer. Todos estamos en el mismo barco.

Kramer se retiró del mostrador para poner más distancia entre nosotros. No parecía asustado; le preocupaba meterse en líos por responder a mis preguntas.

—Creo que no debo decir nada más. Voy a llamar al director —dijo.

Se volvió para coger el teléfono.

—Antes de llamar tiene usted que hacer algo. Puede haber afectadas más personas, y quizás estén en esa habitación. Y tal vez estén heridas y necesiten ayuda.

Sostuvo el teléfono junto a la cara pero no marcó. Le temblaban las cejas como si lamentara haber aceptado un buen día una mierda de trabajo como ése.

—¿Qué quiere decir? —inquirió.

—Mire en la habitación. Sólo asome la cabeza por si alguien necesita ayuda, y luego llame al director. No querrá que alguien se muera en ese cuarto.

El chico miró hacia al pasillo.

—¿Se muera? ¿Qué quiere decir?

—Faustina fue asesinado. Antes de hablar con usted llamé a la puerta, pero no contestó nadie. No sé si hay alguien dentro, por eso le digo que lo compruebe. Asegúrese de que no hay nadie desangrándose, y luego telefonee.

Kramer miró otra vez hacia el pasillo. Luego abrió el cajón, sacó su llave maestra y rodeó la mesa.

—Espere aquí —dijo.

—Esperaré.

Cuando hubo desaparecido por el corredor, me coloqué tras la mesa. En la pantalla del ordenador aún estaba la cuenta de Faustina. Encontré el botón de FACTURA DE CAJA y lo pulsé. Una pequeña y rápida impresora láser sacó tres hojas con el gasto final de la habitación de Herbert Faustina. Las cogí y me marché antes de que Kramer regresara. El Mejor Detective del Mundo atacaba de nuevo.

10

Habían pasado diez horas y ya tenía el nombre y la dirección de Faustina, así como una lista de todas las llamadas que había hecho desde el motel. Pensé en llamar a Diaz y Pardy cuando caí en la cuenta de que tenía hambre, así que compré un par de tacos ligeros en Henry's Tacos, en North Hollywood, y me los comí en los bancos de enfrente. Los devoré como un perro famélico, y luego compré dos más sobre los que vertí la asombrosa salsa de Henry. Para la hora de la cena quizá ya conocería la historia de la vida de Faustina, y para la hora de acostarme la de su asesino. El Departamento de Policía de Los Ángeles seguramente me suplicaría que resolviera sus otros casos pendientes, y a lo mejor yo aceptaría. La generosidad lo es todo.

Cuando terminé de comer puse rumbo a Laurel Canyon, en lo alto de la montaña, y luego seguí por Woodrow Wilson Drive hasta mi casa. Me estaba sintiendo bastante bien hasta que vi el sedán camuflado aparcado delante, y la puerta de la calle abierta de par en par.

Estacioné al otro lado de la calle, más allá de la casa, y luego fui andando a inspeccionar el coche. Era un vehículo de un inspector del Departamento de Policía, con una radio en la guantera abierta y una chaqueta arrojada de cualquier manera en el asiento trasero. Mi amigo Lou Poitras era teniente de Homicidios de la comisaría de Hollywood, pero aquél no era su coche. Además, Lou no habría dejado mi puerta delantera abierta para que entraran alegremente sabandijas y saqueadores.

Entré. Pardy estaba en mi sofá con los brazos extendidos en el respaldo y los pies sobre la mesita. Cuando me vio, no se levantó ni me sonrió. Una Sig negra le colgaba suelta bajo el sobaco.

—Tiene una bonita casa, Cole. Supongo que merece la pena que salga el nombre de uno en los periódicos —dijo.

—¿Qué está haciendo aquí?

—He subido a hablar con los vecinos sobre usted. Dicen que su coche ha estado aquí toda la noche, así que queda libre de toda sospecha a menos que surja otra cosa.

—Quiero decir qué está haciendo en mi casa.

—He visto la puerta abierta, pero he llamado y no han contestado. Pensé que, como forma parte de la investigación de un homicidio, podía estar muerto o herido; entonces entré por si debía prestar ayuda.

Volví a la puerta de la calle y observé la jamba. Ni la jamba ni la cerradura presentaban señales de haber sido forzadas con una ganzúa. Dejé la puerta abierta y regresé al salón. Dos vitrinas del mueble del televisor estaban entreabiertas, y el montón de guías telefónicas que había entre la ventanilla que comunicaba el comedor y la cocina no estaba en su sitio. Pardy había registrado mi casa.

—No puedo creer que haya entrado en mi casa así como así —le dije bruscamente.

—Y yo no puedo creer que usted regresase a mi escena del crimen esta mañana. Me parece sospechoso.

—Diaz sabe que estoy trabajando en el caso. Ella me dio su consentimiento.

—¿Ah, sí?

—Pregúnteselo.

—O'Loughlin me dio el mando, y no necesito ninguna ayuda. Considere esto como una visita de cortesía.

Pardy se levantó de repente. Era más alto que yo, los hombros angulosos y las manos grandes y huesudas, y se me acercó con ademán intimidatorio.

—No meta más las narices en mi caso —dijo—. No quiero que hable con mis testigos, no quiero que vaya a mi escena del crimen, ni que contamine mis pruebas.

—Tampoco querrá que encuentre pruebas que usted haya pasado por alto.

Pardy se hallaba en mi casa por la tarjeta de clave. Cuando llegué al callejón esa mañana, Pardy ya había mirado con una linterna debajo del Dumpster. Sin embargo, allí seguía la prueba que él tenía que encontrar, sólo que no la había encontrado. Cuando Chen reveló a la División Central de Homicidios lo de la tarjeta, seguramente O'Loughlin habría preguntado al respecto, y ahora Pardy se sentía puesto en evidencia.

—Lamento que haya salido escaldado, pero ¿qué se supone que debía hacer? ¿Fingir que no la había encontrado? —pregunté.

—Es gracioso que usted encontrara una tarjeta que no estaba allí. Estoy pensando que quizá la puso en ese lugar con la intención de hacernos quedar mal.

—No diga bobadas.

—Sé que usted se vende por alcanzar notoriedad, Cole. Tal vez mató a ese vagabundo sólo por la publicidad... los polis tontos no pueden resolver el caso, así que el gilipollas superestrella acude en su rescate. Titular de portada, ¿eh?

Empezaba a sentirme cabreado y cansado, y los maravillosos tacos poco picantes se habían vuelto amargos y rancios.

—¿Ya ha estado en Suites Home Away? —pregunté. La cara de Pardy se tensó, su piel colorada parecía un pergamino pegado a un cráneo. Meneé la cabeza—. Ya veo que no. Mientras usted jodía por aquí, yo estuve en el motel. La víctima estaba registrada como Herbert Faustina. Cuando los periodistas le entrevisten, puede decirles que el gilipollas superestrella tuvo que darle el nombre porque usted estaba registrando mi casa sin ninguna orden judicial mientras yo trabajaba en el caso. Después de eso, quizá me consideren Sherlock Holmes.

La cara de Pardy se tensó aún más.

—¿Qué ha hecho en el motel? —inquirió.

—Hablar con un recepcionista llamado Kramer. A estas horas ya habrá terminado su turno, pero puede pillarle mañana. Dígale a O'Loughlin que también le he sustituido en esto.

No le dije que había entrado en la habitación, y tampoco pensaba darle la factura de Faustina. Decidí que llamaría a Diaz; pero que Pardy se las apañara solo.

—Cree que sabe algo, pero no es verdad, Cole —me dijo—. No tiene ni idea. Aléjese de mi caso. Si mete las narices, le daré por el culo.

Tenía que haberlo dejado estar. Tenía que haber asentido sin más, y él se habría marchado. Pero no me había gustado ni un pelo que hubiera entrado en mi casa, y aún menos que pensara que me conocía cuando no me conocía en absoluto.

—Se equivoca, Pardy —dije—, algo que debería saber si hubiera prestado atención en la academia. Yo puedo ocuparme del asunto que quiera mientras no le obstaculice ni le impida a usted hacer su trabajo. Quizá no le guste, pero si me detiene por este motivo, se las verá no sólo con el fiscal del distrito sino también con Asuntos Internos. Tendrá que explicarles cómo entró en mi casa sin una orden de registro, y cómo se le pasó por alto la tarjeta y apareció tarde en el motel. Tendrá que explicarles incluso cómo intentó desafiarme aunque todo lo que he hecho hoy ha sido con pleno conocimiento y autorización del Departamento de Policía de Los Ángeles. A ver cómo sale de ésta. Tal vez el propio O'Loughlin le ayude a hacer las maletas.

Pardy me miró con gravedad; se había puesto rígido, sin saber qué hacer porque nada estaba saliendo como había planeado. Entonces las cosas empeoraron.

—Creo que no lo entiende, Cole —dijo—. ¿Dónde está su arma? Déjeme ver el arma con la que ha matado a toda esa gente.

Pardy se llevó la mano derecha al sobaco y agarró la empuñadura de su Sig. La frente le brillaba envuelta en una película de sudor.

—Quiero estar seguro de que lo entiende —añadió.

El percutor del Colt 357 Python amartillándose en la puerta de la calle sonó como un crujir de nudillos. Pardy se volvió al oír el sonido, y gritó su aviso como si llevara uniforme:

—¡Policía de Los Ángeles!

—¿Y? —dijo Joe Pike.

Pike estaba enmarcado en las sombras de la puerta abierta, con su 357 junto al muslo derecho. Medía metro ochenta y pico, el pelo castaño corto y unos músculos fibrosos que le daban la apariencia de delgado aunque pesaba noventa kilos. Lucía una sudadera gris sin mangas, vaqueros y las gafas de sol del cuerpo de marines que llevaba casi las veinticuatro horas del día los siete días de la semana, dentro y fuera, de día o de noche. La luz del sol poniente daba en las gafas y hacía que le brillaran los ojos.

Pardy siguió insistiendo, pero tuvo el sentido común de no sacar su arma.

—Es mi colega, Joe —le dije—. Habrá leído sobre él en los periódicos.

—Soy un agente de policía, maldita sea —repuso Pardy—. ¡Agente de policía! ¡Suelte esa arma! Dígale que suelte la maldita arma.

Miré a Pike.

—Dice que sueltes el arma —dije tranquilamente.

—No —contestó él.

—¿Qué quiere, Pardy? ¿Un tiroteo? Mire, no tiene nada que hacer. Si quiere detenerme, voy con usted y resolvemos esto con O'Loughlin en la comisaría. ¿Quiere ponerme bajo arresto?

Pardy me miró; se había agotado su tiempo. Podía presionar, pero su rollo era endeble y él lo sabía. Estaba tan tenso que su voz chirrió como una bisagra oxidada.

—Por esta vez lo dejamos —dijo.

Pardy dio un bandazo como un velero virando de bordo y se encaminó hacia la entrada. Pike se apartó para dejarlo pasar. Cuando Pardy llegó a la puerta, me miró de nuevo. No parecía asustado, sino seguro de sí mismo.

—Por esta vez lo dejamos —repitió.

—Buenas noches, Pardy —le dije.

Pardy salió y al cabo de un minuto oímos su coche arrancar. Cuando se hubo marchado, Pike enfundó su 357.

—¿Tiene esto algo que ver con lo de tu padre? —dijo como si nada.

—No es mi padre, por el amor de Dios. ¿Quién te lo ha dicho?

—Starkey.

—¿Ahora sois amiguitos y habláis por teléfono?

—Estaba preocupada.

Pike sabía bastante por Starkey, y yo completé el resto. Joe Pike era mi amigo más íntimo y único compañero desde hacía casi veinte años, pero no habíamos compartido demasiados episodios de nuestras respectivas infancias. No sé exactamente por qué, quizá nos parecía innecesario y que estaba de más. Tal vez nos bastaba con ser quienes éramos, y nos parecía bien así; o acaso pensáramos que nuestro equipaje era más ligero sin el peso de las preocupaciones de otro. Cuando llegué a la parte de Suites Home Away, le mostré a Pike la factura con el nombre y la dirección de Faustina. Pike le echó un vistazo.

—Éste no es el código de Scottsdale —dijo luego—. La dirección y el número de teléfono no cuadran.

En el papel del motel aparecía el 416 como código postal para el número de Faustina.

—¿Cuál es el de Scottsdale?

—Cuatro ochenta.

Fui hasta el teléfono con la factura y marqué el número. Saltó inmediatamente una voz grabada para informarme de que ese número no existía. A continuación encendí mi ordenador, pulsé el programa de mapas de Yahoo e introduje la dirección de Faustina. En Scottsdale no existía esa calle. Me recliné en la silla y miré a Pike; todo lo que creía saber de Faustina era falso.

—Su dirección y su número telefónico no existen. Se los inventó —dije.

Pike examinó de nuevo la factura y me la devolvió.

—Tengo la impresión de que inventó algo más que eso —dijo Pike—. María Faustina fue la primera santa del milenio. Fue canonizada por su fe en la clemencia divina de Dios. Te apuesto lo que quieras a que usaba un alias.

Pike sabe cosas de lo más sorprendentes.

Saqué las fotos del depósito de cadáveres y le mostré la de los tatuajes de Herbert Faustina.

—Supongo que buscaba clemencia.

—Quizá —dijo Pike—, pero ¿clemencia por qué?

11

Trabajo en el patio

Ese día, Frederick hizo tres viajes a la casa de Payne; no es que quedara mucho después de tantos años, pero las bolsas eran incómodas de llevar. Cada vez que bajaba, tenía miedo de que la policía estuviera esperando. Se deslizaba entre los árboles con el corazón en un puño hasta que no había moros en la costa.

En cuanto todo estuvo abajo, Frederick encendió la parrilla de gas de Payne. Usó cuatro latas llenas de propano, luego mezcló las cenizas con gasolina y las quemó en un bidón de cincuenta y cinco galones que Payne utilizaba para incinerar basura. Tras la segunda tanda, metió los residuos en una bolsa y frotó el bidón con Clorox. Después llevó las cenizas por la autopista 126 hasta el lago Piru y lavó las bolsas con agua del lago. De regreso se paró en dos semilleros de Canyon Country. A última hora de la tarde, cuando el sol empezaba a flojear, espolvoreó la propiedad de Payne con una generosa mezcla de raticida, veneno para hormigas, pimienta de cayena y arsénico. Puede que a la larga la policía llevase perros a registrar el terreno, pero cuando éstos aspirasen la pequeña sorpresa de Frederick, no aguantarían mucho. Sintió satisfacción por el trabajo bien hecho.

Con las pruebas eliminadas y la tierra rociada con veneno, Frederick entró de nuevo en la casa de Payne para tratar de pensar. Payne siempre le decía que serían castigados. Frederick creía que su amigo se refería a que arderían en el Fuego Eterno —sobre todo después de que Payne comenzara a tatuarse y hablar con Jesús—, pero quizá no era eso ni mucho menos. Frederick se despertaba cada mañana pensando que alguien, en algún lugar, iba tras ellos; que ejércitos enteros estaban intentando encontrarles.

Quizá ya lo habían logrado.

En la cabeza de Frederick se arremolinaban pensamientos como voces susurrantes, y empezaba a dejarse llevar por el pánico.

Alto.

Frederick se sentó a la mesa, el cuerpo inmóvil menos la pierna derecha. Su muslo se agitaba como si tuviese vida propia, más rápido a medida que se intensificaba el zumbido.

«Haz que pare.»

Frederick sabía que se hallaba en un apuro. Estaban intentando cogerle, y tal vez ya habían cogido a Payne... mercenarios, asesinos enmascarados, criminales incluso; sicarios contratados para encontrarlos y castigarlos. Quizás habían cazado a Payne y su coche; se habían movido con tanta rapidez que Payne había desaparecido sin más.

Frederick cayó en la cuenta de que si habían pillado a Payne, ahora mismo quizás estarían vigilándole a él. Notó el peso de los párpados. Oyó los susurros amortiguados.

Siguió agitando el muslo hasta que la mesa empezó a temblar; un Jesús de cerámica bailó hasta el extremo, cayó al suelo y se hizo añicos. Frederick se agarró la pierna y se golpeó el muslo...

—¡Párate! ¡Párate-párate-párate!

Se levantó tambaleándose y fue a la cocina dando traspiés. Allí vio un mensaje reciente esperando en el contestador. Alguien había llamado ese día mientras Frederick trabajaba en el patio.

Pulsó el botón, y de la máquina surgió una voz que él había oído sólo una vez: cuando dejó que Payne le convenciera para ir a la iglesia católica aquel domingo.

«Payne, soy el padre Wills —dijo la voz—. Espero que estés bien, pero me preocupa no saber de ti. Por favor, llama o pásate por aquí. Es importante que prosigamos nuestra conversación.»

Frederick sintió un nudo en el estómago, y su boca sabía a sardinas.

«¿Qué conversación?», se preguntó.

El padre Wills era un sacerdote, y los sacerdotes confiesan a la gente.

¿Qué le había contado Payne? ¿Qué era ese sospechoso tono de complicidad en la voz del padre Wills?

Seguramente Payne había vomitado hasta el último detalle a todos los sacerdotes, ministros y rabinos de la ciudad. Frederick empezó a temblar, y volvieron los zumbidos...

Borró el mensaje.

Respiraba con dificultad, aspirando aire de forma entrecortada, hasta que se preguntó si Payne le habría dicho a su confesor dónde iba y qué pensaba hacer. El padre Wills quizá lo sabía.

Frederick decidió preguntárselo.

12

Durante los nueve días que Herbert Faustina residió en Suites Home Away hizo cuarenta y seis llamadas telefónicas, pero ninguna a un número que yo reconociera. No llamó a mi despacho. En la factura figuraban todos los números marcados y la duración de las llamadas porque el motel las cobraba por minuto. De los cuarenta y seis números marcados, el 411 aparecía hasta una docena de veces. Pike y yo nos repartimos las treinta y cuatro restantes y empezamos a marcar para ver quién contestaba, yo con el teléfono fijo de casa y Pike con su móvil.

Las dos primeras llamadas que hizo Faustina fueron a información. Una mujer con voz firme respondió a la tercera.

—Policía de Los Ángeles. Comisaría Oeste, ¿en qué puedo ayudarle?

Me quedé sorprendido; no sabía qué decir.

—Aquí la policía —repitió la voz al teléfono—. ¿Qué desea?

—¿Está el agente Faustina? —dije al fin.

—No veo el nombre en el cuadro.

—¿Le suena este nombre? ¿Faustina?

—¿Quién es?

Pedí disculpas y colgué. Faustina había hablado con la Comisaría Oeste de Los Ángeles durante seis minutos, tiempo suficiente para que lo pasaran con todas las unidades del edificio. Pediría hablar conmigo y, al no estar yo, preguntaría por J. Edgar Hoover. Cualquiera lo bastante chiflado para creerse mi padre querría que Hoover llevara el caso.

Eché una mirada a Joe.

—Llamó a la Comisaría Oeste de Los Ángeles. ¿Qué te parece?

—Hummm... —dijo Pike.

Contestó al siguiente número un hombre de voz áspera.

—Policía. Sureste.

Cuando colgué, Pike estaba a la espera.

—¿Otra comisaría? —preguntó.

—Sí. Llamó a la Sureste.

—También a Newton.

Herbert Faustina había hablado con la Comisaría Sureste durante once minutos, y con la de Newton ocho. Los otros tres números me llevaron a Pacific, la 77 y Hollenback.

Me recliné en la silla, pero Pike aún tenía más.

—Devonshire, Foothill y North Hollywood —dijo.

Otras tres áreas de patrulla de las dieciocho del departamento.

—Es extraño. ¿Por qué llamaría a todas estas comisarías? —pregunté finalmente.

—Los periódicos te describían como investigador. Tal vez creyó que eras un inspector de la policía y llamó a las comisarías intentando encontrarte.

—Es posible.

Pike se encogió de hombros y volvió a su teléfono.

—O no.

El siguiente número me puso en contacto con una farmacia Rite Aid, y el noveno con el Automóvil Club. El décimo número era el de la comisaría de Hollywood, pero el undécimo era diferente. Un hombre con la voz profunda de *disk-jockey* nocturno respondió al primer tono.

—Acompañantes Golden, discretos y profesionales —dijo.

Faustina había pasado veintrés minutos al teléfono hablando con Acompañantes Golden. Recordé el trozo de periódico de la maleta, el de la mujer desnuda con el pelo azul metálico... El *Hard-X Times*. Colgué.

—Tenía otras cosas en mente aparte de encontrarme —dije a Pike—. Llamó a un servicio de acompañantes.

—¿Acompañantes Golden?

—¿Tú también lo tienes?

—Por partida doble. Llamó el miércoles pasado, y otra vez el viernes. Pensaría que las putitas le ayudarían a encontrarte.

—El humor no es lo tuyo.

El rostro de Pike era apagado e inexpresivo. Quizás hablaba en serio.

Comprobamos las fechas y vimos que durante los nueve días que había pasado en Suites Home Away, Faustina había llamado a Acompañantes Golden tres veces. La segunda noche y luego la quinta y la novena. La novena era el día anterior... la noche en que fue asesinado. Noté un leve subidón de adrenalina al ligar el servicio de prostitutas con la fecha de su muerte. Parecía una pista.

—Sigamos, a ver qué más descubrimos —dije.

Las llamadas restantes incluían otras dos comisarías.

En total, había telefoneado a doce áreas de patrulla de las dieciocho en que se divide Los Ángeles. Entre las demás había también tres a locales de comida rápida, una a recambios de automóviles Pep Boys, dos a iglesias de North Hollywood y una a la Catedral de Cristal. En ninguno de estos sitios reconocieron su nombre ni recordaron su llamada. Exceptuando el de información, el de Acompañantes Golden era el único número al que había llamado más de una vez, y el servicio era el único de esas características.

Cuando acabamos de identificar todos los números a los que llamó Faustina, llamé nuevamente a Acompañantes Golden. Respondió el mismo hombre exactamente de la misma manera.

—Acompañantes Golden, discretos y profesionales.

—He visto su anuncio en el *Hard-X Times* —dije.

—Genial. ¿Quiere una cita para hoy?

—¿Puede venir alguien a mi hotel?

—Por descontado. Aceptamos efectivo, Visa y MasterCard, no AmEx, y ofrecemos acompañantes de ambos sexos para compañía sin relación sexual. La prostitución es ilegal, y no es esto lo que vendemos. Cualquier cosa que pase entre usted y su acompañante, bueno, es cosa de usted y el acompañante. ¿Entiende?

Me soltó el consabido rollo por si yo era de la Brigada Antivicio.

—Entiendo.

—Genial. Dígame dónde está, cuánto quiere gastar y qué tipo de compañía está buscando.

—Estoy en Suites Home Away. ¿Lo conoce?

—Como si fuera mi casa.

—Genial. Me gustaría la misma chica que la última vez.

—¿Ha utilizado antes nuestros servicios?

—Claro. Tres veces.

—¿Cómo se llama?

—Herbert Faustina.

Se cortó la comunicación. Después de tres conversaciones, conocía la voz de Faustina lo bastante bien para saber que no era yo.

Llamé a una amiga de la compañía telefónica y le di el número. Si resultaba ser un móvil tendríamos que rastrear miles de direcciones, y eso supondría mucho tiempo. Si teníamos suerte, correspondería a un teléfono fijo. Tuvimos suerte. Noventa segundos después, mi amiga me dio la dirección.

Genial.

13

Acompañantes Golden ocupaba una diminuta casa de tablas de madera en Venice, al norte de los canales, a seis manzanas del mar. El barrio era típico de Venice, donde había casas microscópicas en parcelas tan pequeñas que se pegaban unas a otras como cartas de una baraja. A los legos en la materia, probablemente muchas calles de Venice les parecerían bloques de pisos de alquiler, pues se veían aceras deterioradas, decorados de ocio playero y negocios de alquiler de coches antiguos, pero la casa más barata valdría seiscientos mil dólares. La ubicación lo era todo.

La casa en cuestión era una imitación Craftsman con un minúsculo porche delantero, estaba pintada de amarillo y tenía una veleta con forma de ballena. Había luz en las ventanas, pero en las inmediaciones no callejeaban mujeres muy maquilladas ni se veía ninguna luz roja encima de la puerta. Estos servicios no eran burdeles con prostitutas en salto de cama; funcionaban más como expedidores para contratistas independientes: ponían anuncios, recibían llamadas y distribuían tareas por teléfono. A veces proporcionaban un chófer a la chica, pero la mayoría de las veces no, y los servicios más simples se realizaban casi siempre en una casa o un apartamento particular.

Pike y yo aparcamos en la calle que cruzaba, y luego nos dirigimos a la casa como dos ciudadanos normales dando un paseo. Pardy y Diaz habrían esperado colaboración, pero Pike y yo no éramos Pardy y Diaz.

—Un segundo —dijo Pike.

Esperó a que pasara un coche, y luego se deslizó por el lado este de la casa y desapareció en las sombras. Yo seguí hasta la esquina siguiente. Hacía una noche agradable en Venice. El mar olía a limpio. Al cabo de seis minutos reapareció Pike. Retrocedí y me reuní con él delante de la casa.

—Un hombre y una mujer —dijo—. La cocina está en la parte de atrás, el salón delante, una cama y un baño a la derecha de la cocina. Ella está preparando la cena y él en el salón con unos cascos y un ordenador. Parece que viven aquí.

—¿No te fastidia que se te presente gente a la hora de cenar?

—Más les va a fastidiar a ellos.

Esperamos a que pasaran otros dos coches y luego nos dirigimos a la puerta. Pike se quedó a un lado para no ser visto cuando se abriera. Cuando ves a Joe Pike, ya sabes que estás en un apuro. Yo puse mi mejor sonrisa no intimidatoria y llamé al timbre.

Tras la segunda llamada, se abrió la puerta y se asomó un hombre de treinta y pocos años. Tenía el pelo negro peinado hacia atrás, la cara ancha, y llevaba unos cascos de teléfono inalámbricos. El auricular se le había movido de sitio.

—¿Qué pasa? —dijo de mal humor.

Sonreí abiertamente, y un segundo después le golpeé

con fuerza en el pecho pillándole desprevenido. Lo empujé hacia dentro y Pike vino detrás. No especialmente discreto, pero muy profesional.

—Eh, ¿qué es esto? ¿Qué están haciendo? —farfulló el tipo.

—No pasa nada. Sólo queremos hablar.

El hombre se echó hacia atrás, estirando las manos al frente como si quisiera frenar el avance de una manifestación.

—Usted es el tipo que ha llamado —alcanzó a decir.

Pike pasó por su lado y entró en el salón. El tío de los cascos intentó retroceder para poder vernos a los dos a la vez, pero ya estaba contra la pared.

—¿Qué están haciendo? —protestó—. Ésta es mi casa. Váyanse.

—¿Cómo se llama? —le pregunté.

—A tomar por el culo. Salgan de mi casa.

En un cuenco de una mesa situada junto a la puerta había una cartera. Dentro estaba su carné de conducir y verifiqué la foto. Era él. Stephen Golden, el orgulloso propietario de Acompañantes Golden. Los delincuentes me llenan de asombro. Dejé la cartera en el cuenco en el momento en que una mujer salía de la cocina. Tenía la cara alargada, una ligera separación entre sus dientes incisivos y la mirada de ojos tiernos, pero no gritó ni hizo ademán de resistirse. Uno monta un número si tiene miedo de la policía. Le dediqué una sonrisa de aliento.

—No pasa nada. La policía estará aquí enseguida —le dije.

—Esto es una gilipollez —soltó el hombre—. ¿Tienen alguna queja con un cliente?

—No tenemos ninguna queja. Uno de sus clientes está muerto.

—Oh, eso es espantoso —dijo la mujer.

Él se dirigió a ella con brusquedad, su voz incluso más dura que cuando se dirigió a mí al irrumpir en la casa.

—No digas nada. No sabemos nada de esto. Ellos no pueden estar aquí y ya está.

Sonreí un poco más a la mujer, como si él no estuviera, sólo ella y yo.

—¿Cómo se llama? —le pregunté.

—Marsha.

—No digas una mierda —dijo él.

La cara de Marsha tenía la translucidez del agua cristalina: piel clara, pecas apagadas y ojos sin pestañas que le conferían una inocencia de la que seguramente carecía. Lucía una camiseta Tenacious D y unos shorts, mariposas tatuadas por encima de los tobillos. Se había recortado la camiseta y llevaba los pantalones bajos, dejando entrever un tatuaje por debajo del ombligo.

—Todo irá bien, Marsha —proseguí—. ¿Sabe cómo se gana la vida Stephen?

—Sí, es nuestro negocio. No hacemos daño a nadie.

—¿Es usted su esposa, su novia, o qué?

—¡No hables con él! ¡No es asunto suyo! —insistió Golden. Pero sólo estábamos Marsha y yo.

—Vivimos juntos —prosiguió ella.

—Vale, fantástico. No tenga miedo —le dije.

—No lo tengo.

Sobre una bandeja había un ordenador portátil, junto a una silla de tubo en el rincón del salón, así Golden podía ver la tele mientras trabajaba. Me acerqué y miré.

—¡Apártese de ahí! ¡Deje mis cosas en paz! —chilló Golden.

—Chist —le siseó Pike.

En el suelo, junto a la silla y conectado al ordenador,

había un teléfono de seis líneas con un repetidor de envío automático. En la pantalla se veía una guía telefónica, con lo que probablemente serían los nombres y direcciones de las putas. Había abierta una ventana de telecrédito para cobrar mediante Visa y MasterCard, de modo que seguramente el ordenador contenía los libros de contabilidad y los registros de quién ganaba qué. Regresé hacia el tipo.

—Muy bien, Stephen, queremos lo siguiente —le dije—. Un hombre llamado Herbert Faustina se alojaba en Suites Home Away, en Toluca Lake...

—No sé nada de eso —se apresuró a contestar.

—En los últimos nueve días, el señor Faustina le llamó tres veces...

—No es verdad.

—Lo sabemos porque en el registro de llamadas aparece su número.

—Yo llevo un negocio legal. Lo que pasa entre...

—Faustina le llamó anoche por tercera y última vez. Hoy, aproximadamente a las tres menos cuarto, lo mataron de un tiro. ¿Ve adónde quiero llegar?

Golden cruzó los brazos y se mordió el labio inferior antes de negar con la cabeza.

—Voy a llamar a mi abogado —dijo.

—No. Nosotros no somos la policía, o sea que no vamos a perder el tiempo con su abogado. La policía seguramente pasará por aquí mañana. Entonces puede llamar a su abogado, pero ahora se las va a arreglar solito. Vamos a ver a quién mandó usted a Faustina.

—No hay ningún archivo para esa gente. Tengo el número de un busca, o quizá de un móvil. De la mayoría ni siquiera conozco sus verdaderos nombres, ya no digamos su dirección.

—Pues llámelas. Mire, Stephen, usted va a colaborar

porque ahora está incluido en la investigación de un homicidio, igual que las tres personas que envió a Faustina. Si no coopera con los polis, se van a pasar con usted. Si no coopera conmigo, cogeré su ordenador y todo lo demás y lo llevaré a Delitos Sexuales de la Comisaría Oeste de Los Ángeles.

En el ordenador seguramente aparecerían las prostitutas que empleaba, un historial de las transacciones de su tarjeta de crédito que incluiría la identidad de sus puteros, y quizás incluso información bancaria y de cuentas corrientes que revelarían el modo en que eludía pagos a Hacienda.

Golden se quedó perplejo.

—No puede robarme mis cosas —dijo.

—Venga, Stephen. ¿Cómo piensas impedírnoslo? —terció Pike.

Golden volvió a mirar a Pike, pero ahora parecía más pensativo que asustado.

—¿Y si coopero? —dijo al cabo.

—Si no lo hace, puedo dar a la policía todos sus archivos —le dije—. Si colabora, podemos hacerlos desaparecer. ¿Entiende mi oferta?

Le estaba ofreciendo librarse de una redada importante contra alcahuetes y proxenetas.

—La cena está lista, Stephen. Díselo y que se vayan, por favor —dijo Marsha.

Golden la fulminó con la mirada como si de pronto la odiara más que a nada en la vida; pero ella lo ignoró, se apartó de la pared y se dirigió al ordenador.

—Vengan, vean esto —dijo.

Se dejó caer en la silla de tubo y con el ratón abrió lo que parecía ser un calendario. Fue a cada una de las tres fechas y copió los nombres de las mujeres que había mandado a Suites Home Away, luego abrió una carpeta de direcciones y me enseñó las entradas: Janice L., Dana M. y Victoria.

—¿Lo ve? Tengo los buscas y los teléfonos, pero no las direcciones —dijo—. Puedo llamarlas, pero no sé cuándo volverán aquí. No estamos hablando de gente estable precisamente. A veces estas chicas desaparecen y no volvemos a saber nada de ellas.

—¿No están disponibles? —pregunté.

—Las personas tienen su propia vida, oiga —dijo Marsha—. Además, Stephen no es el único con el que trabajan.

«Con». No «para».

Ahora Golden parecía impaciente.

—Mire, si quiere que las llame ahora mismo, las llamo —posiguió Marsha.

Volvió al teléfono con paso airado y marcó un número. Cuando oyó el chirrido del busca, sostuvo el aparato en alto como si yo pudiera oírlo desde el otro lado del salón.

—¿Ve? Un tono. Estoy llamando —dijo. Aguardó unos pocos tonos y colgó. Luego arrojó los cascos sobre la silla de tubo—. Ya está avisada. Bueno, amigos, ¿quieren cenar? Podemos llamar a las otras chicas y quedarnos aquí sentados toda la noche esperando mientras están chupando pollas.

Miré a Pike, pero éste permanecía inmóvil. Si hiciera falta, Pike se sentaría con Golden durante semanas, tal vez para siempre. También pondría una pistola en su cabeza y apretaría el gatillo si Golden no hacía lo que tenía que hacer.

No me gustaba no saber dónde encontrarlas, sobre todo porque cualquiera de ellas podía estar implicada en la muerte de Faustina. Si alguna estaba relacionada con el homicidio, seguramente no devolvería la llamada, y desde luego no colaboraría, pero Golden parecía mi única vía para llegar a ellas.

—¿Qué hay de los apellidos? —pregunté a Golden.

—Si me hubieran dado un apellido, serviría para una mierda. ¿Cree que tengo un archivo W-2 para esta gente? —Extendió otra vez las manos, el gesto universal del hombre atrapado—. Mire, estoy intentando ayudar, pero no puedo hacer más. Cuando llamen, les diré que hablen con usted. Si quiere llamarlas usted mismo, adelante, pero no hará más que asustarlas.

Golden tenía razón. Me sentí como un idiota al que pillan desprevenido. Había irrumpido a lo loco en aquella casa, dándole la razón al *cowboy* Pardy, y ahora no tenía ningún premio. Intenté pensar en algo inteligente que preguntar, pero aún me sentí más jodido porque me costaba pensar.

—¿Faustina pagó con tarjeta de crédito? —pregunté al cabo.

—No, en metálico.

—¿Qué chica le vio anoche?

—Escribí los nombres en orden según iban a visitarlo. Victoria. Ella fue la última.

—¿Victoria y las otras chicas le hablaron de él? ¿De algo que él hubiera hecho o dicho?

—Ellas nunca me cuentan nada y yo nunca pregunto. No quiero saber. Usted probablemente tampoco querría.

—Pero ¿usted habló con Faustina cuando llamó?

—Sí.

—¿Qué dijo?

—¿Quiere saber qué quería, por ejemplo una mamada o sexo anal?

Pike golpeó a Golden en la cabeza por detrás.

—No te pases de listo, Stephen —dijo Marsha—. Cuando te pasas de listo empeoras las cosas.

—¿Dijo de dónde era o qué estaba haciendo en Los Ángeles? —proseguí.

Golden aún se frotaba la cabeza.

—Yo no hablo con los clientes. Le tanteé para saber qué quería de la chica... unas cosas cuestan más que otras, y algunas chicas no hacen según qué. Sólo dijo que ella tenía que ser una buena persona. Comprensiva, dijo. Sólo quería alguien con quien poder hablar. Es todo lo que dijo.

—¿Le contaron ellas de qué habló?

—Me importa un carajo. Acordamos el precio y yo me llevo mi parte. Una hora, doscientos pavos. Me da igual lo que hagan.

Pensé en Faustina y su pretensión de sólo hablar, y me pregunté si sería verdad. Seiscientos dólares por tres horas de charla era mucha charla.

—El hombre le llamó tres veces en menos de dos semanas —insistí—. Imagino que la primera sería de carácter práctico, pero con el tiempo se habrá creado entre ustedes cierta familiaridad; tal vez usted bromeó sobre lo buen cliente que era él o algo así.

—Sí, bromeé un poco con él, pero no hablamos. El tipo no tenía el don del palique, ya me entiende. A mí me gusta hablar. Pero él sólo parecía algo torpe y triste.

—¿Mencionó a su familia?

Golden rió.

—Un tío que llama pidiendo una puta no mete a la familia por medio —dijo—. Mire, no quiero ser colega de esa gente. Me da igual quiénes son y de dónde vienen. Si me enrollo por teléfono con alguien, comunica... pierdo dinero. Como ahora.

Traté de pensar algo más que preguntar, pero estaba claro que Golden no tenía mucho que ofrecer. Doblé la lista de nombres y la guardé.

—Muy bien, Stephen —dije—. Llámelas y organícelo para mañana, luego deme un toque...

Saqué una tarjeta mía y la dejé en el cuenco, junto a su cartera.

—Puede encontrarme en este número; sé que lo hará —agregué.

La cara de Golden se iluminó, sorprendido de que Joe y yo tomáramos aquella decisión y deseoso de que nos largáramos de su casa. Uno casi alcanzaba a ver los engranajes girando tras las espesas cejas. En cuanto las chicas llamaran, él las avisaría, les diría que se marcharan de la ciudad, y luego telefonearía a su abogado. Quizá se largara él también.

—¿Sabe por qué lo sé, Stephen? —le pregunté.

—Eh, he dicho que lo haría, ¿no? —repuso en tono irascible—. Ahora sólo me da un respiro.

—Exacto. Y también me llevo su ordenador.

Cerré el portátil y lo desenchufé. Golden abrió los ojos como platos e hizo ademán de impedirlo, pero Pike le tocó el brazo.

—Quieto —le dijo.

Golden se quedó paralizado entre los dos. Marsha volvió a la cocina y habló desde la puerta.

—Por el amor de Dios, Stephen —dijo—. La cena se va a echar a perder.

Me coloqué el ordenador bajo el brazo y me dirigí a la salida.

—¡Esto es un puto robo! —gritó Golden—. ¡Usted no puede entrar en la casa de alguien y robarle sus cosas!

—No estoy robándolo... sólo reteniéndolo como aval.

Si sus chicas aparecen, lo recuperará. Si no, acabará en manos de la policía.

Pike abrió la puerta y miró a Golden. Meneó la cabeza y salió.

—¡Esto no tiene sentido! —soltó Golden.

—Llámeme mañana por la mañana, o esto irá a la policía —contesté.

—¡Váyase a tomar por el culo, gilipollas! ¡Y Faustina también!

Al escuchar esto me detuve y me volví hacia él. Su rostro palideció y su rabia se ablandó.

—¿Qué ha dicho? —dije.

Él negó con la cabeza.

Salí, cerré la puerta y me quedé unos segundos en el porche. Pike estaba en la calle, sus gafas de sol reflejando el rojo como los ojos de un gato por la noche. Dentro, Marsha llamaba a Stephen Golden a cenar.

14

Una suave brisa traía el olor y el sabor del mar, que quedaba a seis manzanas. Una fina niebla marítima se arremolinaba en el aire, brillante con el reflejo de la luz. La niebla humedecía los sonidos del barrio y dejaba una sensación de vacío. Eché a andar; Pike estaba observándome. Llegué a su altura y nos quedamos los dos parados en la calle, dos tíos simplemente esperando. No teníamos ningún motivo para esperar, pero daba la impresión de que faltaba algo por hacer. Miré la casa de Golden, con la duda de si me había olvidado de formular alguna pregunta obvia o de llegar a una conclusión más obvia todavía. Volví a mirar a Pike, que seguía observándome.

—He visto cómo lo observabas —dijo—. Un par de veces, cuando ha dicho ciertas cosas.

—¿Qué quieres decir?

—¿Te has quedado satisfecho?

Miré otra vez la casa, pero la fachada no había cambiado. Era una casa. No sabía si estaba satisfecho o no. Traté de explicarme.

—Trabajo en un caso para otras personas —dije—. Siempre tiene que ver con alguien más. También esta vez;

Faustina es un desconocido... pero al final parecía que yo estaba aquí por mí. No estaba seguro de qué preguntar. Nada parecía claro.

Pensé en ello.

—Supongo —dijo Pike al cabo.

Estábamos en la calle. Sonó un claxon en Main. Un perro ladraba como si en ello le fuera la vida, y los ladridos cesaron bruscamente. Percibí olor a ajo.

—Lo has hecho bien —añadió Pike.

Fuimos calle arriba hacia su Jeep y luego hicimos el largo recorrido hasta mi casa dando tumbos por el tráfico como otro millón de angelinos, pero aún tenía la sensación de que mi noche de trabajo no había concluido. Dejamos la 405 en Mulholland y pusimos rumbo al este a lo largo de la cresta de montañas, sin decir palabra durante todo el trayecto. Esa noche no brillaban a uno y otro lado los campos de luz que delimitaban la ciudad y el valle. Estaban ocultos detrás de nubes que amenazaban tormenta. La persistente lluvia de primavera había ido menguando, pero ahora se reavivaba.

Cuando llegamos a mi casa, Pike aparcó frente a la entrada del garaje. Habló por primera vez desde que salimos de Venice.

—Ha sido la palabra triste. Escuece —dijo.

Supe enseguida a qué se refería y que estaba en lo cierto.

—Sí, ha sido cuando Golden dijo que Faustina parecía triste —contesté—. No era un fiambre en la mesa de autopsias. Era real, y lo que sentía era real. Tienes razón con lo de la palabra.

—¿Quieres ir a tomar una cerveza o algo?

—No, estoy bien —repuse.

—Podríamos volver a casa de Golden y meterle dos balazos en la cabeza por haber pronunciado esa palabra.

—Retirémonos ahora que vamos ganando.

Me apeé y cerré la puerta, pero no miré a Pike marcharse.

Mi casa estaba tranquila. Y vacía. Pensé en Lucy por primera vez ese día. Quería oír su voz. Quería decirle algo divertido, y ser recompensado con su risa. Quería hablarle de Herbert Faustina, y dejar que ella me ayudara a sobrellevar el peso de esa palabra: triste. Quería que entre nosotros todo fuera como había sido, porque si la tuviera a ella, entonces quizá todo el asunto de Faustina no sería tan importante.

Pero Lucy y Ben no estaban en su apartamento colina abajo. Se encontraban a más de tres mil kilómetros, construyendo una nueva vida.

Miré en el contestador; no había mensajes. Me lavé las manos, cogí una Falstaff de la nevera y saqué comida para el gato.

—Eh, colega, ¿estás ahí? —lo llamé.

Abrí la cristalera que daba a la terraza y lo volví a llamar, pero no apareció.

Me apoyé en la encimera de la cocina. El teléfono estaba a un metro. Fui al salón y encendí la tele. Quizás el Asesino del Semáforo Rojo había actuado de nuevo. Volví al teléfono, marqué buena parte del número de Lucy y me detuve, no porque tuviera miedo sino porque no quería hacerle daño, y porque así quería ella que fueran las cosas. Tendría que haber sido fácil: simplemente dejar de fingir que ella quería oír mi voz tanto como yo quería oír la suya.

Al rato abrí otra Falstaff y decidí ocuparme del asunto pendiente.

Carol Starkey

Eran casi las diez de la noche cuando Starkey pasó al ralentí con su coche por la casa de Elvis Cole, intentando tranquilizarse. El coche de él estaba en su aparcamiento habitual, había luz en la casa, y ella tenía las palmas húmedas como la primera vez que se vio frente a una bomba cuando era una novata en la Brigada Antiexplosivos del Departamento de Policía de los Ángeles.

—Santo cielo, estúpida, párate y ya está, por el amor de Dios. Él está en casa. Has hecho todo el viaje hasta aquí —se dijo Starkey, cabreada consigo misma.

Durante todo el viaje desde Mar Vista, Starkey se había machacado sobre lo que haría y cómo lo haría: llamaría a la puerta, lo llevaría al sofá cama y lo sentaría. Y le diría: «Mira, escúchame, hablo en serio... Me gustas y creo que tú también crees que yo no estoy mal, así que dejemos de fingir que sólo somos amigos y actuemos como adultos, ¿vale...?» Luego lo besaría y esperaría con toda el alma que él le diera un revolcón.

—Sólo tienes que pararte, ir a la puerta ¡y hacerlo! —añadió para sí.

Starkey no se paró. Pasó sigilosamente por delante de la casa por la pequeña calle mugrienta, giró por un camino de grava y a continuación detuvo el coche, apagó las luces y se reclinó en el asiento como una especie de acosadora pervertida y lunática, hablando todo el rato sola porque —según su psiquiatra— oír otra voz humana, aunque fuera la propia, era mejor que no oír ninguna.

En plan sensiblero.

Desde allí podría estar pendiente de alguna cosa mientras se aclaraba. Si Cole salía, probablemente reconocería el coche de ella. Dios santo, si la sorprendía allí sentada se iría zumbando al acantilado, joder que no, pisaría el acelerador a tope, daría un golpe de volante y se hundiría en el centro de la tierra para no regresar jamás.

—Cole —dijo—. Debes de ser el hombre más corto de entenderas de Los Ángeles y yo desde luego soy la hembra más patética, así que ¿por qué no nos ponemos a ello de una vez?

Starkey buscó el tabaco y se puso furiosa al ver que sólo le quedaban ocho o nueve cigarrillos. No le durarían mucho. Encendió uno, le dio una calada feroz que lo consumió hasta la mitad, y luego sacó el humo por la nariz sintiéndose frustrada y malhumorada. Allí estaba ella, una artificiera con un par que había desarmado y desactivado suficientes bombas para hacer volar la casa de Cole por encima de la montaña; que había explotado ella misma por los aires en un maldito aparcamiento de caravanas y regresado para contarlo, y que luego había acabado con el más famoso terrorista en serie de la historia de Estados Unidos (ese gilipollas, el señor Red, que había hecho estallar la casa de ella en el proceso, ¡ese mamón!), y que ahora no tenía narices de tirar la puerta de Cole abajo. Y luego de tirárselo a él.

Y no es que no lo hubiera intentado. Starkey le había propuesto a Cole salir juntos, había coqueteado con él con todo descaro, había hecho casi de todo menos ponerle una pistola en la cabeza. Pero Cole, el muy idiota, estaba enamorado de su abogada, la Bella Sureña.

Starkey torció el gesto como si hubiera mordido un zurullo.

—Luuu-cyyy...

Cada vez que pensaba en Lucy Chenier, se imaginaba a Lucille Ball, con su alborotada cabellera pelirroja, los ojos saltones y aquella chifladura con Ethel Mertz.

Aún podía oír la voz de Ricky: «Luuu-cyyy, ¡estoy en casaaa!»

¿Cómo podía Cole pronunciar su nombre sin reírse?

Starkey terminó el cigarrillo, lo tiró y encendió otro. No solía perder los nervios, pero su estúpido psiquiatra le había sugerido que ella tenía miedo no tanto del rechazo de Cole como de perderlo a la larga. En lo tocante a los hombres, Starkey no había sido precisamente afortunada. No hacía muchos años había estado perdidamente enamorada de su sargento supervisor de la Brigada Antiexplosivos, Sugar Boudreaux, cuyo recuerdo todavía le provocaba tembleques. Sugar había muerto en la explosión del aparcamiento de caravanas. Después estuvo Jack Pell, el agente de ATF (Alcohol, Tabaco y armas de Fuego), que conoció en la persecución del señor Red. Por entonces Starkey bebía bastante, y estaba superando lo de Sugar y la jodida pesadilla quirúrgica que era su remendado cuerpo: una tercera parte del pecho derecho, perdida en combate; una cuarta parte del estómago, fuera; un metro de intestino, adiós; el bazo, ¿qué bazo?; y el Gran Casino: el útero... y todo lo que lo acompañaba. Pell había sido tierno, y su apasionada clemencia la había ayudado mucho a dejar la bebida, pero al cabo del tiempo ambos se dieron cuenta de que aquello no era amor, Pell con sus inseguridades y Starkey con las suyas, ambos con tanto camino aún por recorrer.

—Los quieres y los pierdes —se dijo.

Y tal vez ése era su mayor miedo; si conseguía a Cole, lo perdería igual que había perdido a Sugar y Pell, así que era más seguro limitarse a desearlo.

Chorradas verborreicopsicológicas.

Starkey encendió otro cigarrillo y se repantingó en el asiento mientras observaba la casa. Elvis Cole le gustaba desde que se conocieron la noche en que desapareció el chico. Le gustaba su lelo sentido del humor y la intensidad con la que intentaba ser normal sin éxito; le gustaba cómo lo había dado todo para encontrar al chico, y la lealtad de sus amigos... Starkey sonrió de manera burlona.

... Y que tuviera un buen culo no hacía ningún daño.

La sonrisa de Starkey se desvaneció para dar paso a una expresión de tristeza. La verdad era que estaba chiflada por él, fascinada, no se lo quitaba de la cabeza, y quería que él la quisiera tanto como ella a él.

Quizás a él no le gustaba ella.

Quizás ella no era su tipo.

Cole seguía enamorado de Lucy Chenier.

Starkey expelió el humo de su cigarrillo hacia arriba y alrededor de su rostro, formando una nube que la ocultaba. Hacía diez meses que no bebía. No empezaría de nuevo ahora.

Sólo tenía que ir hasta la puerta y llamar.

—¡Hazlo! —se ordenó.

Starkey se irguió, tiró el cigarrillo, puso el motor en marcha...

A unos treinta metros, en la puerta del garaje, se encendieron unas luces de frenos y el sucio Corvette amarillo salió dando marcha atrás.

—¡Mierda! —soltó Starkey.

Se agachó, rezando para que él no la viera mientras la cola del Corvette giraba. Se apretó todo lo que pudo contra el asiento, hasta acabar debajo del volante, y cuando miró Cole ya no estaba.

15

Los desaparecidos

—¿Padre?... Padre, ¿está usted ahí?

—Voy, hija mía.

El padre Clarence Wills —conocido como padre Willie por los feligreses de la Iglesia de Nuestra Señora del Recto Perdón— levantó sus artríticos huesos del suelo y entró en el despacho. La señora Hansen, que le ayudaba en sus quehaceres clericales, le esperaba en la puerta con el bolso y la chaqueta.

—Estaba intentando ordenar unos papeles —dijo el padre—. ¿Cómo es posible que haya todo ese espacio vacío al fondo de los viejos cajones?

—Cojea usted.

—Siempre cojeo. La edad y demasiado oporto.

Al padre Willie le encantaba decir cosas así. Ella siempre le reñía preocupada como ahora, y él siempre le sonreía, dejándole claro que sólo era un bromista travieso. La señora Hansen era bajita, gorda, y seguramente la única persona de la ciudad más baja, gorda y vieja que el padre Willie.

—Es de noche, padre. Me gustaría marcharme a casa.

—De acuerdo, hija. Por hoy hemos terminado.

—No me gusta salir cuando ya ha anochecido. La noche no es segura.

—Pudiste irte hace dos horas.

—Pero usted aún estaba trabajando.

—Y trabajaré después de que te hayas marchado. Poca cosa. Vamos, te acompaño al coche.

Ella le regañó otra vez mientras él se ponía la americana. El aire enrarecido era cada vez más frío.

—Ustedes los hombres creen que soy tonta, pero algo les pasó a todas esas personas, y siempre por la noche —dijo la señora Hansen—. Javier hace lo mismo, se ríe y me dice que son imaginaciones mías.

Javier Hansen era su esposo. Entre los dos, el señor y la señora Hansen, tenían cinco hijos, dieciséis nietos y dos bisnietos, todos «alimentados con maíz y criados en el campo», como le gustaba decir a él, y actualmente viviendo en otra parte.

—No lo tomo a broma, hija mía —contestó Wills—, pero eso ocurrió hace años y nunca ha habido ninguna prueba que confirme los rumores. La gente se deja llevar por estas cosas y acaba creyendo en hombres lobo.

—Seis personas no desaparecen así como así.

—Seis personas repartidas en veinte años. Las mujeres abandonan a sus maridos, los maridos a las mujeres, los hijos se marchan, la gente se va.

—Cuando se van, las personas dicen algo, «adiós» o «buen viaje». Pagan las facturas y cancelan las cuentas... no desaparecen simplemente de la faz de la tierra como si hubieran sido raptadas. Esos niños no se marcharon sin más.

La señora Hansen empezaba a ponerse furiosa, pero el

padre Hansen le daba la razón en lo de los niños. Tres de los desaparecidos eran pequeños, las dos niñas de los Ames y el chico de los Brentworth, que se esfumaron en el espacio de ocho meses hacía casi diez años. No se habían marchado como pudieron hacer los adultos, al menos las dos niñas y el niño desde luego no. Se trataba de un crimen, sin duda, pero la policía no había sido capaz de demostrarlo ni de encontrar un solo sospechoso.

El padre Willie se sintió apesadumbrado por el recuerdo, y de repente se le ocurrió reírse del enfado de la señora Hansen.

—Bueno, no voy a dejar que le pase nada a usted, hija mía, ¡téngalo por seguro! —Sacó una lustrosa Kimber negra semiautomática del calibre 45 y la agitó en el aire—. ¡Balas de plata! ¡Por si viene el hombre lobo! —dijo en tono burlón.

La señora Hansen, que conocía bien el arma del padre, puso los ojos en blanco y se volvió, sonriendo a su pesar.

—¡Guarde eso antes de que se haga daño! —le dijo.

—El Señor me protegerá; son los hombres lobo los que han de andarse con cuidado.

El padre Willie era un experto en materia de armas, como bien sabían la señora Hansen y todos los que trabajaban en la iglesia. Era un magnífico tirador, y el arma había sido un regalo de Navidad de su hermano pequeño. Tras conseguir que la señora Hansen sonriera, el padre Willie guardó la pistola en la americana, alcanzó a la señora en el pasillo y la acompañó hasta su coche.

Situado en un lugar algo retirado de la carretera principal y rodeado de pinos, el aparcamiento parecía desierto; sólo se veían dos vehículos, el Le Baron de él y el Subaru de tracción a cuatro ruedas de ella. El padre Willie siempre pensaba que la ligera oscuridad de principios de primavera procuraba a su iglesia un manto de aislamiento, pero ahora el aparcamiento parecía inusitadamente oscuro.

—No trabaje hasta muy tarde. Ya no es un muchacho. Y deje el oporto para cuando ya esté en casa. No querrá que la policía le encuentre empotrado en el arcén —le advirtió la señora Hansen.

—Conduzca con cuidado, señora Hansen. Hasta mañana.

El padre Willie le sostuvo la puerta y luego la vio alejarse por la estrecha carretera para hundirse en la negrura. Acomodó las manos en los bolsillos, la derecha agarrada a la empuñadura del arma. Cuando hubieron desaparecido las luces de la señora Hansen, vio su aliento a la luz de la luna y de pronto reparó en que estaba muy oscuro. Las dos enormes lámparas de seguridad que se encendían automáticamente al anochecer no se habían encendido; estaban encaramadas en sus postes como dos búhos muertos.

El padre Willie tomó nota mental de decírselo al conserje por la mañana y echó a andar hacia su despacho.

—¿Padre?

La voz lo sobresaltó, pero entonces el padre vio la desazonada sonrisa del hombre, que lo tranquilizó.

—Caramba, padre, no quería asustarlo. Creía que me había visto.

El hombre era grandote y rollizo, con entradas y unos ojos conmovedores. La sudadera con capucha hacía que pareciera incluso más grande entre las sombras, con su sonrisa flotando en la oscuridad. El padre Willie sonrió nerviosamente, pues estaba tan asustado que seguro que se le escapaba el pipí. Con la edad se le aflojaba la vejiga.

—Sé que nos conocemos, pero no recuerdo su nombre. Lo siento —dijo el anciano.

—Frederick... Frederick Conrad, no Freddie ni Fred... Trabajo para Payne Keller, yo y Elroy Lewis.

—Eso es. Payne.

El padre Willie se acordó. Frederick había asistido a misa una vez con Payne, y cuando los presentaron había precisado que su nombre no era Freddie ni Fred sino Frederick. Ahora Frederick se acercaba arrastrando los pies, y el padre Willie pensó que sus ojos eran fríos y solitarios.

—Sé que Payne ha estado viéndolo, padre, y espero que usted sepa qué pasa.

—¿A qué se refiere, hijo?

—Payne ha desaparecido. Se fue de casa sin decirnos adónde iba a mí y a Elroy, y mientras tanto seguimos ocupándonos de su gasolinera. La verdad es que estoy preocupado. No es propio de Payne largarse sin más. Temo que le haya podido ocurrir algo.

El padre Willie se quedó pensando. No tenía deseo ni derecho alguno de compartir los asuntos hablados con sus feligreses, pero Payne se había referido a menudo a Frederick Conrad, y al propio padre le preocupaba la ausencia de Payne. Era un hombre atribulado, tanto que el padre Willie solía sondearle por si había peligro de que se suicidara.

El padre Willie advirtió la inquietud en el rostro de Frederick, y sopesó qué podía ofrecerle.

—¿Payne no le avisó de su marcha? —preguntó.

—No, señor, y estoy asustado. Creo que debería llamar a la policía.

El padre Willie pensó que llamar a la policía quizá no era mala idea. Su conversación con la señora Hansen acerca de las personas desaparecidas le había metido el miedo en el cuerpo, aunque también sabía que Payne tenía planes.

—Frederick, no creo que haga falta llamar a la policía —dijo—. Si está preocupado de veras, siga los dictados de su corazón, pero Payne planeaba viajar a Los Ángeles. Es todo lo que sé. Yo no sabía si se marcharía pronto o si estaría fuera mucho tiempo, pero sí me dijo que se iría.

Una especie de onda cruzó el rostro de Frederick, cuyos ojos se volvieron pequeños.

—¿Por qué Los Ángeles? —inquirió.

—No puedo entrar en detalles, Frederick. Basta con decir que Payne sentía la necesidad de hacer las paces consigo mismo. Pregúntele cuando regrese.

Frederick se humedeció los labios.

—¿Puede decirme cómo ponerme en contacto con él?

—No, lo siento.

—Acaba de dejarnos, padre, y tenemos que llevar la gasolinera.

El padre Willie quería irse a casa, pero Frederick no se movía. El sacerdote ya lamentaba la conversación, recordándose a sí mismo que ésa era la razón por la que uno nunca debe contar a las personas cualquier cosa —siempre quieren saber más, como si tuvieran derecho a ello.

—En serio, no sé qué más decirle —añadió con voz cansina—. Tal vez mañana debería llamar a la policía, tal como ha dicho.

El padre Willie hizo ademán de volverse, pero Frederick lo agarró del brazo con tanta fuerza que casi lo hizo caer.

—¿Estaba preparando un viaje? ¿Ha dicho a Los Ángeles? —preguntó con la voz exaltada.

—Cálmese.

—¿Por qué tenía que ir a Los Ángeles?

El padre Willie miró a Frederick a los ojos y sintió un miedo que no había sentido desde la época en que trabajó como voluntario en el corredor de la muerte de la penitenciaría. Palpó su pistola en el bolsillo, la agarró, pero al final entró en razón y soltó el arma. Sacó la mano y dio unas palmaditas a la de Frederick, la misma que le sujetaba el brazo.

—Déjelo, hijo.

La inquietante maldad se evaporó de los ojos de Frederick, en cuyo rostro se dibujó una sonrisa forzada.

—Dios mío, aún no me creo lo que he hecho, padre —musitó—. Perdone. Estoy muy preocupado por Payne, eso es todo. ¿Me perdona?

—Pues claro. Hablemos de esto mañana.

—Es que estoy preocupado, hágase cargo.

—Ya lo veo.

—Escuche, ¿podría confesarme? No soy católico, pero ¿podría ser?

—Podemos hablar, hijo. Puede decirme todo aquello que necesite decir. Hablaremos de ello mañana.

—Quiero confesarme, nada más. Igual que Payne. Tengo mucho que sacar fuera. Como Payne.

El padre Willie quería consolar al hombre, pero no podía revelar que la angustia de Payne pertenecía a la esfera de las confidencias. Payne nunca se había confesado, al menos no de las cosas que más lo atormentaban. Payne quería confesarse, sabía que necesitaba desesperadamente hacerlo, pero no había reunido aún las fuerzas para ello. El padre Willie había estado viendo a Payne como consejero para ayudarle a encontrar la fortaleza necesaria, pero no lo había logrado hasta el momento.

Frederick retrocedió y se metió las manos en los bolsillos.

—Vamos dentro, padre. No le entretendré. Sé que quiere irse a casa —dijo.

—Podemos hablar mañana. Sea lo que sea, llevará su tiempo.

—Mañana.

—Eso es.

—¿Está seguro de que Payne se fue a Los Ángeles? No quiere decirme por qué, pero sabe que era Los Ángeles.

—Las razones de Payne son asunto de él y Dios.

—Tengo que encontrarlo. No tengo otra opción.

—Podemos hablar de eso mañana.

—Vale, mañana. Puedo encontrarlo mañana.

El padre Willie se volvió, pero no tuvo oportunidad de meterse las manos en los bolsillos. Una fuerza poderosa lo alzó del suelo y lo llevó a rastras hasta un lado de la iglesia. Entrevió un camión oculto en la oscuridad.

No vio la hoja, pero la sintió.

16

La primera vez que fui a Los Ángeles tomé la Ruta 66, sobre todo por una serie de televisión que me gustaba de niño, dos tipos guais representados por Martin Milner —el rico niño de papá que intenta abrirse camino por su cuenta— y George Maharis —el solitario desarraigado procedente de los bajos fondos—, en busca de sí mismos y de aventuras a lo largo de la autopista preinterestatal que cruzaba América de un lado a otro. La Ruta 66 empezaba en Filadelfia y atravesaba todo el país hasta Los Ángeles, donde empalmaba con Sunset Boulevard, y después con el bulevar de Santa Mónica, y se extendía inevitablemente al oeste hasta llegar al asombroso parque de atracciones que resplandece a lo largo del espigón de Santa Mónica. Había seguido la autopista hasta el final, no de vuelta sino de ida, como Milner y Maharis, buscando hasta llegar al mar. No era la primera vez que buscaba un parque de atracciones; y ahora estaba buscando otro.

Aquella noche había salido de casa con una sensación cada vez mayor de que algo importante iniciado tiempo atrás estaba aún por resolver. Conduje hasta el mar y aparqué en un acantilado que daba al espigón, no muy lejos de la casa de Stephen Golden en Venice. Bajé del coche, salté una valla de baja altura y me situé en el borde del precipicio. Debajo de mí, las luces de la noria Ferris y la montaña rusa giraban al otro lado del negro mar. El acantilado era precario debido a la erosión e inseguro por naturaleza. Había letreros que advertían a los desprevenidos de que no cruzaran la cerca porque a veces se producían desprendimientos, como el hielo de los icebergs, pero a mí la tierra me pareció firme. Quizá no reconocía el peligro.

Miré las luces giratorias y me pregunté si Herbert Faustina habría venido también a ese espigón.

Siendo niño, una vez me escapé para enrolarme en un circo. Escapé porque mi madre me decía que mi padre era un hombre bala. ¿Creen que es algo estúpido? Mi madre nunca me dijo el nombre de mi padre, ni me enseñó una foto, ni me lo describió siquiera. Tal vez ella no sabía estas cosas. Ni mi abuelo ni mi tía sabían más que yo. Al cabo del tiempo, no importaba si era un hombre bala o no; su descripción era mi verdad. Si ella decía que mi padre era un hombre bala, es que era un hombre bala.

Busqué, pero no lo encontré. En mis fantasías de niño, a veces él venía a buscarme.

Aprendiendo un oficio

Wilson

El detective privado era un hombre bajito y orondo llamado Ken Wilson. Llevaba un traje de oficina gris oscuro y mocasines Hush Puppy que desentonaban con el traje. La americana y los pantalones estaban surcados de arrugas debido al largo trayecto, pero olía a Old Spice y se arregló el pelo antes de apearse del coche. En su trabajo, el aspecto era importante; la gente recelaba de alguien descuidado.

Wilson se encontraba a doscientos sesenta kilómetros de casa, tras hacer el largo viaje para recoger a un fugitivo de catorce años llamado Elvis Cole. Era la tercera vez que Wilson averiguaba el paradero del chico, aparte de que al menos otro poli había trabajado para la familia antes que él. Wilson tenía que admitirlo: el chaval era perseverante. Intentaba una y otra vez encontrar a su padre.

La feria ambulante estaba montada en el extremo de una pequeña ciudad, en un campo utilizado sobre todo para fumigaciones. Wilson dejó el coche en el aparcamiento y cruzó una puerta arqueada bajo una raída pancarta que rezaba: ¡¡¡ESPECTÁCULOS Y DIVERSIONES DEL SIGLO XXI DE RALPH TODD!!! Hileras idénticas de carpas se tragaban a todo aquel que cruzara la puerta, previo paso por puestos de comida en furgonetas y salas de juegos que Wilson sospechó que eran cebos para pedófilos. Todo parecía remendado y en malas condiciones. Si eso era el siglo XXI, podían quedárselo, pensó Wilson.

El tráiler del director estaba en el otro extremo del paseo central, detrás de las carpas que albergaban las atracciones: putas anunciadas como «bailarinas exóticas», un espectáculo de fenómenos en el que aparecía una vaca con tres ojos y, tras una última pancarta, la atracción estelar: el Hombre Bala... ¡¡¡VÉANLE ATRAVESAR EL CIELO COMO UN METEORITO EN LLAMAS!!! A Wilson le pareció divertido que todas las pancartas llevaran tres signos de exclamación. El futuro era hiperbólico.

Un enano que olía a sopa de verduras indicó a Wilson una caravana plateada Airstream entre las carpas. El remolque tenía aspecto desaseado y estaba lleno de mugre. Un pequeño letrero en la puerta rezaba DIRECTOR. El director era Jacob Lenz, con quien Wilson ya había hablado. El señor Lenz le esperaba.

Wilson llamó a la puerta y entró sin esperar respuesta. El tiempo era oro.

—¿Señor Lenz? Ken Wilson —dijo—. Le agradezco su colaboración.

Wilson le tendió la mano.

Lenz era un hombre grande y corpulento, con la piel arrugada y los ojos pequeños. Se puso en pie para estrechar la mano de Wilson, pero no parecía muy contento.

—Yo sólo quiero aclarar esto, ya sabe. No quiero problemas con la familia —dijo.

—No hay problema —repuso Wilson—. He hecho esto otras veces.

—Yo no puedo vigilar a todos los que andan por aquí. Vienen chicos, se van, no sé quién es de quién. Sólo quiero hacer lo que es debido.

—Comprendo.

Wilson sacó una fotografía y la sostuvo en alto. Era una foto escolar en blanco y negro tomada dos años atrás.

—Ahora asegurémonos de que estamos hablando del mismo muchacho —dijo—. ¿Éste es Elvis Cole?

—Sí, es él, pero dice a todo el mundo que se llama Jimmie.

—Su nombre fue Philip James Cole hasta que su madre se lo cambió. Antes era Jimmie.

—¿Y ella se lo cambió por Elvis?

Wilson pasó por alto la pregunta porque la respuesta le dejaba una sensación amarga en el estómago. Wilson lo lamentaba por el chico, a quien un día de buenas a primeras su madre le cambia el nombre por el de Elvis; no Don o Joey... Elvis. Y allí está ese pobre chaval sin idea de quién es su padre porque la muy cabrona no se lo dice a nadie, y encima, toma... le cuenta la sandez de que el padre es un hombre bala. A juicio de Wilson, sería conveniente que los padres tuvieran que superar un examen para conseguir la licencia.

—¿Sabe el chico que he venido por él? —preguntó.

—Usted no quiso que se lo dijera, y no se lo he dicho. ¿Voy a buscarlo?

—Mejor que usted me lleve con él. Así no huirá.

—Como quiera. Yo sólo quiero evitar problemas con la familia.

—No hay ningún problema.

—Me alegra deshacerme de él, con tantos líos que ha montado. Ha sido un coñazo.

Wilson siguió al director hasta una lona alquitranada gigante que mostraba a la protagonista de un espectáculo de *striptease* haciendo señas con el dedo. La pintura había perdido color, y el tipo de peinado era de diez años atrás. En un bocadillo sobre su cabeza se leía: ¡¡¡VEN AQUÍ, MUCHACHOTE!!!

Wilson chasqueó la lengua.

Tres signos de exclamación.

Aquella gente era demasiado.

Elvis Cole

Elvis Cole, de catorce años, oyó hablar de Espectáculos y Diversiones del siglo XXI de Ralph Todd a un chico llamado Brucie Chenski, que vivía en el aparcamiento de caravanas donde se instalaron Elvis y su madre cuando su tía Lynn los echó a la calle. Brucie tenía dieciséis años; era el otro adolescente del aparcamiento y un mentiroso sociópata.

El día que se conocieron, Brucie le dijo a Elvis que su hermano era traficante y que los dos se irían a San Francisco a practicar el amor libre. Todo lo que contaba Brucie era así: grandes y espectaculares aventuras en las que intervenían su hermano, las drogas y la conquista de mujeres. Elvis no le creía nunca. Un día Brucie le dijo:

—Eh, colegui, mi hermano y yo nos follamos a unas putas en la feria.

Aquello último llamó la atención de Elvis como una púa de hierro que se le hubiera clavado en el pie.

—¿Qué feria? —preguntó.

—La feria que había más allá de la torre del agua —explicó Brucie—. Dios mío, tenían una chica que aparecía en *Playboy*, vi su foto en la revista, las tetas así, y daban vueltas a caballo, y hay una enana retrasada que come gusanos, y esas que hacen *striptease* son auténticas putas, mi hermano le vendió a la chica un poco de ácido y ella nos chupó la polla mientras...

—¿Tenían un hombre bala? —lo interrumpió Elvis.

—Sí...

Elvis se marchó sin más, ignorando a Brucie cuando éste le dijo que la feria ya no estaba.

Elvis hizo autostop hasta la torre del agua, que se hallaba en un amplio prado del extremo de la ciudad. Tal como le había advertido Brucie, la feria se había ido y el terreno estaba vacío. Elvis estuvo pateando desperdicios durante casi dos horas hasta que encontró un cartel con las fechas y localizaciones de las cuatro próximas paradas de la feria. Con eso bastaba.

Elvis hizo dedo hasta la autopista, hasta que veinte minutos después pararon dos universitarias. Al cabo de dos días alcanzó el paseo central de Ralph Todd, a doscientos treinta kilómetros de su casa.

Había ido en busca de su padre.

La primera noche, cuando por fin Elvis había llegado a la feria, vio una enorme pancarta desplegada sobre la puerta que daba al paseo y en la que se apreciaba a un hombre en llamas surcando el aire...

¡¡¡Véanlo EXPLOTAR desde un Cañón!!!
¡¡¡Véanlo ENVUELTO en llamas!!!
¡¡¡Véanlo DESAFIAR a la Muerte!!!
¡¡¡La ASOMBROSA BOLA DE FUEGO Humana!!!
¡¡¡Cada noche a las nueve!!!

Cuando Elvis cruzó la puerta, faltaban cinco minutos para las nueve.

Al final del paseo central había una multitud congregada. Elvis alcanzaba a ver el cañón sobre las cabezas de las personas de enfrente: un largo tubo rojo, blanco y azul, grande como una boca de alcantarilla, colocado en lo alto de un tráiler de plataforma. El espectáculo de *striptease* transcurría a un costado (¡¡¡VEAN nuestras exóticas BAILARINAS GO-GO del LEJANO ORIENTE!!!), y el de los fenómenos en el otro (¡¡¡VEAN LA NIÑA DEL LSD!!! ¡¡¡DEFORMADA por la ciencia MODERNA!!!).

Elvis se abrió paso hasta la primera fila sólo para descubrir que la gente se había apiñado a fin de acceder al espectáculo de los monstruos. Del cañón colgaba un letrero que rezaba: ESTA NOCHE NO HAY FUNCIÓN.

Elvis sintió un gran desánimo, como si hubiera perdido la última oportunidad de encontrar a su padre, y volvió a atravesar la multitud a empujones. Vio un quiosco de entradas y se acercó para preguntar cuándo volvería a actuar la Bola de Fuego.

Una mujer a la que le faltaban dos incisivos dijo:

—Quizá tarde tres o cuatro días. Eddie tuvo que irse a Chicago.

—¿Volverá?

—Claro, muchacho, pero no nos alcanzará hasta la próxima ciudad. Te vas a perder el espectáculo.

Tres o cuatro días. Tampoco era tanto. Elvis decidió que esperaría tres o cuatro semanas, si hacía falta. Sólo tenía que esperar. Sólo tenía que estar por ahí cuando Eddie regresase.

Eddie.

Elvis.

La misma primera letra.

Quizá su madre le cambió el nombre por eso.

Elvis deambuló por el paseo central hasta que la feria cerró. Tenía hambre y frío, y se escondió en la hierba alta de detrás de las carpas hasta que el recinto estuvo vacío y las norias y montañas rusas se quedaron a oscuras, y entonces volvió sigilosamente al paseo central. Durmió debajo del cañón. Antes de quedarse dormido, pronunció una y otra vez el nombre en voz alta: Eddie.

A la mañana siguiente, Elvis vio cómo los peones y empleados de la feria iniciaban su jornada. Iban en manada por el paseo central hasta una gran carpa-cocina instalada tras los camiones. Elvis se mezcló con ellos. Se puso en una fila, y le dieron una bandeja con huevos y una torrija mientras fingía que era un adolescente más.

Aquella tarde conoció a Tina Sanchez.

Él iba andando por el paseo central junto a una caseta de lanzamiento de bolas cuando una mujer enojada maldijo en español. Estaba encima de un cubo, de puntillas, estirándose para coger una hilera de gatos de trapo colocados en un estante alto.

—¿Se los alcanzo? —dijo Elvis.

Ella se volvió para mirarlo y acto seguido se bajó del cubo. Era bajita y robusta, y casi tan vieja como el abuelo de Elvis.

—A menos que crezca veinte centímetros, creo que tendrás que hacerlo —le dijo—. Súbete al mostrador, señorito.

Elvis se encaramó al bajo mostrador del puesto. Debajo se alineaban cestas de alambre llenas de deterioradas bolas blandas, y de las paredes laterales colgaban animales multicolores. Filas de gatos suaves y esponjosos llenaban los estantes del otro extremo de la caseta. Lanzar tres bolas valía un cuarto de dólar; y si derribabas tres gatos, ganabas un premio.

—Hay que bajar la hilera de arriba —dijo ella—. Mételos en el cubo, ¿vale?

—¿Cómo logró ponerlos ahí?

—Había un muchacho que trabajaba para mí, pero anoche se marchó. Lo hacen siempre, ya sabes. Seguramente tras una mujer. Ahora tengo que agenciarme una escalera.

Elvis bajó la hilera más alta de dianas y las introdujo en el cubo tal como ella le había dicho. Cada gato medía unos veinte centímetros de altura y estaba encajado en una pequeña hendidura del estante. Debido a la pelusa que los envolvía, parecían más grandes de lo que eran. Elvis pensó que con todo aquel pelo y la base tan apretada, era casi imposible tumbar un gato a menos que le dieras en el mismo centro.

—Me has ayudado mucho, señorito —dijo la anciana—. ¿Quieres un premio o un dólar?

—Supongo que el dólar, pero en vez de ello me gustaría coger el empleo del otro chico. Busco trabajo.

Ella lo miró con ceño.

—¿Cuántos años tienes? —preguntó.

—Dieciséis.

Tina lo miró con el ceño más pronunciado aún.

—Yo diría que más bien trece o catorce —dijo suspicaz—. ¿Te has escapado de casa?

—Busco a mi padre.

Ella sacó un dólar del bolsillo y se lo dio. Añadió un segundo dólar.

—Coge esto y vuelve con tu mamá. Estará muy preocupada. Eres demasiado joven para andar por ahí. Te podrían matar.

La madre de Elvis le había estado dejando solo desde que era un bebé, pero no se lo dijo a Tina. Por lo que recordaba, su madre desaparecía tres o cuatro veces al año. Él se despertaba por la mañana para descubrir que ella se había ido (ni palabras ni notas, simplemente no estaba). Nunca sabía si volvería o cuándo lo haría, y cuando esto ocurría, ella nunca le decía (ni a él, ni a su abuelo ni a su tía) dónde había estado ni lo que había hecho. Su madre era así. Pero cada vez que se marchaba, él (secretamente en su secreto corazón) rezaba para que ella fuera a buscar al padre, y que esa vez lo trajera a casa. Razón por la cual él aún la quería: porque esperaba que un día ella traería a su padre a casa.

Elvis miró los gatos del cubo.

—¿Cómo va a colocarlos otra vez en el estante? —preguntó a la anciana.

—Conseguiré una escalera.

—Dígame dónde está y se la traeré.

Ella alzó la vista hacia el estante al que no llegaba, y en los labios se le dibujó una leve sonrisa.

—¿Cómo te llamas? —preguntó.

—Jimmie.

La mujer le tendió bruscamente la mano, y Elvis supo que estaba dentro. Ella le dio el apretón de manos más fuerte que él había notado jamás.

—Te puedes quedar el tiempo suficiente para ayudarme a arreglar estos gatos y guardarlos de nuevo; pero después deberás regresar a casa.

Una hora más tarde ella le ofrecía el empleo, y aquella noche le permitió dormir en el suelo de su pequeña caravana Airstream.

Elvis Cole iba por café cuando Tina necesitaba ponerse las pilas, limpiaba las ciento dieciocho bolas (las había contado) con un trapo engrasado, reparaba los estantes donde las arremetidas diarias astillaban la madera o desconchaban y hacían saltar la pintura, recuperaba bolas, sustituía dianas derribadas, ayudaba en el mostrador y, en los ratos libres, intentaba averiguar más cosas sobre Eddie Pulaski.

Tres días después, la feria fue desmontada, empaquetada y transportada a ciento veinte kilómetros, para instalarse en una nueva ciudad. Al día siguiente, Elvis estaba almorzando cuando varios tipos forzudos tomaron asiento a su alrededor con las bandejas llenas de comida. Eran jóvenes, con la piel curtida y las manos encallecidas y hechas polvo.

Un hombre con un ancla tatuada en el brazo izquierdo encendió un Marlboro y luego miró súbitamente a Elvis.

—Te he visto por aquí —dijo—. ¿Con quién estás?

—Tina Sanchez.

El hombre exhaló una nube de Marlboro y recuperó un hilo de comida metida entre los dientes.

—Buena mujer, esta Tina. Lleva aquí mucho tiempo.

El hombre que había al lado de Elvis eructó. Era el de más edad.

—Demonios —dijo—, lleva aquí más tiempo que yo. Antes estaban con el Big Top, toda la familia. ¿Has visto alguna vez doblar un clavo? Ella es capaz de doblar una moneda de un chelín con el pulgar, sólo apretando, una mujer pequeña como ella. Eran acróbatas.

—Eh, amigos —dijo Elvis—, ¿sabéis cuándo va a volver la Bola de Fuego Humana?

—Es la principal atracción, chico; el jefe no va a dejar que ese cañón esté ahí sin hacer nada. Vamos a prepararlo para el espectáculo de esta noche.

Elvis sintió el corazón latirle con tal fuerza que pensó que saltaría de la silla. Toda la tarde estuvo dando excusas para abandonar la caseta de Tina e ir corriendo a ver cómo los peones instalaban el cañón y tendían una red alta y de aspecto frágil para que atrapara a Eddie Pulaski al final de su vuelo.

A las ocho y media de aquella noche, en el mostrador de la caseta de Tina había una actividad febril. Se había apiñado allí un grupo de jugadores de béisbol de secundaria que no paraban de lanzar bolas en una competición para ver quién tumbaba más gatos. A las nueve menos cinco, el anuncio de un altavoz neutralizó el barullo de la multitud; sólo faltaban unos momentos para que la Bola de Fuego Humana saliera disparada; (¡¡¡Vamos, vengan todos, VEAMOS si sobrevive!!!)

Tina puso los ojos en blanco y le hizo un gesto para que se fuera.

—¡Oh, vete, venga, vete! Tienes tantas ganas de verlo que te vas a mear encima.

Elvis echó a correr por el paseo central y se abrió paso entre la muchedumbre. Se habían congregado más de mil personas, y la actuación ya había comenzado. La Bola de Fuego Humana estaba encima del cañón con un micrófono en la mano.

Eddie Pulaski parecía medir tres metros y lucía un mono de piel blanco festoneado de estrellas azules y rojas. Tenía los ojos oscuros, el cabello peinado hacia atrás y ¡los hombros de al menos un metro de ancho! Saludó a la multitud con amplios movimientos de brazo y explicó que el cañón estaba cargado con explosivos de gran potencia, suficientes para derribar un rascacielos pequeño, suficientes para mandarlo a él por encima del paseo hasta la red del otro extremo.

La gente prorrumpió en exclamaciones y suspiros.

Por si esto no bastaba, Eddie explicó que le rociarían con gasolina y le prenderían fuego, ¡con lo que surcaría el cielo como una bola de fuego en llamas!

El gentío volvió a soltar exclamaciones, pero entonces Eddie alzó las manos pidiendo silencio. Quedaban algunas preguntas pendientes:

¿Caería sin problemas en la red, o una brisa inesperada lo desviaría de su trayectoria?

¿La carga explosiva sería excesiva o demasiado pequeña?

¿Volaría lo bastante rápido para apagar las llamas o ardería vivo en la red?

¡¡¡Sólo había un modo de saberlo!!!

Elvis intentó acercarse más, empujando a hombres que maldecían y a chicos que le golpeaban. Arrojó el micrófono a un empleado; otro empleado le salpicó con líquido de un cubo, hasta que al fin pudo meterse en el cañón sin decir palabra.

Se hizo el silencio entre la multitud.

A Elvis el corazón le latía con fuerza.

El empleado del micrófono hizo la cuenta atrás: «¡Diez!... ¡nueve!... ¡ocho!...»

La gente también contaba, todas las voces creaban una salmodia atronadora.

Un segundo empleado prendió fuego a un anillo en torno a la boca del cañón.

«... ¡Tres!... ¡dos!... ¡uno!...»

La Bola de Fuego Humana salió bramando del cañón entre un chorro de humo blanco. Se incendió al atravesar el anillo de fuego y trazó un arco en la noche. Arrastraba largas llamas a su espalda, que se apagaron al llegar al punto más alto del vuelo, y luego cayó en la red sin más contratiempos. Eddie Pulaski se puso en pie de un salto mientras la multitud lo vitoreaba. Levantó las manos ante los aplausos como si fuera el Rey del Universo, pidió a los presentes que se lo contaran a sus amigos —«¡Mañana la última actuación, amigos!»—, y acto seguido se agarró al extremo de la red, bajó al suelo y desapareció.

Su padre había desaparecido.

Elvis se abrió paso a golpes de hombro entre los cuerpos apiñados y se deslizó bajo las pancartas de lona hasta la oscuridad detrás del paseo central, desesperado por alcanzar al hombre. El corazón le retumbaba y los oídos le zumbaban. Corrió todo lo que pudo y rodeó un camión justo cuando Eddie Pulaski se subía a una larga caravana azul. La puerta de la caravana se cerró. Elvis se dijo a sí mismo que debía seguir, aporrear esa puerta, enseñar a Eddie Pulaski la foto de su madre, la recuerda, ¿verdad?, hace catorce años... Había llegado hasta allí y lo deseaba con toda el alma, pero tenía los pies clavados en el suelo. Elvis sentía dentro un gran dolor, tan agudo y terrible que supo que no podría soportarlo más.

Elvis miró fijamente la puerta cerrada de la caravana. Luego se volvió y se alejó.

Ahora que Elvis sabía dónde vivía Pulaski, se dedicó a absorber fragmentos de su vida: la camioneta blanca Ford aparcada cerca de la caravana; una pequeña parrilla de carbón vegetal apagada frente a la puerta; dos latas de cerveza vacías derechas sobre la hierba. Elvis pasó junto al remolque para mirar dentro y vio el cenicero rebosante de colillas, un rollo de cinta adhesiva en el asiento y una cabeza reducida colgando del espejo. Elvis asimiló todos los detalles como si cada uno fuera una pieza que faltara en el rompecabezas de su vida. Sacó la fotografía de su madre y la sostuvo en alto, mostrando la cara a la camioneta, la caravana y la parrilla.

—Aquí es donde él vive. Éste es él —dijo.

La mayor parte de la noche, Elvis estuvo recorriendo el paseo arriba y abajo, inquieto y ansioso. Volvió a la caravana de Eddie una y otra vez, dando vueltas alrededor como un perro temeroso de regresar a casa. Cuando por fin intentó dormir, fue incapaz de conciliar el sueño, y salió de la casa rodante de Tina mientras ella dormía.

Aquella mañana, el paseo estaba tranquilo salvo por el personal de la cocina y el empleado que sacaba a pasear la vaca de tres ojos. Elvis volvió a la caravana de Pulaski, pero ésta aún se hallaba en silencio. Se metió entre las tiendas y se dirigió al cañón. Lo habían bajado y colocado bajo las pancartas. Elvis se subió al camión de plataforma y pasó la mano a lo largo del tubo. Miró dentro de la boca.

—¡Largo de aquí, maldita sea!

La Bola de Fuego Humana lo miraba airado, con una taza de café humeante en una mano y un cigarrillo que le colgaba del labio. Llevaba una bata de tela fina sobre unos pantalones cortos y una camiseta, y unos zapatos con los cordones desatados.

—Vamos, chaval, bájate de ahí o los de seguridad te van a joder vivo —añadió.

Elvis saltó a tierra.

Eddie Pulaski era más bajo de lo que parecía la noche anterior. No tenía mucho pelo y se le veían marcas de viruela en la mandíbula.

—Sólo estaba mirando —dijo el joven—. Trabajo para Tina Sanchez. Limpiando las bolas, ya sabe. Y guardando las dianas.

La Bola de Fuego entrecerró los ojos y luego asintió.

—Sí, creo haberte visto —contestó.

Elvis se estremeció, pero no por el frío de la mañana. Estaba seguro de que Eddie Pulaski le había reconocido, quizá no claramente, y tal vez no del todo, pero en alguna parte profunda de sí mismo lo recordaba como uno de los suyos.

La Bola de Fuego dio una calada al cigarrillo, expectoró una flema y se la tragó.

—Bien, pero como eres nuevo, voy a decirte algo —dijo—. Deja mis cosas en paz. Todo el mundo sabe que no debe tocar mis cosas. Mi culo depende de este mecanismo, así que no quiero a nadie jodiendo alrededor.

—Lo siento. No he tocado nada.

—Procura no olvidarlo, eso es todo. ¿Viste el espectáculo anoche?

—Estuviste asombroso.

La Bola de Fuego dejó la taza de café en la plataforma y se subió. No parecía contento.

—Acababa de poner a punto a este cabrón, pero no me gustó cómo sonó anoche. Al disparar hizo un ruido extraño, como de algo que revienta. Uno no quiere oír ruiditos de mierda cuando hace lo que hace para ganarse la vida. Sube, si quieres. Voy a abrirlo.

Elvis se montó en la plataforma como si fuera ingrávido. Mientras seguía a Pulaski, se sentía electrizado. Quería escuchar todas las palabras que pronunciaba; quería embeberse de todo lo que estuviera dispuesto a enseñarle, como un hijo que aprende de su padre.

Pulaski descorrió una hilera de pestillos a lo largo del bastidor del cañón y dejó el flanco al descubierto. Elvis se quedó sorprendido: el bastidor no encerraba el tubo del cañón; donde debía estar el cañón, un resorte con muelles de acero gruesos como sus muñecas recorría unos rieles metálicos. Había también cadenas y poleas y algo semejante a potentes motores eléctricos.

—Creía que era un cañón —dijo Elvis.

Eddie dio una fuerte calada a su cigarrillo, arrojó la colilla y se puso a revisar el mecanismo.

—Usa la jodida cabeza —dijo—. Un hombre no puede salir disparado de un cañón de verdad; la aceleración le haría estallar la columna vertebral y la presión del tubo le destruiría el cerebro. Es una catapulta. El humo y todo lo demás es para impresionar a los ilusos.

Elvis se sintió decepcionado, pero de algún modo también encantado, y la combinación de emociones lo dejó confuso. No le gustaba que Eddie Pulaski fuera un embustero, pero Eddie estaba también compartiendo un secreto igual que un padre con su hijo. De pronto, Elvis sacó la foto de su madre y la sostuvo en alto.

—Eres mi padre —dijo luego. La Bola de Fuego se volvió y miró la imagen—. Ésta es mi madre.

—¿Has dicho lo que yo pienso que has dicho?

—Mi padre era un hombre bala. Antes mi nombre era Jimmie, pero ella lo cambió por Elvis porque así se parecería más al tuyo; no es exactamente igual, pero ¿ves que los dos empiezan por E? ¿Y que tienen cinco letras?

La Bola de Fuego se apartó del cañón y meneó la cabeza.

Las palabras habían brotado de golpe. Habían estado acumulándose durante catorce años.

—Me parezco a ti, ¿no? —prosiguió Elvis—. Ella no quiso llamarme Eddie porque sigue manteniendo el secreto. Nunca le ha hablado a nadie de ti, y nunca lo hará. Mira la foto. Es mi mamá.

Los ojos de Pulaski se suavizaron de un modo más alarmante que si estuvieran encendidos de odio.

—Te he estado buscando toda mi vida. Tenía que encontrarte. Y te he encontrado —añadió Elvis.

Pulaski miró hacia el paseo central, y luego otra vez a Elvis. Éste estaba desesperado por oír cómo se conocieron Pulaski y su madre y cuánto significaban el uno para el otro y que Pulaski la echaba de menos y que siempre había querido tener un hijo, pero Pulaski no dijo nada de eso. Su voz sonó amable.

—Escucha, muchacho, no sé quién es tu madre —dijo—. Mírame. No nos parecemos en nada. No soy el tipo que buscas. No soy tu padre.

El rostro de la Bola de Fuego estaba lleno de compasión, que duele más que una bofetada.

—Mi padre es un hombre bala —repitió Elvis.

Pulaski negó con la cabeza.

—Hace quince años pescaba camarones en Corpus Christi. Hago esto desde hace sólo ocho años —dijo.

—Pero... eres tú.

—No.

Elvis notó como si estuviera flotando en una pelusa gris y suave. Miró el cañón que no era un cañón. Miró a Pulaski, con su tronco delgado y sus piernas gruesas, su pelo ralo y sus dedos regordetes. No se parecían en nada. En nada.

—Eres falso. Todo en ti es falso —musitó Elvis.

Elvis sintió que le fluían lágrimas por las mejillas. Quería correr, pero los pies no le respondían. Gritó todo lo fuerte que pudo, gritó para que todos los del paseo le oyeran.

—¡Falso! ¡Esto no es un cañón! ¡Es un muelle!

Pulaski no se enfadó. Sólo parecía triste.

—Vamos, chaval —dijo.

—¡Eres un mentiroso! ¡Aquí nada es de verdad!

Pulaski lo abrazó con fuerza, pero en ningún momento levantó la voz.

—Basta, muchacho. Yo no soy tu viejo. No soy el viejo de nadie.

—¡No eres más que un mentiroso!

Pulaski lo rodeaba con los brazos, estrechándolo con fuerza, y Elvis quería ser abrazado; quería seguir así para siempre, pero de repente todo le pareció un gran error, apartó a Pulaski y se marchó corriendo. Saltó de la plataforma y corrió todo lo que pudo, sin ver nada a través de los diamantes de sus ojos, sólo luces de colores que titilaban y se desplazaban como la fantasía pintada de un arco iris; corrió dejando atrás la caravana de Tina Sanchez y las estructuras aún inmóviles de las norias y las montañas rusas; corrió hasta caer y rodar por el suelo, odiándolo todo y a todos en el mundo, y sobre todo a sí mismo.

Wilson siguió a Jacob Lenz a una pequeña Airstream que había detrás del paseo. Estaba abrillantada y lustrosa, lo que hablaba bien de su dueño. La puerta estaba abierta para que entrara el aire.

Lenz llamó con los nudillos y entró. Wilson subió tras él, y bloqueó la puerta con el cuerpo para que el chico no pudiera salir.

—¿Tina? —dijo Lenz—. Aquí hay un hombre que viene en busca del chico.

El chico estaba sentado en un sofá junto a una mujer bajita y morena que seguramente de joven habría sido atractiva. El chico reconoció a Wilson enseguida y no pareció sorprendido.

—Hola, señor Wilson.

—Hola, colega. Has crecido, ¿eh?

Lenz puso cara de sorpresa.

—¿Se conocen? —preguntó.

—Oh, sí, ya hemos hecho esto unas cuantas veces —dijo Wilson.

Wilson agradeció a la señora Sanchez haber procurado un techo al muchacho, y luego aseguró a Lenz por enésima vez que la familia no quería problemas y que no llamaría a la policía. La anciana abrazó al chico y se secó las lágrimas. Parecía una tía maja. Cuando Wilson le estrechó la mano, ella por poco le tritura los huesos.

El chico no intentó huir. Había salido disparado las dos primeras veces que Wilson lo había cazado, pero ahora parecía resignado. Por alguna razón que le extrañó, esto entristeció un poco a Wilson. Se dirigieron a su coche sin decir palabra, y al poco ya habían iniciado el largo viaje a casa.

—¿Tienes hambre? —preguntó Wilson.

—No.

—Es un trayecto largo, unas cinco horas.

—Estoy bien.

Guardaron silencio durante más de una hora, y a Wilson esto le pareció bien. El chaval estaba exhausto. Se sentó pesadamente contra la puerta, mirando por la ventanilla con la expresión vacía.

Después de haber atrapado al muchacho tres veces, Wilson había llegado a conocerlo un poco. Le compadecía, desde luego, pero también le gustaba. Su absentista madre estaba chalada, el abuelo era un borracho que rechazaba claramente al chico, y la familia casi nunca vivía en un mismo lugar más de dos meses, y allí estaba él, corriendo por todo el mundo, persiguiendo sombras. No se daría por vencido, seguro, lo que era a la vez admirable y atroz. Wilson —por fin lo admitió para sus adentros— le estaba tomando cariño.

—¿Cuántas veces van con ésta? ¿Cuatro, cinco? —preguntó Wilson al cabo.

El muchacho no contestó.

—Es la tercera vez que yo te engancho —continuó—, pero hubo otro tío. ¿Cuántas veces has ido detrás de una feria?

—No lo sé. Seis. Creo que con ésta son seis. No, siete.

—Siete hombres bala diferentes.

El muchacho no contestó.

—Tienes una habilidad especial para esto, debo admitirlo. Fíjate, no eres más que un chaval y localizas a estos cabrones como un profesional. Serías un detective de miedo.

Al chico se le pusieron los ojos vidriosos; volvió a mirar por la ventanilla. Wilson condujo unos cuantos kilómetros más en silencio, intentando pensar algo que decir. No le gustaba interferir en la vida de los otros más allá del asunto por el que se le contrataba, pero alguien debía enderezar a ese chico, y nadie parecía dispuesto a hacerlo.

Por fin Wilson se lanzó.

—Voy a decirte algo que quizá no debería decirte —comenzó a decir—. No tendría que entrometerme en lo que ocurre en tu casa, pero, Dios santo, siete veces. Alguien te tiene que ayudar a enmendarte.

El chico lo miró y luego volvió a la ventanilla. Ahora venía lo difícil, pero Wilson había empezado, así que terminaría.

—Todo lo que tu madre te dijo de que tu padre era un hombre bala es una sandez. Se lo inventó.

Al chico se le ensombreció y endureció el semblante, pero no dijo nada. Era un chaval avispado. En el fondo de su ser, seguramente sabía que era una sandez.

—¿Sabes adónde va tu madre cuando desaparece?

La dureza se esfumó del rostro del muchacho como niebla ocultándose del sol. Miró a Wilson con ojos expectantes y muy abiertos.

—¿Cómo sabe usted que se va?

Wilson suavizó la voz.

—Tu abuelo me contrata para encontrarte. ¿Crees que no me ha contratado nunca para buscar a tu madre?

Wilson sintió una punzada renuente, pero el chico tenía que saber; el chaval tenía que saber lo que era real y lo que no lo era porque nadie más en su vida lo sabía ni le importaba.

—Ella tiene lo que se conoce como trastornos delirantes —prosiguió Wilson—. Cada vez que se siente, no sé, «abrumada» es como lo llaman, no distingue lo que es verdad y lo que no lo es, y entonces se marcha. Tu padre no es un hombre bala. Ella quizá lo crea, pero lo cree porque lo imaginó, y no es capaz de ver la diferencia. No te miente. Es que no sabe lo que es real.

Wilson le echó una mirada. El chico tenía la vista al frente, mirando fijamente la carretera, rígido como un poste azotado por el viento. Wilson se sentía mal, pero sólo quería ayudar.

—Mira, no es asunto mío —le dijo—. Sólo pensaba que alguien tenía que decírtelo, nada más.

—Me da igual. Voy a encontrarle.

—Muchacho, no tengo ninguna duda de que lo encontrarás, pero vigila con lo que deseas. No se parecerá en nada a lo que imaginas, quienquiera que sea.

—Me da igual.

—Ahora piensas así, pero en cuanto lo encuentres, ya no podrás desencontrarle. Formará parte de ti para siempre.

El muchacho torció la mandíbula, pero sus ojos no dejaron de mirar al frente.

—Esto es lo que quiero —dijo.

Wilson volvió a mirarlo.

Elvis Cole estaba callado como una tumba, pero una lágrima grande y sucia le surcó la mejilla. Wilson se sintió como un canalla por haber sacado el tema. Apretó el volante y se concentró de nuevo en la conducción. El tiempo era oro. Quería deshacerse del chico y volver a su vida normal.

TERCERA PARTE

LINAJES

17

Golden llamó a la mañana siguiente, a las ocho y cinco. Seguramente llevaba años sin despertarse tan temprano, pero también podía ser que no hubiera dormido.

—Muy bien, cabronazo, he organizado lo de las chicas —dijo—. Hablarán con usted, pero tienen miedo, como cualquiera que se viera en una situación de mierda como ésta.

—Es una profesión de alto riesgo —contesté.

Me explicó dónde y cuándo verlas, y cómo ponerme en contacto con ellas si tenía que cambiar el plan. Copié las direcciones y los números de teléfono. Me sorprendió que las tres accedieran a verme; supongo que Golden tuvo algo que ver.

—De acuerdo, Stephen. En cuanto haya hablado con ellas, le devolveré el ordenador —le dije.

—Creo que me va a dar por el culo, eso es lo que creo. ¿Qué clase de hombre entra en la casa de otro y le roba sus cosas? ¿Cómo voy a confiar en usted?

Esto es lo que uno necesita a las ocho de la mañana, un proxeneta adoptando autoridad moral.

—No tiene otra opción, Stephen, igual que anoche.

—Sí, bueno, yo también tengo amigos, cabrón. Quiero mi...

Colgué. Probablemente ese día Beckett sabría algo de los federales, y Pardy introduciría el nombre de Faustina, pero no confiaba en que Pardy volviera a ponerse en contacto conmigo. Si se había archivado un informe de personas desaparecidas con el nombre de Herbert Faustina, aparecería cuando se hubiera introducido su nombre, lo que me permitiría ahorrar un montón de tiempo. Llamé a Starkey y le pregunté si podía hacerme un favor.

—Por aquí tengo una mesa libre —dijo—. ¿Por qué no te trasladas con tus cosas?

—¿Puedes meter el nombre de Herbert Faustina en el Informe de Personas Desaparecidas?

Le deletreé el nombre.

—¿Faustina es tu indocumentado? —preguntó Starkey.

—Sí. No estoy seguro de que sea su verdadero nombre, pero si lo consigues, ganaré un tiempo precioso.

—Si quieres también te encero el coche.

Todos llevamos un comediante dentro.

—Gracias, Carol. Te lo agradezco —dije.

Antes de que ella se aclarase la garganta, hubo un silencio incómodo.

—Escucha... ¿por qué me llamas para esto? Podías haber llamado a tu compi Poitras... tiene el culo sentado ahí mismo, al final del pasillo, pero me llamas a mí. ¿Cómo es eso?

Después de Joe Pike, Lou Poitras era mi amigo más íntimo. Llevaba la sección de Homicidios de la Comisaría de Hollywood, y yo era el padrino de uno de sus tres hijos. No entendí qué quería decir Starkey, pero parecía irritada.

—No pensé en él... pensé en ti. Mira, si estás demasiado ocupada o no puedes o lo que sea, no pasa nada. Llamaré a Poitras. Es una buena idea.

—No estoy diciendo que llames a Poitras. Mira, meteré el maldito nombre y te llamaré luego. Olvida lo que he dicho.

—¿Sucede algo?

—Olvídalo.

Colgó, y pensé que tal vez debía volver a llamarla, pero no lo hice.

Salí de casa y bajé la colina.

Victoria era la última.

Victoria había sido la última de las tres acompañantes de Faustina, y por eso quería hablar primero con ella. Según Golden, también era la más reacia a verme. Estaba casada y tenía hijos. No quería verme en su casa y no quería llamarme, así que acordamos encontrarnos en el Greenblatt's Delicatessen de Sunset después de que ella dejara a los niños en la escuela. Bien.

Entré tranquilamente en la cadena matutina de vehículos que se arrastran lentamente por Laurel hasta Sunset, luego tomé una curva cerrada a la izquierda y aparqué detrás del Greenblatt's. Lucy y yo íbamos a menudo allí a comprar *bagels* porque estaba cerca de mi casa, pero cuando aparecieron los recuerdos de ella, los ahuyenté. Me dije a mí mismo que era importante permanecer centrado, aunque lo cierto es que estaba harto de pasarlo mal.

El local estaba abarrotado de gente comprando *bagels* y café para llevar. Fui paseando hasta la parte delantera de la tienda, y luego por los pasillos de las botellas de vino, pero nadie tenía la pinta de asesino potencial ni de acompañante-mamá de colegiales atenta a un posible detective privado.

Pedí una taza de café y me la llevé arriba, a un pequeño comedor. Pese a que también estaba atestado, reconocí a Victoria tan pronto la vi. Cuando nuestras miradas se cruzaron, ella no apartó la suya. Tenía el pelo negro cortado de tal forma que le enmarcaba la cara, la piel pálida, y llevaba una sudadera color burdeos con la cremallera abierta sobre una camiseta negra y unos pantalones de chándal. Mientras me acercaba, me estuvo mirando con total indiferencia.

—¿Victoria? —dije.

—Vayamos a mi coche. Tendremos más intimidad —contestó.

La seguí al exterior, hasta un flamante sedán Mercedes clase S. Era un coche de ochenta mil dólares. Apuntó con la llave y el Mercedes emitió un pitido. No se había comprado el coche trabajando de puta; el dinero le había llegado de otro sitio. Probablemente de su marido.

—Entre. Hablaremos dentro —dijo.

El Mercedes estaba aparcado a la vista de todo aquel que entrara o saliera del local. Ella seguramente lo había planeado así. Cuando cerramos las puertas, los sonidos de la ciudad desaparecieron con el golpe sordo de las juntas. Victoria cruzó los brazos en su regazo y empezó a hacer girar un anillo de boda de platino que llevaba en la mano izquierda.

Me identifiqué y luego le pedí que me enseñara el carné de conducir. Ella negó con la cabeza.

—No lo he traído —dijo—. Stephen me dijo que usted no es policía...

No vi ningún bolso, así que quizá decía la verdad sobre el carné. Saqué una cámara digital del bolsillo y le saqué una foto antes de que ella se diera cuenta. Se tapó la cara después del flash, cuando ya era demasiado tarde.

—Cabrón, hijo de puta...

—Ésta es para el empleado de noche del motel. También miraré la matrícula del coche. ¿Quiere dejar de hacer el tonto?

Me fulminó con la mirada, pero no intentó escapar ni montó un numerito. Saqué la foto de Faustina en la morgue.

—¿Reconoce a este hombre? —pregunté.

—Sí. Según Stephen, está muerto.

—¿Cuándo y dónde lo vio por última vez?

—Anteanoche, en Suites Home Away. No hubo otra vez ni antes ni después... sólo una. A eso de las diez. A las diez menos cinco.

—¿Salió del motel con él?

—Era un servicio a domicilio. O sea que fui a su habitación y me largué... Funciona así.

—¿No salió con él?

—No. No sé qué hizo él después de que yo me marchara. No sé nada de nada. No quiero estar implicada...

Daba vueltas al anillo con más fuerza y meneaba la cabeza, no como gesto negativo, sino para apartarse el pelo de los ojos. Su expresión tranquila y sus dedos frenéticos no pegaban, era como si pertenecieran a personas distintas.

—Victoria... —empecé a decir.

—Me llamo Margaret Keyes.

—Margaret, si tuviera que demostrar que no estaba con él después de esa hora, ¿podría hacerlo?

Me observó otro instante, con la misma indiferencia de antes, y luego miró más allá de mí, algo que quería mostrarme.

—Mire ahí... El otro Mercedes.

En el otro extremo del aparcamiento había un Mercedes AMG negro. Yo no alcanzaba a ver bien al conductor porque el sol se reflejaba en el parabrisas, pero al volante se sentaba un hombre que llevaba gafas de sol y una gorra de béisbol.

—¿Ve el AMG? —dijo ella.

—Sí.

—Es mi marido. Cuando abandoné el hotel me subí en su coche y encontramos una calle tranquila. Una de esas callejuelas que hay justo encima de la autopista sin peaje, creo que junto a una escuela. Follamos. Después fuimos a cenar a Studio City. Sería alrededor de las once y media. Estuvimos allí todo el rato, el *maître* se acordaría. Tenemos el recibo de la tarjeta de crédito.

Mientras ella hablaba yo miraba el AMG, y luego volví a mirarla y me supo mal que tuviera que revelarme intimidades a mí y a tipos como Pardy.

—No hago esto por dinero —dijo encogiéndose de hombros—. A él le gusta que otros hombres paguen por mí. Le gusta esperar mientras...

—¿Va armado? Si sale con algo en las manos, tendremos un problema.

—No sabíamos qué podía pasar. Stephen me amenazó. Dijo que si no hablaba con usted, revelaría a la policía mucho más sobre mí que lo de la noche con Faustina...

Dudó, buscando cuidadosamente las palabras.

—Stephen tiene fotos —agregó—. Yo tengo hijos.

—Hablaré con Stephen. A mí no me importa lo que hizo con Faustina en cuestiones de sexo... Sólo quiero saber qué dijo. ¿Se refirió a lo que estaba haciendo aquí en Los Ángeles o a lo que iba a hacer más tarde esa noche? ¿Mencionó algún nombre? No me interesa el sexo.

Sus labios volvieron a torcerse.

—Todo es sexo —dijo.

—Limítese a responder a mis preguntas.

—Rezamos.

Se calló a la espera de mi reacción.

—¿Rezaron?

—Me pagó doscientos dólares para rezar. A ver, dígame, ¿es eso sexo o no? Nos arrodillamos y leímos la Biblia. Eso es lo que él quería.

—¿Qué rezaron?

—Pedimos a Dios que le perdonara, que por favor perdonara a ese hombre sus pecados, que perdonara a ese pecador, que tuviera piedad de él, cosas así. Pensé que acabaría siendo algo sexual, pero no.

—¿Rezaron durante una hora?

—Él pagó por una hora, pero recibió una llamada y me pidió que me fuera. Estuve con él unos cuarenta minutos. Llegué a las diez y me marché aproximadamente a las diez cuarenta.

La llamada quizá fuera de la persona con la que había quedado para verse.

—¿Recuerda lo que habló por teléfono? —pregunté.

—No, lo siento, no presté atención; y luego ya me despidió. Recuerdo que cuando me fui él estaba todavía al teléfono.

Anoté mentalmente que debía comprobar de nuevo las llamadas que Faustina hizo aquella noche. Una quizá dio lugar a la que ella recordaba. Miré al marido, que seguía dentro del coche. El encargado del aparcamiento se hallaba ocupado dirigiendo el tráfico. Me intrigaba algo que ella había dicho.

—¿Él la acompañó a la puerta pero seguía al teléfono? —inquirí—. ¿Quiere decir que sostenía el aparato cuando se dirigió a la puerta?

—Así es. Ya sabe que se tapa con la mano ahuecada para que los otros no puedan oír.

—Su teléfono estaba en la mesilla del lado opuesto de la cama. No habría podido llegar a la puerta.

—No, ese teléfono no. Su móvil. Uno de ésos con tapa.

Un móvil significaba que pudo haber hecho otras llamadas aparte de las que aparecían en la factura del motel. Un móvil abría un mundo infinito de posibilidades a menos que averiguara el número. Anoté mentalmente también que debía preguntar a Diaz si habían encontrado algún móvil en el cadáver.

—¿Hemos terminado? —preguntó Margaret Keyes.

—Sí, me ha ayudado mucho. Se lo agradezco.

Eché un vistazo al marido. Ella se dio cuenta y sonrió.

—Vaya y preséntese. Él se cagaría de miedo —dijo.

Abrí la puerta y la miré otra vez.

—¿Esto lo hace por él? —le pregunté.

Se echó a reír; el fuego frío de sus ojos echaba chispas.

—A usted le sería imposible entenderlo —concluyó.

No le pregunté qué quería decir. Regresé a mi coche y me fui a ver a las otras.

18

Persecución tonta

Después de ocuparse del padre Wills, a Frederick le daba miedo volver a la casa de Payne. Quería hacerlo; quería ir a toda prisa y buscar cualquier cosa que revelara adónde había ido Payne y qué pretendía, pero cuando terminó con el sacerdote ya era tarde. Y por muy escondida que estuviera la casa, Frederick temía que la luz encendida en el interior en plena noche llamara indebidamente la atención.

Frederick se marchó a casa y pasó una noche agitada, moviéndose y dando vueltas mientras soñaba que mataba a Payne con el pincho de su Weber. El sueño se desarrollaba dentro de su cráneo como uno de esos cines IMAX, rodeándole totalmente como si fuera real. En la fantasía, se veía a sí mismo bebiendo una Coors Light fuera de su casa rodante mientras calentaba la parrilla Weber. El pincho resplandecía amarillo sobre una enorme pila de carbón, tan caliente que el aire se rizaba alrededor. Payne salía de la caravana y decía: «Lo confieso, fui a Los Ángeles y les conté nuestros repugnantes secretos, y ahora me siento mejor. Ya lo saben todo acerca de nosotros, y ahora los muertos te llevarán al infierno, pero así está bien porque me siento mejor, porque ¿no es para eso la confesión? ¿Para que yo me sienta mejor mientras tú pagas el precio?» Frederick sintió que lo arrastraba una oleada de miedo, traición e indignación. En su fantasía, agarraba el pincho y se lo clavaba a Payne en el vientre y los pulmones, mientras gritaba «¡Traidor!».

A la mañana siguiente, antes de abrir la gasolinera, Frederick regresó a la casa de Payne sin darle tiempo a la niebla para que se levantase. Le preocupaba que Payne pudiera haber dejado por escrito una confesión o un diario, o que tuviera escondido algún álbum de recortes comprometedor. Buscó en todos los cajones, armarios, vitrinas, cajas y escondites que se le ocurrieron, intentando encontrar algo que explicara por qué Payne se había marchado a Los Ángeles y a quién había ido a ver.

Buscó por todas partes durante casi tres horas, cada vez más desesperado por lo que Payne pudiera estar contando y dónde, sin encontrar nada hasta que vio las Páginas Amarillas de Los Ángeles en la encimera de la cocina. Era la edición de San Fernando Valley Este.

Si Payne había ido a Los Ángeles, necesitaba un lugar donde alojarse.

Frederick abrió las Páginas Amarillas por la sección de hoteles. Había docenas, pero ninguno destacaba por nada. Siguió hojeando hasta encontrar el listado de los moteles. Había una página marcada con un trocito de papel. Un punto de tinta azul indicaba un motel de Toluca Lake.

Suites Home Away.

Frederick miró la hora. Toluca estaba a menos de treinta minutos. Si Payne estaba allí chivándose, se encargaría de hacérselo pagar.

19

Si Margaret Keyes había quedado conmigo en un sitio anónimo, Janice vivía cerca del Dodger's Stadium y no puso ninguna pega para que nos viéramos en su casa. Janice compartía un condominio con su novio, un acaudalado israelí llamado Sig que quería hacerse un nombre como director de porno *gonzo* («La familia de Sig tiene tanto dinero que todos cagan verde»). Janice empezó a hablar en el mismo instante en que abrió la puerta, y hablaba tanto que tuve que interrumpirla para que no se desviara del tema. Janice empezó con el negocio cuando estaba en el último curso de una exclusiva escuela privada para chicas («Era asqueroso, y ¡me encantaba!»), se hizo implantes de silicona al cumplir dieciocho años («Un regalo de mamá») y ya se dedicaba a hacer *striptease* cuando era estudiante de primer año en el USC («¡Es como si te pagaran por ser tú!»). Janice te abrumaba con su verborrea. Contó más o menos la historia de Margaret Keyes, sólo que, en su versión, Faustina no había recibido ninguna llamada. Había estado con él una hora y había cobrado doscientos dólares en metálico. Por rezar.

Dana Mendelsohn era la última acompañante de la lista, pero la primera que había visitado a Herbert Faustina. No esperaba que Dana me revelara nada nuevo. Paré en una magnífica hamburguesería de pavo de Madame Matisse, en Silver Lake, y luego me senté en el coche y busqué la dirección de Dana en la guía Thomas Brothers. Acababa de encontrar su calle cuando sonó el móvil. Era Starkey.

—Te he dejado tres putos mensajes —dijo—. ¿No los has recibido?

Miré la pantalla del aparato. No había ningún mensaje.

—He llevado el móvil conmigo toda la mañana. No ha sonado y no muestra mensajes —le dije a Starkey.

—Sé que tengo el número correcto y siempre suena tu estúpida voz grabada.

Mi estúpida voz.

Odiaba mi móvil. Yo era la última persona de Los Ángeles que había entrado al mundo jetsoniano de las telecomunicaciones, y desde entonces lo he lamentado. Antes todo el mundo me preguntaba cómo podía arreglármelas sin móvil, y mis clientes se quejaban. Cedí bajo el peso cultural de una ciudad llena de usuarios satisfechos de móvil, aflojé la pasta, firmé un contrato, y me tocó en suerte un servicio de mierda. Casi nunca recibía señal. Cuando la recibía, la perdía o me encontraba de repente en otra conversación. Si me llamaba alguien, el teléfono sonaba a veces pero no siempre. Cuando alguien dejaba un mensaje, el teléfono me lo decía si tenía ganas o directamente se lo callaba. Toda la gente que conocía estaba contenta de usar móvil menos yo. Quería tirarlo a una alcantarilla crecida.

—Muy bien —dije—. Supongamos que he recibido tus mensajes y que ahora te he llamado. ¿Por qué te he llamado?

—Metí a Faustina en el sistema, pero no sale nada, lo que significa que no tiene antecedentes penales y que no ha estado en ningún manicomio.

—Muy bien.

—También metí su nombre en los listados de la Seguridad Social. No aparece el nombre de Herbert Faustina. Sea quien sea, no tiene número de Seguridad Social, lo cual significa que probablemente Herbert Faustina no existe. Es un nombre falso.

Sin una orden judicial especial, el sistema de la Seguridad Social era de acceso prohibido a la policía. Los polis no podían pedir información de la Seguridad Social de una persona. Seguramente Starkey se había valido de algún contacto personal, y si alguien se enteraba le iban a hacer un traje.

—No tenías por qué hacerlo, Starkey. No te lo habría pedido —le dije.

—No te preocupes por eso, pero ya que eres tan duro de mollera, déjame decirte algo obvio: sin duda soy una mujer que necesitas a tu lado.

—Supongo que sí.

—Debo volver al trabajo. Procura que no te maten.

Colgó, pero consiguió hacerme sonreír.

La dirección de Dana me llevó a un pequeño edificio rojo de apartamentos situado al sur de Melrose, entre La Brea y Fairfax, en una calle sin encanto y personalidad. Era una de esas viejas zonas donde las casas unifamiliares habían desaparecido de golpe para ser reemplazadas por bloques de cuatro o seis pisos construidos a bajo precio por herederos, jubilados o médicos en busca de liquidez. Ahora la calle estaba bordeada de edificios pequeños que parecían haber sido diseñados en servilletas de papel mientras todos celebraban la cantidad de dinero que ganarían. El de Dana parecía un envase de cartón de Big Mac.

Aparqué en la calle, caminé a lo largo de un corto camino de entrada con cubos de basura a los lados y encontré el apartamento bajo un tramo de escaleras flotantes que conducían a la segunda planta, donde había encadenadas dos bicicletas de montaña. Llamé al timbre y luego con los nudillos. Dentro empezaron a oírse voces fuertes; un hombre y una mujer discutían sobre si abrir o no la puerta. Dana no estaba sola. Volví a llamar.

Abrió bruscamente un hombre alto y apuesto que me miró con cara de pocos amigos. Era de complexión robusta, el cuello fino y los hombros gruesos, y él lo sabía; se quedó en la puerta abierta, haciendo alarde de sí mismo. Llevaba el pelo corto y rapado a los lados, e iba pulcramente vestido con dos capas de indumentaria Raiders.

—¿Dana? —dije.

—Te daré con Dana por el culo. ¿De qué coño hablas?

—Por favor, Thomas —dijo Dana, detrás de él—, Stephen dijo que tenía que hablar con él.

—Stephen no vive aquí.

—Déjale entrar, Thomas.

Una mujer joven y maciza lo tocó para que se apartara. Mediría metro sesenta, el pelo rubio teñido, bronceado intenso y unos grandes ojos azules que le daban aspecto de abierta e inocente. Llevaba una camiseta muy corta sobre unos shorts, lo que permitía apreciar unos grandes pechos y un arete de oro en el ombligo. Tendría la misma edad que Janice, pero parecía más joven; y muchísimo más joven que Margaret.

—Él es Thomas —dijo—. No es mi novio ni nada. Sólo mi compañero de habitación.

Lo tomé por su novio, quizá su chófer. Thomas no se

alejó mucho. Las manos le colgaban fláccidas a los lados mientras permanecía inclinado hacia mí para dejarme claro que estaba listo para emprenderla conmigo.

—¿Y qué hace Thomas? ¿La lleva a ver a Faustina? —dije.

Antes de que pudiera contestar, Thomas le dirigió un dedo y lo meneó en señal de negación.

—No le importa una puta mierda. No debes hablar con él ni con nadie sobre esto —espetó.

—Stephen dijo que sería mejor que lo hiciéramos.

Lo hiciéramos.

—A tomar por culo Stephen, que nos ha metido en esta mierda. Van a cargarle este muerto a alguien, ¡y voy a ser yo!

Stephen me había dicho que no sabía nada de los chóferes de las acompañantes, pero al parecer él y Thomas se conocían. Me pregunté qué más me había ocultado Stephen.

Eché un vistazo al apartamento. Era sencillo y ordenado, con el salón a la derecha y el comedor y la cocina al frente. La mesa del comedor había sido empujada hasta un rincón y convertida en escritorio con un ordenador y un montón de notas clavadas en la pared con chinchetas. De las sillas colgaba algo parecido a fundas para cámaras fotográficas y mochilas. En el salón había un sofá mullido delante de un mueble que albergaba un televisor, un reproductor de cedés y una hilera de fotos en color de Dana dando vueltas alrededor de un poste mientras hacía *striptease*. Boca abajo estaba muy bien.

—Bonitas fotos —dije—. ¿Es usted?

—¿Qué coño le importa si es ella la de las fotos? ¿Cree que esas fotos son bonitas? ¿Quiere que preparemos café y pasemos el rato como amigos?

Lo miré. Había sido un día largo y pesado desde la

mañana hasta media tarde, con poco provecho hasta el momento. No le gustaba que yo lo mirara y acentuó la expresión de ceño.

—¿Qué? —berreó.

Dana se me acercó y tiró de mi brazo.

—Tiene miedo de la ley de las tres caídas —dijo—. Ya le han condenado dos veces.

—No le digas nada de mí, ni una mierda.

Comprendí su miedo: si le condenaban otra vez por delito grave, podía pasar el resto de su vida en la cárcel.

—Usted no le importa a nadie a menos que sepa algo de Faustina —le dije a Thomas—. ¿Sabe algo?

—¡No! —rugió.

—Entonces, eso es todo lo que ha de decir. La policía hablará con Stephen. Si él les dice que usted conducía y usted les dice que no, ¿qué va a parecer eso?

—¡No voy a decir nada a nadie! ¡No tengo nada que ver con esto!

Dana se puso a llorar a lágrima viva.

—Stephen dijo que mejor que lo hiciéramos —repitió entre sollozos.

—¡A la mierda Stephen! ¡Déjame fuera de esto y no menciones siquiera mi nombre! ¡No quiero oír mi nombre ni una sola vez!

Thomas dio un puñetazo al aire para demostrar a Dana qué significaba «ni una sola vez», y acto seguido se marchó furioso al comedor. De repente, después de tantos gritos, el piso quedó en silencio. Dana se secó las lágrimas y se aclaró la garganta. Habló en voz baja para que Thomas no pudiera oír.

—Stephen dice que todo irá bien. Dice que colaboremos.

—Esto es la investigación de un homicidio, Dana. La

policía no vendrá aquí a trincarla... tampoco a Thomas. Sólo queremos saber sobre Faustina, ¿entiende?

Dana echó un vistazo para asegurarse de que Thomas no estaba escuchando y luego bajó la voz todavía más.

—Thomas tomó esas fotos —dijo—. Es un fotógrafo muy, muy bueno. Estamos haciendo una página de pago, y él saca mis fotos. Está incluso confeccionando mi página web. Lo sabe todo sobre este rollo.

Asentí, y comprendí por qué me decía que todo saldría bien: sus sueños con Thomas dependían de que Stephen le hubiera dicho la verdad.

—Dana, quiero que vea esto —le dije.

Le enseñé la foto de Faustina en la morgue y le hice exactamente las mismas preguntas que a las otras. Faustina pagó a Dana para rezar implorando perdón. No le contó nada de sí mismo ni de por qué estaba en Los Ángeles; no tuvieron relaciones sexuales, y cuando acabaron de rezar, él la acompañó a la puerta. Durante la hora que pasaron juntos, en ningún momento mencionó de dónde era, por qué se encontraba en Los Ángeles, cuánto tiempo pensaba quedarse, ni nombró a otras personas ni otros lugares. La única diferencia respecto a las otras acompañantes era que Dana había preguntado a Faustina por qué necesitaba ser perdonado. Supongo que no estaba aún lo bastante curtida para que eso le diera igual.

—¿Se lo dijo? —pregunté.

—Dijo que por amar demasiado.

—¿Usted le preguntó por qué quería que Dios le perdonara y él dijo que por amar demasiado?

—Triste, ¿no?

—¿Qué o a quién amó demasiado?

¿A una mujer que conoció una vez y que no había vuelto a ver? ¿A un hijo al que no llegó a conocer...?

—No sé —contestó Dana—. Yo pregunté: ¿cómo se puede amar demasiado? Amar a alguien es algo bueno... No han de perdonarte por eso. Yo quería que él se sintiera mejor, ya sabe, pero él dijo que el amor podía ser algo terrible, dijo que el amor podía ser el Quinto Jinete y que podía matarte igual que los otros cuatro, y luego se puso a llorar y yo me sentí fatal y también empecé a llorar, y lo rodeé con mis brazos porque quería consolarlo, pero él no quería que lo tocara así. Se soltó de mí y me apartó las manos. «Sigamos rezando, ¿vale?», dijo con un tono muy amable. «Porque es lo único que hará que nos sintamos mejor.» Así que seguimos rezando, y yo ni siquiera entendí qué había querido decir hasta que Thomas me lo explicó.

La voz de Thomas llegó pausada desde el comedor.

—Los Cuatro Jinetes. Ella no sabía nada sobre los Cuatro Jinetes, así que tuve que explicarle qué significaba lo del quinto.

Nos observaba desde la entrada del comedor. Los Cuatro Jinetes del Apocalipsis eran la guerra, la peste, la enfermedad y el hambre... las cuatro fuerzas que podían destruir el mundo. Herbert Faustina había añadido a la lista el amor.

Thomas miró a Dana y luego a mí.

—No sabemos nada de ningún homicidio —continuó—. Ella no tuvo relaciones sexuales con él ni le ofreció ningún servicio, así que no es prostitución. Que te paguen por rezar unas oraciones no va contra la ley, ¿verdad?

—Es verdad. Si no hay daño grave, no hay problema —dije.

—Entonces, ¿de qué me pueden acusar por haberla acompañado a rezar?

—De nada.

—Muy bien, pues...

Asintió un poco más, dándole vueltas a su delicada situación, y por fin fue al meollo del asunto.

—Muy bien, tenía un coche marrón —dijo.

Dana parecía horrorizada.

—Thomas...

Él la hizo callar con el dedo.

—Si ese gilipollas de Stephen me ha metido en esto, yo tengo que cuidar de mí. Lo único que hice fue llevarte a rezar, y ahora voy a cooperar con la policía y salvaré mi culo. Para recibir tienes que dar, y no pienso ir a la cárcel. Aquí estoy yo, un ciudadano ejemplar. El tipo tenía un Honda Accord marrón. Le faltaba el tapacubos de la rueda trasera izquierda, con una buena abolladura junto a la rueda.

Lo miré fijamente y luego miré a Dana, pero ella mostraba una expresión vacía, como si no tuviera ni idea de lo que él estaba diciendo.

—¿Estuvo usted en su coche? ¿Fue con él a dar un paseo? —le pregunté a Dana.

—Ella no fue a ninguna parte con el tipo —dijo Thomas—. Acabó de rezar, como ha dicho, salió y se subió en el coche (mi coche) y me contó lo que habían hecho, las oraciones y eso, y entonces fue cuando le aclaré lo de los Jinetes. Después hablamos de lo que queríamos hacer, comer algo o tomar una copa o ir a casa, y entonces ella dijo: «Eh, mira, es él.»

Dana asintió de súbito, como si por fin recordara y lo viera claro.

—Así es —corroboró.

Thomas la hizo callar otra vez con el dedo y siguió hablando. Él había adquirido el compromiso, tenía la palabra, y ahora nada lo iba a detener.

—Así que miro porque quiero ver a ese estúpido putero con todos sus rezos, y allí está. Se montó en el Honda marrón y se marchó.

—¿Vio la matrícula? —pregunté.

—No, amigo, estaba demasiado ocupado mirando a ese atontado gilipollas que dentro había estado rezando «pidiendo perdón».

—¿Era una matrícula de California?

—No llegué a mirar. Salió dando marcha atrás, y allí estaba la puta abolladura y el coche todo sucio. Se lo dije a ella, mira qué mierda está conduciendo. Si tenía doscientos para gastar en un chochete, ya podía lavar el coche.

De repente sentí un latido de esperanza. Los Honda Accord marrones eran tan habituales como las pulgas de mar, pero un Accord marrón al que le faltara un tapacubos y con una abolladura junto a la rueda era un vehículo concreto. La abolladura significaba que no era de alquiler.

—Muy bien. Y después, ¿qué? —dije.

—Cómo que qué. Pues nada. Él se fue, y nosotros fuimos a casa de Stephen para darle su parte. Nos fumamos un porro y nos marchamos. A Stephen le gusta fumar, tiene pasta. En su casa tiene montones de droga.

Thomas sonrió maliciosamente cuando mencionó lo de la droga, como si se la estuviera devolviendo a Stephen por meterle en aquel lío. También se lo diría a la policía.

Decidí decirle a Diaz lo del coche. Si el coche de Faustina aún estaba cerca de la escena del crimen, un agente de patrulla podría encontrarlo. Entonces, a través de la documentación del vehículo, podríamos averiguar el nombre y la dirección del propietario. Si el agresor estaba actualmente utilizando el coche de Faustina, quizá lo descubriríamos también.

Les di las gracias por su tiempo, y ya me disponía a salir cuando me fijé nuevamente en las fotos. Volví a mirarles. Dana se había colocado al lado de Thomas, y deslizó su mano en la de él.

—En cuanto a lo que dijo Faustina sobre que el amor era el Quinto Jinete, estaba equivocado —puntualicé.

Salí de la casa, me precipité al coche y llamé a Diaz. Si no podía hablar con ella, pensaba llamar a Starkey, pero Diaz contestó al tercer tono.

—Cole, vaya, llevo una hora intentando ponerme en contacto con usted —dijo.

Aborrezco mi móvil.

—Tengo la posible descripción de un coche, Diaz. Es... —empecé a decir, pero ella me interrumpió.

—Sabemos su nombre. Beckett ha obtenido la identidad a partir de esas cosas en las piernas. Tenemos el nombre verdadero de Herbert Faustina.

Gracias a los aparatos en sus piernas, el indocumentado #5-1642, también conocido como Herbert Faustina, había sido identificado como George Llewelyn Reinnike, de Anson, California. Le pedí a Diaz que me deletreara Reinnike. Ella me dijo que fuera a su oficina y prometió un informe completo. Era una gran noticia; tan buena que no noté los ojos posados sobre mi nuca, ni advertí que me estaban siguiendo.

20

La Comisaría Central Comunitaria tenía su sede en la calle Sexta, a unas manzanas al sur de la autopista Harbor, en el centro de Los Ángeles, y no lejos del lugar del crimen. Era un moderno edificio de ladrillo de cinco plantas que parecía pequeño al lado de los rascacielos circundantes, continuamente patrullado por perros detectores de explosivos. El SWAT (Armas y Tácticas Especiales) del Departamento de Policía tiene su cuartel general en la Central, igual que la elite uniformada de la División Metropolitana. Como las otras comisarías de policía de Los Ángeles, se la conoció como División hasta que alguien decidió que la palabra «división» hacía que la policía sonara como un ejército ocupante. Ahora teníamos las Comisarías Comunitarias, expresión supuestamente más amigable.

Dejé el coche en un aparcamiento público, entré por la puerta principal de la Sexta, y esperé a que Diaz viniera a buscarme. Cuando por fin se abrieron las puertas del ascensor, Pardy era el único a bordo. Iba erguido y rígido como si el traje le apretara; no me miró. Tenía la mandíbula tensa como si hubiera mordido una golosina amarga.

—Suba —dijo.

Subí. Pardy pulsó el botón para cerrar las puertas antes de que pudiera subir nadie más, y a continuación se volvió y sacó pecho para encararse conmigo.

—Podía usted haber presentado una queja, pero no lo ha hecho. Por si sirve de algo, se lo agradezco. No me comporté como es debido.

Dudó como si quisiera decir algo más, pero finalmente se volvió hacia la puerta. A veces estos tíos le sorprenden a uno.

—Esto le honra, inspector —dije—. Gracias.

Él asintió, sin mirarme todavía, pero ahora parecía más relajado.

—He hablado con Golden esta mañana —dijo—. Ha ido muy bien que usted lo encontrara tan rápido. No voy a preguntar por qué, pero el tío está colaborando.

—Inspiro espíritu ciudadano.

—Sin duda.

—Las chicas que vieron a Reinnike también cooperarán. Esperan que usted las absuelva.

—Si no tienen nada que ver con el crimen, no tienen de qué preocuparse. A mí sólo me interesa el homicidio.

—Déjeles eso claro, será mejor.

—Después de ver a Golden he pasado por Suites Home Away. Tampoco preguntaré cómo consiguió la factura de Reinnike, pero no vuelva a hacer algo así. ¿Entiende lo que le digo?

—Lo pillo.

—Diaz quiere que lo deje correr y yo le debía una. Estamos en paz.

—¿Ha mirado las llamadas de Reinnike?

Pardy tardó un momento en responder.

—Llamó a casi todas las malditas comisarías de la ciudad. He estado pensando en ello.

—Sí, yo también.

Cuando volvieron a abrirse las puertas, Pardy me condujo por un pasillo beis claro bordeado de archivadores hasta llegar a la sección de Homicidios. Los inspectores de Homicidios estaban alojados en una estancia estrecha con demasiados muebles y poco sitio para guardar cosas. Como el pasillo, la sala estaba repleta de archivadores.

Diaz se encontraba en el otro extremo, con dos inspectores que parecían vendedores de alfombras de mediana edad. Pardy hizo un gesto en dirección a ella.

—La inspectora Diaz le indicará. Yo voy a buscar el expediente —dijo.

Diaz vino a recibirme en el centro de la estancia y me condujo hasta su mesa, que estaba arrimada a la pared y tenía enfrente otra mesa. En la de al lado, una inspectora negra pequeña y frágil como un colibrí pedía tranquilamente a alguien por teléfono que le dijera qué pasó después. Mientras hablaba garabateaba notas, sin hacernos caso.

—Siéntese aquí, Cole —dijo Diaz—. Entonces, ¿le dice algo el nombre Reinnike; o Anson, California?

Como si esperara que se me encendiera una bombilla en la cabeza y gritara «¡Papi!».

—No. ¿Saben algo de él? —dije en cambio.

—Beckett ha introducido el nombre en las bases de datos NCIC y DMV. En los listados no aparece nadie con ese nombre; lo cual significa que o bien residía en otro estado o bien se sacó el permiso con otra identidad.

Como su nombre falso —Herbert Faustina—, George Llewelyn Reinnike era también un enigma.

Pardy regresó con una carpeta negra de tres anillas. Su libro de homicidios. Como jefe de inspectores, Pardy guardaba en esa única carpeta todos los informes, declaraciones de testigos y pruebas pertinentes que se iban acumulando. Al ser su primer caso como máximo responsable, también era responsable por primera vez del libro. Se sentó en la mesa de Diaz con una pierna colgando y abrió cuidadosamente las anillas. El libro aún no tenía muchas páginas, pero a medida que el caso avanzara se añadirían más. Me dio un montoncito de papeles.

—Bien, Cole, aquí está el examen médico preliminar y los registros de la empresa que fabricó los aparatos. Puede leerlo delante de nosotros y tomar notas, pero no hacer copias. Así es la cosa.

Yo estaba ansioso por leer, pero Diaz cogió los informes antes de que pudiera empezar.

—Un momento —dijo—. Me ha dicho que tenía la descripción de un vehículo. Empecemos por ahí.

Pardy hizo anotaciones en un bloc amarillo mientras yo repetía la descripción de Thomas.

—¿Vieron la matrícula? —preguntó.

Diaz le cortó como si fuera estúpido.

—Si tuviera la matrícula ya nos la habría dado. Siga, Cole... ¿Tiene algo más?

—Rezaron —dije.

Diaz y Pardy esperaron igual que había hecho yo cuando me lo dijo Margaret Keyes.

—Reinnike no tuvo relaciones sexuales con ellas —añadí—. Les pagó para que rezaran por él.

Pardy soltó una carcajada.

—Vaya gilipollez. ¿Se lo está inventando?

—Las tres me contaron lo mismo. Rezaron implorando perdón para él.

Los oscuros ojos de Diaz cambiaron de color como el humo en el horizonte.

—¿Por qué necesitaba ser perdonado?

—No lo dijo.

Pardy miró a Diaz con mala cara.

—Mira, esto suena a sandez —dijo—. Seguramente Golden dice a esas putas que digan esto para evitar las redadas.

Diaz seguía mirándome fijamente con los ojos empañados, y luego miró a Pardy como si fuera un tarado.

—Estaban aquellas cruces por todo su cuerpo —le dijo—. El tipo podía ser perfectamente una especie de chalado religioso, ¿no?

Pardy resopló aunque aún no parecía convencido.

—Bien, que Cole te repita todo lo que le dijeron las chicas. Cuando hables con ellas, a ver si te dan las mismas respuestas; quizá pilles a alguna en una mentira. Manda ahora mismo una orden a Tráfico. Es una buena descripción. Algún poli podría localizar el coche mientras estamos aquí perdiendo el tiempo.

Pardy salió a hacer su cometido, y Diaz lo contempló marcharse.

—Hay que decírselo todo, joder —se quejó—. Cada vez es un paso a cámara lenta. Y luego dicen que los mexicanos trabajan despacio.

—¿Es eso lo que decían de usted, Diaz?

Diaz se rió y acto seguido me cogió los informes del examinador médico para hojearlos.

—No tiene por qué leerlo todo, Cole. Aquí está lo que necesita...

Las hojas que me devolvió eran los faxes enviados a Beckett por la empresa de ortopedia quirúrgica Penzler de East Lansing, Michigan.

Querido señor Beckett:

De acuerdo con nuestra conversación relativa a #s HSO-5227/HSO-5228. Las unidades son aparatos de apoyo femoral (bilaterales invertidos) equivalentes manufact. el 16 de octubre de 1946 por esta empresa. (Véase descrip. adjunta.) Nuestros archivos indican las siguientes tareas:

Tarea de unidades: Hospital Infantil Andrew Watts
1800 Mission Boulevard
San Diego, California

Tarea quirúrgica: Doctor Randy Sherman
Hospital Infantil Andrew Watts
1800 Mission Boulevard
San Diego, California

Tarea paciente: George Llewelyn Reinnike
15612 L Street, NW
Anson, California

Enferm. paciente: Legg-Calve-Perthes
menor m, func. +, avanz.
cir. 6/20/47/AWCH/Sher
(véase doc. adj.)

Ésta es la información de los archivos de la empresa. Por favor, no dude en llamarme si cree que puedo ayudarle en alguna otra cosa.

Atentamente,

EDITH STONE, M.D.
V.P. Sales

Apunté la dirección de Reinnike y también los nombres del médico y el hospital. En una segunda hoja había una breve explicación de la enfermedad de Legg-Calve-Perthes que parecía un folleto comercial. La LCP era una afección degenerativa de la articulación de la rótula a causa de la cual el fémur en los niños pequeños tendía a debilitarse. Se atornillaban aparatos en el fémur para aguantar el hueso y mantener la integridad de la articulación.

Diaz me dejó leer el informe del examinador médico mientras esperábamos a Pardy. La causa de la muerte había sido una sola herida de disparo en el pecho izquierdo que rompió dos costillas, astilló una vértebra y reventó dos arterias. George Llewelyn Reinnike se había ahogado en su propia sangre. La bala era de casquillo de cobre del calibre 38 y se había fragmentado al impactar en la vértebra. El examinador médico no había encontrado restos de semen en la uretra, el colon ni el estómago, ni residuos seminales ni vaginales en el pene, es decir, la víctima no había tenido ninguna relación sexual reciente. Había que esperar los análisis de sangre, pero el médico no había advertido indicios manifiestos de consumo de drogas, sólo una cirrosis moderada en el hígado, lo que revelaba que la víctima bebía. Reinnike no había ido al callejón en busca de drogas o sexo. Había recibido una llamada, había acortado sus oraciones y casi seguro que había quedado en verse con alguien en el centro. Yo estaba seguro de que en el callejón no había ocurrido un encuentro fortuito.

Pardy volvió cuando yo estaba acabando de leer y se encaramó en el extremo de la mesa.

—Otra cosa —dije—. La chica que estuvo con Reinnike la noche del crimen dice que él recibió una llamada mientras estaban juntos, y que acortó la visita. La llamada fue a un móvil. ¿Han encontrado algún móvil en el cadáver?

Pardy y Diaz intercambiaron una mirada, y Diaz negó con la cabeza. Pardy se encogió de hombros.

—Tal vez lo dejó en el coche —dijo—. Lo sabremos cuando lo encontremos.

Diaz se inclinó hacia delante y luego se levantó.

—Muy bien, no hay necesidad de que yo esté aquí para todo lo demás. Tengo mis propios asuntos. Pardy, ¿sabes qué has de hacer?

—Pues claro. Trincar a un homicida.

—Por lo visto —dije—, está claro que ahora hay un flujo de información en dos direcciones. ¿Hay algún problema si yo sigo una?

La mandíbula de Pardy volvió a tensarse, como en el ascensor.

—Cole, yo estoy aquí por el homicidio —dijo—. Mientras no haga nada que entorpezca mi labor, usted mismo. Y si descubre algo que me ayude, tanto mejor.

Diaz me miró arqueando las cejas.

—¿Está contento?

—Contentísimo. Y agradecido.

—Me voy. Y recuerde, si averigua algo, ténganos informados.

Nos dejó en su mesa. Pardy se bajó del borde, dio la vuelta y se sentó en la silla de Diaz.

—Bien, Cole, cuénteme qué le dijeron las putas.

Le di un informe detallado. Mientras hablábamos, pensé en Diaz. Quería preguntarle si había encontrado al testigo que había estado buscando; pero sabía que seguramente no. A veces no se les encuentra nunca. A veces, después de haber buscado mucho, uno se da cuenta de que la persona que estaba persiguiendo no era más que un sueño.

21

Pesadilla

Frederick reprimió el estremecimiento de rabia que le había invadido. «Payne nos ha traicionado, y ahora deberá vérselas conmigo.» Llamó desde el teléfono público que había junto a un Minimart 24 horas, enfrente de Suites Home Away. Respondió un hombre con voz irritada, como si lamentara ponerse al teléfono.

—Home Away, Toluca Lake.

El tráfico no dejaba oír bien.

—Esto... quería hablar con, esto... el señor Payne Keller, por favor. Está alojado aquí, esto... pero no sé el número de su habitación.

—Entiendo.

—No sé qué habitación...

—No hay ningún huésped con ese nombre.

—Ah, bueno...

—¿Puedo ayudarle en algo más?

Frederick captó la impaciencia del hombre, pero no supo qué decir.

—Eh, Payne...

—Lo lamento, no hay ningún huésped con ese nombre.

Frederick colgó y luego se compró una Diet Rite extra grande y regresó al camión. Había recorrido lentamente el aparcamiento del Home Away y no había visto el coche de Payne. Quizá Payne se había registrado con otro nombre. Y ahora no sabía por quién preguntar.

El Suites Home Away estaba situado frente a una gasolinera Mobil. Frederick se paró junto a los surtidores. Entró en el taller de servicio y se fijó en el técnico, que estaba cambiando el filtro del aceite de un Sentra.

—Eh, ¿tiene una caja vieja? Necesito una caja de cartón más o menos así —le dijo, separando las manos unos veinte centímetros.

El técnico le dio una caja vacía de filtros de aire que ni siquiera le cobró. Frederick revolvió debajo de su asiento y sacó una bomba de agua rota y una camisa de trabajo que solía llevar antes de que se rompiera el bolsillo. En la camisa no ponía Mobil ni Reparación de Coches Payne, pero era azul oscuro, estaba manchada de grasa y tenía una bonita raya diplomática profesional. Llevaba el nombre cosido en la delantera, a la derecha: FREDERICK.

Frederick metió la bomba de agua en la caja, se cambió de camisa y a continuación condujo hasta el motel. Entró en el vestíbulo con la caja y sonrió al recepcionista, un joven con un rosario de enrojecidos granos en la barbilla. En la chapa de identificación ponía JAMES KRAMER.

Frederick dejó la caja en el mostrador con un golpe sordo.

—Soy Frederick, de la Mobil. Tengo una bomba reparada para el tipo de las cruces, no recuerdo su nombre. Me dijo que le avisara.

Frederick puso mirada distraída mientras esperaba a ver si Kramer reconocía o no al hombre de las cruces.

—¿Le pagó? —preguntó Kramer.

—No.

—Pues le han fastidiado. Al tipo se lo cargaron. Han estado por aquí los polis.

Frederick se quedó inmóvil, sonriendo, con los consabidos ojos ingenuos y muy abiertos.

—¿Qué dice?

Kramer convirtió su mano en una pistola e hizo clic con el pulgar.

—El de las cruces se llamaba Faustina, pero no era su verdadero nombre. Lo mataron. Ha sido muy fuerte, amigo; ha venido la poli, el CSI, incluso detectives privados.

Una avalancha de voces superpuestas llenó la cabeza de Frederick. Sonaban como el mar de noche. Kramer estaba diciendo algo, pero Frederick no le oía. No sabía cuánto rato había estado hablando el recepcionista cuando él volvió a prestarle atención.

—... aquí todo el día de ayer y dijeron que volverían, pero aquello no se parecía en nada a la serie *CSI* —decía el joven.

—¿Payne está muerto? —inquirió Frederick.

—¿Quién es Payne?

—¿Qué nombre ha dicho antes?

—Herbert Faustina, el de las cruces. Alguien lo mató. Los polis nos pidieron que hiciéramos una lista de todos los que hablaron con él o vinieron a verle; quizá debería ir a la policía.

A Frederick le costaba controlar sus pensamientos. Se vio a sí mismo cruzando el vestíbulo con su escopeta. Se imaginó disparando a Kramer en la cabeza y luego colocándose el cañón bajo la barbilla y reventándose la cara; todo visto desde fuera de sí mismo, observando cómo sucedía cuando Kramer dijo algo que le hizo volver a la realidad.

—... el tío fingía ser poli, pero enseguida lo calé. ¿Recuerda aquella historia de mercenarios de Santa Mónica del otoño pasado, con todo aquel tiroteo? Era él. Viene aquí simulando ser un poli como si nadie lo conociera.

—¿Iba buscando a Payne?

—Faustina. Vino incluso antes que los polis, y a éstos no les gustó. Uno de los polis estaba cabreado de veras. Hizo tantas preguntas sobre Cole como sobre Faustina.

—¿Cómo se llamaba?

—Pardy, o algo así.

—No, el poli no... el otro.

—Ése era Cole, Elvis Cole. Seguro que se cambió el nombre. ¿Recuerda los tiroteos? Se cargó a varios tíos el año pasado, antes de Halloween. ¿No se acuerda?

Frederick dejó la caja, salió y fue hasta el camión. Un leve suspiro siseaba entre sus dientes. Empezaba muy adentro y se convertía en un ruido parecido a un pitido suave, pero la presión no disminuía. Parecía aumentar, como si hubiera tragado aire de la manguera de la gasolinera, la que servía para hinchar los neumáticos, y ahora estuviera lleno de gas frío. Se le llenaron los ojos de lágrimas y le temblaba el mentón, y se puso a vociferar, sollozando hasta que le entró hipo. Se sentía solo y asustado, y deseaba que Payne estuviera allí ahora mismo, con tanta fuerza que se le hizo un nudo en el estómago. Golpeó el volante y los asientos, lloriqueó y escupió, soltando mocos y lágrimas; pateó el suelo y dio un tremendo puñetazo al salpicadero; se cubrió la cabeza con los brazos y gimió. Al cabo del rato se sintió mejor. Se miró. Tenía la camisa hecha jirones, y le sangraba el pecho y el estómago. Reparó en que se había arañado, pero no lo recordaba.

Frederick tenía miedo, pero también estaba furioso. Se preguntaba si el detective privado había matado a Payne. Los detectives privados no trabajan gratis; cobran por hacerle a alguien el trabajo sucio. Cole había identificado de algún modo a Payne (seguramente por medio del infame cura) y le había puesto un cebo para que fuera a Los Ángeles.

De pronto a Frederick le aterró la posibilidad de que Payne hubiera hablado antes de que Cole le matara, quizá farfullando oraciones a Jesús mientras suplicaba clemencia; Frederick lo estaba viendo tan vívidamente en su cabeza como si estuviera sucediendo delante de él; Payne, por fin después de todos esos años, reventando bajo el peso de su secreto como una naranja sanguina aplastada por una bota —¡plash!— expulsando pulpa y semillas como...

La cabeza de Frederick estaba invadida por el extraño zumbido que le dejaba el cerebro turbio y apretado, como si hubiera tragado otra vez aire de la manguera. Se apretaba los ojos con las puntas de los dedos todo lo fuerte que podía. Se pasaba los nudillos por las sienes y se agarraba las orejas, tirando de ellas con tal fuerza que el dolor le dejaba ciego, y luego aflojaba; tiraba y aflojaba, hasta que el zumbido desapareció.

Evidentemente, Cole llevaba años persiguiéndoles. De un modo u otro había descubierto la identidad de Payne, con quien había establecido contacto, pero Payne seguramente no había denunciado a Frederick; si lo hubiera hecho, Cole habría ido directamente a Canyon Camino en vez de perder el tiempo en el motel de Payne. Cole había sido contratado para encontrarlos y matarlos, y había matado a Payne. Y ahora estaba intentando matar a Frederick.

Frederick Conrad no podía imaginarlo de otra forma: estaban siendo ejecutados. Estaban pagando el precio que Payne siempre decía que pagarían. Sintió un miedo brusco e intenso y el deseo de salir pitando de la ciudad hacia el sur, y quemar los cuatro neumáticos hasta llegar a México, pero...

Elvis Cole había matado a Payne.

Frederick se preguntaba si Cole había mutilado el cuerpo de Payne. Imaginaba a Payne gritando de dolor mientras rezaba suplicando perdón. A lo mejor Cole ganaba un dinero extra con ese tipo de cosas. Frederick se puso a llorar, y de repente vio cómo ocurría allí mismo, en el camión, a través de los borrosos prismas de sus lágrimas... Payne espatarrado desnudo en el asiento, su carne fláccida de hombre mayor fea y sangrando mientras una imponente sombra gris le arrancaba largas tiras de piel con unas tenazas. Payne chillaba terriblemente mientras Cole le desgarraba la piel.

Frederick se tapó los oídos.

«Para. Deja de gritar así.»

Payne y Cole se esfumaron, pero Frederick aún tardó un rato en calmarse. Estaba asustado y rabioso por lo que Cole había hecho a Payne. Quería huir, pero no podía irse con un asesino como Cole pisándole los talones. Cole no se detendría a menos que alguien lo detuviera. Frederick tenía que detener a Cole enseguida, y tenía que hacerle pagar lo de Payne.

Frederick no pensó nada más. Pensó en volver al Suites Home Away a castigar al chico insolente, pero en vez de eso volvió a cambiarse de camisa y cruzó otra vez la calle en dirección al Minimart 24 horas. Llamó a Información desde el teléfono público.

—¿Qué ciudad? —dijo la operadora.

—Los Ángeles.

—¿Nombre?

—Elvis Cole.

—No aparece ningún individuo con ese nombre, pero sí una Agencia de Detectives Elvis Cole.

—Me sirve.

El corazón se le fue sosegando mientras anotaba la información. Le alegraba tener un objetivo claro. Y también la idea de vengar el asesinato de Payne.

—No lo olvides.

Tomé el callejón por detrás de la hilera de tiendas donde Joe Pike tenía su negocio y me paré en la zona de descarga, justo delante de la puerta trasera. A mi izquierda estaba el flamante Jeep de Joe, y a mi derecha un camión Chevy perfectamente encerado. El Toyota blanco se paró detrás, cerrándome el paso. Una pequeña mirilla gris nos observaba desde la puerta.

—Muy bien —dije—. Aquí es.

El tipo sentado a mi lado echó un vistazo a la puerta. Un cartel colgado rezaba:

ARMAS DE FUEGO
RESPUESTA ARMADA INNECESARIA

—¿Qué coño es esto, una tienda de armas?

—Sí, en efecto. Tiene varios negocios.

Toqué dos veces el claxon, y el hombre de la bolsa dio una sacudida y agitó la bolsa frente a mí.

—¡Jodido gilipollas! ¿Qué coño haces?

—Calma. Él no abre la puerta fuera del horario. Debo avisarle para que venga a la parte de atrás. Vamos, ¿quieres el ordenador o no?

Aguardé con las manos quietas hasta que me indicó con la bolsa que saliera. Salí por mi lado y él por el suyo, y luego nos dirigimos a la puerta. Yo me quedé delante, pero él se apartó un poco para no ser visto a través de la mirilla. Pike se había colocado igual cuando fuimos a ver a Golden.

—Llamo, ¿vale? —dije.

—Llama de una puta vez, date prisa.

—¿Has hecho antes cosas así?

—Llama, capullo.

22

El tráfico de última hora de la tarde salía poco a poco del centro de Los Ángeles. Con la organización de un nido de serpientes, calles de una sola dirección enlazaban con escasas y mal señalizadas vías de acceso a las autopistas. Esas calles secundarias eran aparcamientos *stop-motion* donde los vehículos avanzaban a cámara lenta. Los peatones iban más deprisa; los ciclistas pasaban a la velocidad de la luz. Viviendo a tope.

Al conocer el verdadero nombre de Faustina y una dirección, sentía una esperanza nerviosa de algo que se avecinaba de forma inminente. Estaba ansioso por investigar, aun sabiendo que seguramente esto no llevaría a ninguna parte. Pero seguía pensando en ello, y quizá por eso no vi al hombre que se acercaba.

—Eh, tío, ¿qué pasa?

Lucía músculos esculpidos, la cabeza afeitada y unas gafas envolventes cromadas. Se había aproximado desde la parte de atrás de mi lado ciego mientras yo estaba a punto de explotar en el tráfico parado; otro peatón circulando antes de bajar de la acera, pensé. Pero al mirarle vi que sonreía, de manera que los ocupantes de los coches de alrededor pensarían que éramos amigos. A primera vista parecía llevar una bolsa de papel. De pronto me di cuenta de que tenía la mano dentro de la bolsa.

Se aseguró de que yo veía la bolsa, luego abrió la puerta con la mano libre y se sentó a mi lado. La bolsa me apuntaba, desde su regazo, para que los demás conductores no vieran nada. Seguía sonriendo.

—Mantén las manos en el volante, hijo de puta —dijo.

Los matones dicen «hijo de puta».

—Tiene cuatro marchas. He de cambiar —repuse.

Miró el cambio de marchas. Su sonrisa flaqueó como si se hubiera ido al traste todo el plan de que yo tuviera las manos en el volante.

—Bien, pues una en el cambio y la otra en el volante, tío listo —dijo—. ¿Sabes lo que hay en esta puta bolsa?

—¿Tu mano?

—Una jodida bomba atómica. Si no haces lo que yo te diga, la hago estallar en tus tripas.

—Una en el volante, la otra en el cambio. Te escucho.

—Mira el retrovisor. ¿Ves el Toyo blanco dos más atrás?

Justo detrás había una mujer joven en un Lexus verde, y después un Toyota blanco con dos hombres dentro.

—¿Vienen con nosotros? —pregunté.

—Hermano, vienen tanto con nosotros que te van a meter el coche en el culo. Si piensas siquiera en joderme, descargarán las pipas. ¿Entiendes la palabra?

Lo miré, y no me impresionó. Se hacía el duro con su cabeza rapada y sus músculos de rata de gimnasio, y acaso lo fuera, pero daba la sensación de ser un actor que ganaba combates sin sudar porque vivía en un mundo de fantasía donde cada mujer es la Miss June del año pasado.

—Claro que lo he entendido, van a meterme el coche

en el culo. Ahora que ya estoy asustado, ¿quiénes sois y qué queréis?

—El ordenador de Golden.

Volví a mirar por el retrovisor. Ninguno de los hombres parecía ser Golden, pero no estaba seguro.

—¿Crees que lo llevo conmigo en el coche? —le pregunté.

—¿Dónde está?

—Lo tiene un amigo de Culver City. Se lo di para que lo guardara en lugar seguro.

—Bien. Iremos a buscarlo a casa de tu amigo.

—¿Os ha enviado Golden?

—No te preocupes por eso.

—¿Va en el Toyota?

—Vamos a ver a tu amigo.

Meneó la bomba atómica para recordarme que podía hacerla explotar, y me encogí de hombros.

—Muy bien. Si es lo que queréis...

Dejamos la autopista y pusimos rumbo al sur del centro, tomando las calles secundarias. Fue mucho más rápido. Sólo una hora y veinte minutos.

Cuando llegamos a Culver City, me dirigí a la parte trasera de la tienda a través de una zona residencial y un callejón con nuestros acompañantes bien pegados atrás. No quería que vieran adónde íbamos hasta que fuera demasiado tarde.

—¿Adónde vamos? —preguntó el tipo.

—Tiene una pequeña tienda aquí cerca. Ya habrá cerrado, pero él todavía estará ahí con el ordenador.

—¿Cómo se llama ese gilipollas?

—Joe.

—Si crea algún problema, lo joderemos vivo.

—Entiendo. Eh, que eres tú el que va armado.

Lo hizo él por mí. Aporreó tres veces la puerta con la mano libre, mientras usaba la otra para encañonarme con la bolsa. Al tercer golpe, Joe Pike apareció tras él como surgido de la tierra. Pike tiró la bolsa al suelo al tiempo que le torcía la mano más de lo que estaba previsto que se torciera. Luego lo derribó estrellando su cabeza contra el guardabarros del Chevy. Sonó como un melón caído del tejado. Los dos hombres que trabajaban en la tienda de Pike pusieron a los dos payasos del Toyota boca abajo. Ambos llevaban una Sig negra del 45, y ambos podían superar la prueba de tiro de combate del Departamento de Policía de Los Ángeles a un nivel competitivo. Ambos.

Cogí la bolsa y enseñé a Pike su contenido. Una bonita recortada del 38.

—Golden —dije.

—Ajá —dijo Pike.

Pike despegó a su chico del camión y luego lo giró hacia mí. Tenía la cara hecha un mapa. Intentaba sostenerse el brazo roto, pero Pike todavía se lo sujetaba. Me puse en cuclillas para mirarle a los ojos, y vi que ahora aquellos ojos bravucones estaban asustados.

—¿Cómo te llamas? —le pregunté.

—Rick.

—Bien, Rick. Estos hombres son profesionales. Y vosotros sólo unos gilipollas. ¿Entiendes la palabra?

Asintió. Creo que hacía esfuerzos por no llorar.

—¿Qué se supone que iba a pasar cuando tuvierais el ordenador? ¿Tenías que llamar, llevarlo a algún sitio, qué?

—Llamar.

—¿Está esperando noticias tuyas?

—Sí.

—Que llame, Joe.

Encontramos un Samsung plateado en el bolsillo de

Rick y dejamos que hiciera el marcado rápido del número de Golden. Enseguida tuvo señal y sonó un pitido. Todos reciben señal menos yo.

Cuando Golden contestó, me puse al teléfono.

—¿Paga usted el seguro médico de estos tipos? —le pregunté.

—¿Quién es?

—Dos de estos idiotas están inmovilizados en el suelo, y Rick tiene un brazo roto. Y también la nariz, creo. ¿Tengo que ir a verle para hablar de esto?

Captó quién era yo. Se hizo el silencio en el teléfono mientras él pensaba detenidamente.

—Me dijo que me devolvería mi ordenador.

—Después de que las chicas hayan colaborado con la policía y hayamos verificado sus historias. Lo tendrá cuando yo esté seguro de que todas han sido sinceras.

—Sin el ordenador, no puedo trabajar.

—Aguántese. Stephen, podrían condenarlo por eso, ¿entiende?

—Lo entiendo.

—¿Qué haría el inspector Pardy si supiera que usted ha enviado a estos cerdos a agredirme?

—No tenían que agredirle. Tenían que recuperar el ordenador.

—Pues no lo entendieron.

—Sin el ordenador estoy perdiendo dinero. Mire, ¿quiere unos pavos? Se lo compro. ¿Cuánto quiere?

Apagué el móvil y meneé la cabeza. Alucinante.

—¿Qué quieres hacer? —preguntó Pike.

Les quitamos las armas, las fotos y los carnés de conducir, y los dejamos marchar. Cuando se hubieron ido, Pike se quedó conmigo junto a mi coche. El cielo estaba oscureciendo, y yo tenía ganas de llegar a casa.

—Quiero preguntarte algo —dijo Pike.

Esperé.

—¿Cómo es que ese Rick, siendo tan poca cosa, ha llevado esto tan lejos?

Le puse al corriente de mi reunión con Pardy y Diaz, y de lo que había averiguado sobre George Reinnike. Rick había llevado esto tan lejos porque yo no prestaba atención; estaba pensando en Reinnike.

Pike no dijo nada. Me observó, y una pequeña parte de mí sintió vergüenza.

23

Depredador

La operadora de Información dio a Frederick la dirección y el teléfono de la Agencia de Detectives Elvis Cole, en el bulevar de Santa Mónica. Frederick no llamó; le preocupaba que la llamada pudiera de algún modo poner a Cole sobre aviso, así que fue directamente hacia allí. Encontró sitio para aparcar en una calle lateral a unas dos manzanas, cogió la escopeta y se apeó. La llevaba dentro del estuche, bajo el brazo, como si fuera un paquete grueso. Nadie parecía notar nada. A Frederick le gustaba creer que la gente que reparaba en el estuche lo descartaba al considerarlo un instrumento musical, un taco de billar o una caña de pescar. La gente era tonta, como cabía esperar.

La oficina de Cole estaba ubicada en un edificio viejo de cinco plantas de diseño español. Desde la calle se entraba en un pequeño vestíbulo, con escaleras y un destartalado ascensor para acceder a las plantas superiores. Encima del ascensor había un directorio. La oficina de Cole estaba en la cuarta planta.

Frederick subió al ascensor. Tras cerrarse la puerta,

abrió la cremallera del estuche. Llegó a la cuarta planta. Frederick salió, y luego vaciló. El corazón le latía con fuerza y sentía un hormigueo en el cuello. Volvió a entrar rápidamente en el ascensor, pero sujetó la puerta. No sabía si Cole lo reconocería o no. Si le había visto antes, Cole podía desenfundar primero. Frederick lo pensó con calma; tendría que actuar rápido y matar a Cole antes de que éste se diera cuenta de lo que pasaba, pero había un problema...

Frederick no sabía cómo era Cole.

Se quedó paralizado en el ascensor, el corazón latiéndole con violencia, viendo toda la estancia llena de hombres. ¿Cómo reconocería a Cole?

Frederick abandonó el ascensor y tomó el pasillo. No decidió qué hacer pues ni siquiera sabía con qué iba a encontrarse... mataría a todos los que hubiera en la oficina.

Pasó frente a una puerta abierta y oyó hablar a una mujer. Llegó al despacho de Cole y se quedó frente a la puerta cerrada, respirando con dificultad. Deslizó la mano derecha en el estuche y puso el dedo en el gatillo. Verificó que el seguro estaba quitado y asió el pomo con la mano izquierda. Lo notó húmedo y resbaladizo.

—No está —dijo la mujer.

Frederick apretó el pomo e intentó hacerlo girar, pero la húmeda palma le resbalaba.

—No ha venido más, después de todo aquel lío —añadió la mujer.

Frederick torció y sacudió el pomo, tirando de él y empujando, pero era incapaz de abrir la puerta.

—Perdone —dijo la mujer.

Frederick reparó en que la mujer le hablaba a él. Era joven, tenía las uñas largas y se la veía pulcramente vestida de pie junto a la puerta abierta, enfrente de la de Cole.

Frederick alcanzaba a ver detrás a una mujer mayor sentada a una mesa. Sacó la mano del estuche y esbozó una sonrisa.

—Ah, hola. Tenía que entregar esto al señor Cole —dijo.

—Pues ya no viene casi nunca. Si quiere, nos lo puede dejar a nosotras.

—Oh, gracias, es muy amable, pero no es posible. ¿Estará más tarde?

A Frederick no le gustaba que ella mirara el estuche; era como si la mujer estuviera tratando de descubrir qué había dentro.

—Hace semanas que no le veo —dijo ella—. Sé que ha estado aquí, pero fuera de horas.

—Ajá, vale, muy bien... ¿No tiene secretaria o algo?

—No, está él solo. Pero puede dejarnos el paquete. Ya ha pasado otras veces.

Frederick analizó sus opciones. Seguramente encontraría la dirección particular de Cole en la oficina. Quería derribar la puerta, pero no podía con esa gente al otro lado del pasillo. Habría disparado sobre Cole, y ya está, y no le importaría ser visto; pero si le veían entrar por la fuerza en la oficina, entonces Cole estaría avisado.

—¿Dónde vive? —preguntó.

Los ojos de la mujer se volvieron fríos.

—No lo sé.

—Bueno, es que se lo podría llevar a su casa —dijo Frederick—. Sería lo más práctico.

—Lo siento, no puedo ayudarle.

Frederick percibió la rigidez cuando la mujer se volvió para darle la espalda. Intentó de nuevo abrir la puerta de Cole y luego se dirigió al ascensor. Regresaría más tarde, cuando todos se hubieran ido. Y entonces averiguaría la dirección.

24

Eran las siete y cuarto cuando llegué a casa y busqué Anson en el mapa Triple A de California. Era un puntito rojo en la autopista 86 al sureste del mar Salton. Llamé a Información y le dije a la operadora que quería saber si en el listado de Anson había algún Reinnike. Se lo deletreé.

—No, señor, ese nombre no aparece —contestó.

Las dos ciudades más cercanas eran Alamorio y Westmorland.

—¿Y en Alamorio y Westmorland? —insistí.

—Lo siento, señor.

Pasé a la siguiente ciudad.

—¿Y en Calipatria?

—Aquí está, Alex Reinnike en Calipatria —dijo la operadora.

Me conectó al ordenador antes de poder preguntarle más, así que copié el número y volví a llamar. Esta vez le dije a la operadora que quería verificar algunas ciudades y que, por favor, no me pasara con la máquina.

Al cabo de tres minutos habíamos mirado seis ciudades más alejadas, y ya teníamos otro nombre, Edelle Reinnike, que aparecía en Imperial.

Miré los dos nombres y sus números y luego fui a la cocina por un vaso de agua. Me lo bebí y regresé al teléfono. Menos mal que no era ginebra. Me temblaban las manos.

Primero marqué el de Alex Reinnike porque Calipatria estaba más cerca de Anson. Alex Reinnike sonaba como si tuviera treinta y tantos. Escuchó pacientemente mientras yo le hablaba de George Reinnike, de Anson, y le preguntaba si eran parientes.

Cuando hube terminado, él dijo:

—Ojalá pudiera ayudarle, amigo, pero yo estoy aquí sólo desde abril, cuando me licencié de la Marina. Mi familia es de Baltimore. Nunca he oído hablar de ese tipo.

Le di las gracias y acto seguido llamé a Edelle Reinnike.

La señora Reinnike contestó al cuarto tono con una voz ronca. El ruido de fondo del televisor era tan fuerte que no la escuchaba bien.

—¿Diga? —dijo ella—. Sí, ¿quién es? ¿Hay alguien ahí?

Grité para que pudiera oírme.

—Voy a bajar esto, está aquí, por algún sitio —dijo—. ¿Dónde está?

Soltó un ligero resoplido, como si estuviera alcanzando algo o quizá poniéndose en pie; el aparato dejó de atronar.

—¿Quién es? —preguntó.

—¿Edelle Reinnike?

—Sí, ¿quién es?

—Me llamo Cole. Llamo para preguntar por George Reinnike, de Anson.

—Yo no vivo en Anson. Esto está arriba, en el lago.

—Sí, señora, ya lo sé. Quería saber si usted conoce a George Reinnike.

—Pues no.

—¿Hay otros Reinnike en la zona?

—Están muertos. Nosotros teníamos algunos, pero están muertos. Yo tenía dos hijos y cinco nietos, pero, para lo que los veo, es como si estuvieran muertos. Viven en Egipto. Nunca he conocido a un americano que viviera en Egipto, pero allí es donde viven ellos.

La gente te cuenta cosas asombrosas.

—De los Reinnike muertos, ¿alguno vivía en Anson?

No respondió; supuse que estaría pensando.

—Esto se remonta a bastante tiempo atrás, señora Reinnike —proseguí—. George vivió en Anson hace unos sesenta años. Entonces era un niño, no tendría ni diez años. Le operaron las piernas.

Ella no dijo nada durante un rato.

—¿Señora Reinnike?

—Yo tenía un primo con algo en las piernas —dijo al fin—. Cuando estábamos todos juntos, él se quedaba sentado con sus padres y no podía ir a jugar con los demás. Era George, el hijo de mi tía Lita. Yo era mayor, pero él tenía que sentarse.

—Así que usted conocía a George Reinnike.

—Sí, el de las piernas. Eran los de Anson. Antes no me acordaba, pero sí, eran ellos.

—¿Aún vive George allí?

—Dios santo, no le he visto desde que éramos niños. No estábamos muy unidos, ya me entiende. No nos llevábamos bien con aquella rama de la familia.

—¿Tiene usted una dirección o un teléfono donde pueda localizarle?

—Ha pasado mucho tiempo.

—Quizás una guía telefónica vieja o un álbum familiar. Postales navideñas, tal vez. Ya sabe que las personas guardan cosas así y luego se olvidan.

—Tengo algunas cosas de mi madre, pero no sé qué hay allí.

—¿Podría mirar?

—Hay algunas fotos viejas en uno de estos armarios. Quizás haya una de George, no sé.

La mujer no parecía muy emocionada. Hay que conformarse con lo que hay.

—Eso sería fantástico, señora Reinnike. ¿Le parece bien que vaya a verla mañana?

—Supongo que no hay problema, pero no intente venderme nada. No me interesa.

—No, señora. No pretendo venderle nada. Sólo quiero encontrar a George.

—Muy bien, pues. Le digo dónde vivo.

Apunté la dirección y colgué. De pie junto a la mesa, aún me temblaban las manos, aunque ya no tanto.

Estudié el mapa del sur de California. Anson estaba en el quinto pino. ¿Qué posibilidades había? Cuando yo era niño, mi madre desaparecía varios días, a veces semanas. Nunca supe adónde iba, pero el sur de California estaba muy lejos de donde vivíamos; era raro que se hubiera alejado tanto. Quién sabe. Ella desaparecía continuamente. En más de una ocasión mi abuelo contrató a alguien para que la buscara.

Ken Wilson
Miami, Florida

Wilson estaba sentado en la oscuridad de su porche, sintiéndose viejo y asqueado mientras escuchaba las ranas escurrirse entre las riberas del río Banana. Mariposas nocturnas grandes como la mano de un niño raspaban la mosquitera, lo único que le protegía contra las nubes de mosquitos y jejenes que llenaban la noche de un zumbido diabólico. Wilson imaginó que todo lo que tenía que hacer era agujerear con un dedo la mosquitera para que los malditos monstruos entraran en tropel, y antes del amanecer le habrían chupado la sangre. Pensó en hacerlo. Pensó que sería de puta madre acabar con el horroroso desastre de su vida.

En vez de ello, tomó un trago de escocés con agua y habló con su esposa muerta.

—No tenías que haberme dejado. Fue una cochinada, dejarme así, estuvo fatal por tu parte. Mírame, sentado aquí fuera, solo. Mírame.

Aún le quedaba whisky, pero no se movió; allí, solo en el porche de su pequeño bungaló, que ahora era tan distinto sin ella.

Hacía tres semanas que Wilson había enterrado a su mujer. Edie Wilson había sido su tercera esposa. Necesitó tres veces para acertar, pero en cuanto la encontró, estuvieron juntos veintiocho años, y él ni una vez, ni una sola vez —en serio, digamos—, había lamentado su matrimonio. No tenían hijos porque cuando se casaron ya eran demasiado mayores; y fue una lástima. La primera esposa de Wilson no había querido tener hijos, y su segundo matrimonio no había durado lo suficiente, gracias a Dios. Entonces esas cosas no parecían importantes, pues él tenía las inquietudes de un hombre joven, pero a medida que un hombre se hace mayor, sus preocupaciones cambian. Sobre todo cuando se aficiona al escocés.

Wilson apuró el vaso, escupió un par de mustios cubitos y lo dejó en el suelo a sus pies.

—Ven con papá —dijo.

Fue a la mesa de mimbre y cogió la Smith & Wesson del calibre 32, que sostuvo en su regazo. Había sido su arma a partir de Corea, comprada por cinco dólares en una casa de empeños de Kansas City. Plateada, con un percutor oculto y una empuñadura de baquelita que siempre había notado demasiado pequeña para su mano, pero le daba igual.

Se puso el cañón en la sien y apretó el gatillo.

Snap.

Dieciséis años atrás, Wilson había vendido su negocio de investigación y se había retirado. Él y Edie hicieron las maletas y se trasladaron al sur, a Florida, compraron una casa pequeña junto al río, idea que le gustaba más a ella que a él, pero bueno. El día que hacían el equipaje, Wilson descargó el arma y nunca tuvo la necesidad de volver a cargarla. En aquella época él necesitaba «algo» en la cadera por si las cosas se ponían feas. Pero todo quedaba muy atrás. El arma llevaba dieciséis años descargada.

Pero eso era entonces.

Wilson tenía una caja nueva de balas. La abrió sólo lo suficiente, removió algunas balas y luego dejó la caja junto al vaso. Las del calibre 32 eran pequeñas, pero efectivas. Sacó el tambor del armazón, metió una bala en cada orificio y lo volvió a su sitio hasta que el eje hizo clic. Al oír el sonido sonrió de un modo burlón.

—Bueno, esto se merece un trago, ¿no? —dijo.

Dejó el arma sobre la mesa de mimbre y entró a servirse otro escocés generoso; se dirigía a la parte de atrás cuando sonó el teléfono. Pensó en no cogerlo, pero qué coño, era tarde y podía ser importante, aunque en su interior pensó que era Edie preocupándose por él.

Respondió como solía hacer, aunque Edie detestaba su forma de responder y se quejaba: «Maldita sea, Kenny, ésta es nuestra casa, no una oficina. ¿No puedes decir hola como una persona normal?»

Pero no, Wilson contestó como siempre:

—Ken Wilson.

—Señor Wilson, soy Elvis Cole. ¿Se acuerda?

Pues claro que se acordaba, si bien desde la última vez habían pasado bastantes años. La voz del muchacho aún sonaba clara y llena de vida, cabalgando a lomos de los recuerdos como una manada de galgos disparados tras un conejo.

—Vaya, caramba, ¿cómo estás, muchacho? Dios santo, cuánto tiempo, ocho o nueve años, ¿verdad? Teníamos una buena relación. Suenas como si estuvieses al otro lado de la calle.

—Estoy en Los Ángeles, señor Wilson. Sé que ahí es tarde, lo siento.

—No estaba durmiendo. Demonios, estaba hablando solo y bebiendo whisky. Cuando uno llega a mi edad, ya no tiene demasiado que hacer. ¿Cómo te va, chico? ¿Puedo ayudarte en algo?

Wilson decidió no contarle a Cole lo de Edie, a menos que el chico preguntara directamente por ella, pero incluso entonces Wilson pensó que podría mentir, soltar cualquier chorrada, como: «Oh, ahora mismo está durmiendo», o algo así. Si le hablaba de Edie, Wilson se pondría a llorar, y ya no quería llorar más, ya no, nunca más.

—Quiero preguntarle algo sobre mi madre —dijo Elvis en cambio.

Bueno, ahí tienes, justo donde empezó todo.

—Pues claro, adelante —dijo Wilson.

—¿Sabe dónde está el mar Salton?

—Hacia San Diego, pero tierra adentro, justo encima de México, ¿no?

—Sí, señor, casi justo en el centro de una línea trazada entre el mar y Arizona.

—Así es.

—¿Le suena el nombre de George Reinnike, George Llewelyn Reinnike?

Wilson articuló el nombre para lanzar la caña en su memoria, pero ésta cayó en las aguas oscuras de su pasado sin que nada se agitara. En aquel estanque nadaban muchos nombres, pero la mayoría a demasiada profundidad para poder subir a la superficie.

—No, no se me ocurre nada —dijo—. ¿Quién es?

—George Reinnike era de una pequeña ciudad próxima al lago llamada Anson. Unos días atrás llegó a Los Ángeles con la intención de buscarme. Hace dos noches lo mataron de un tiro, pero antes de morir hizo una declaración in extremis. A una agente de policía le dijo que era mi padre.

Ken Wilson no contestó enseguida. El tono del muchacho era práctico, como el de un poli recitando anotaciones de un caso, aunque las palabras brotaban empujadas por una familiar energía llena de esperanza. Hacía años que Wilson no oía hablar así al chico.

Wilson respondió lentamente.

—¿Por qué me llamas, hijo?

—Usted conocía a mi madre.

—Ajá.

Wilson no quería comprometerse.

—La conocía mejor que yo —agregó Cole.

—Yo no diría tanto.

—Yo sí, señor Wilson. Sabía algo de ella, pero usted conocía partes de su vida que a mí me estaban vedadas. Quiero saber una cosa. ¿Pudo mi madre haber ido al sur de California? ¿Es posible que se conocieran allí?

Wilson pensó en lo mucho que admiraba al muchacho. Habían pasado un montón de años, y seguía buscando a su padre.

—¿Señor Wilson? —dijo Cole al teléfono.

—Deja que lo piense.

Wilson había sido contratado para encontrar al chico en cinco ocasiones. El chico había ido cada vez tras una feria que tenía la atracción de un hombre bala porque la chiflada de su madre le llenó la cabeza de estupideces sobre las ocupaciones de su padre. Sin embargo, en otras siete ocasiones —cuatro antes de que naciera el muchacho—, el abuelo de Elvis había contratado a Wilson para que buscara a la madre del chico. Ella siempre se iba sin decir a nadie adónde iba ni por qué, desaparecía sin más, y se despertaban y descubrían que se había marchado sin dejar ni una nota. La mayoría de las veces, regresaba cuando le venía en gana comportándose como si no hubiera pasado nada, salvo las ocasiones en que Wilson la encontraba. Entonces, siguiendo las instrucciones del padre de ella, Wilson se aseguraba de que se encontraba bien, llamaba al viejo para informarle del paradero y esperaba a que éste fuera a buscarla. Los intempestivos viajes de la madre de Cole parecían carecer de plan o motivo; sentía el impulso de irse y se iba, como un perro que sin previo aviso se desliza por debajo de una cerca ante la posibilidad de correr libre. Había hecho autostop en cualquier dirección que fueran los coches, de un lado a otro siguiendo circuitos deformes que no conducían a ningún sitio, viviendo una noche con *beatniks* o *hippies*, y otra con compañeros de trabajo si había conseguido un empleo de camarera y un lugar donde instalarse. Sus andanzas siempre parecían carecer de rumbo, pero un par de veces había llegado bastante lejos, no tan lejos como California, pero casi. Podía haber estado allí y haber vuelto antes de que Wilson la encontrara, o haber hecho un viaje del que Wilson no tuviera conocimiento. Wilson se había implicado sólo cuando el viejo había solicitado sus servicios.

—A tanto no me alcanza la memoria —dijo al fin—, así que, por si sirve de algo, te diré que no recuerdo el nombre de tu padre ni el de la ciudad. Tu madre jamás me los mencionó, y yo nunca la localicé tan lejos; pero de eso hace mucho tiempo.

—Entiendo.

—Un par de veces se fue bastante lejos, por lo que habría podido llegar hasta el sur de California. No estoy diciendo que lo hiciera. Ignoro si lo hizo, pero tú has preguntado si es posible, y supongo que debo decirte que sí.

—Entiendo. Quiero preguntarle otra cosa...

—Todas las que quieras.

—Siempre pensé que ella no sabía quién era, mi padre, quiero decir. Yo pensaba que él ni siquiera conocía mi existencia...

Wilson sabía adónde quería llegar Cole, pero dejó que fuera por su cuenta.

—Lo que me estoy preguntando, supongo —prosiguió Cole—, es si ellos estuvieron en contacto después de que yo naciera. Sólo así Reinnike podía saber mi nombre.

Wilson pensó en ello, y lo pensó con calma, concentrado, porque él se preguntaba lo mismo. Respondió despacio.

—Tu abuelo solía inspeccionar las cosas de tu madre todo el tiempo —dijo—. Tenía que hacerlo, ya sabes, no pienses mal de él por eso... Siempre tenía miedo de que ella desapareciera un día y la mataran, así que solía mirar...

—No tiene por qué disculparle, señor Wilson. Sé lo que miró. Yo también lo hice.

—Si hubiera encontrado cartas de alguien, me lo habría dicho. También tu tía (siempre estaba vigilando, pero nunca me dijeron que hubieran descubierto nada así). Creo que me lo habrían contado, sobre todo cuando empezaste a huir, pero...

—Es posible —dijo Cole.

—Cuando dos personas quieren verse, supongo que pueden llegar a hacer cualquier cosa, por disparatada que sea. No lo creo probable, siendo ella como era, pero...

Wilson quería decir más, pero cualquier otra cosa sería una mentira. Bien sabía Dios que al muchacho ya le habían contado suficientes.

—No sé —concluyó.

Mientras Cole meditaba sobre esto, un silencio llenó el espacio vacío.

—Muy bien, señor Wilson, lo entiendo. Sólo quería saber su opinión. Como siempre.

Al oír al muchacho decir esto, Wilson sintió la calidez del afecto.

—Ojalá pudiera ayudarte más —le dijo.

—Me ha ayudado. Siempre lo ha hecho.

—Ese tipo, Reinnike, ¿tenía alguna prueba que lo vinculara a tu madre o a ti?

—No.

—¿Era un hombre bala?

Elvis Cole se rió, pero fue una risa un tanto forzada.

—No lo sé. Lo averiguaré —dijo.

—Bueno, supongo que podéis hacer el test del ADN.

—He pensado en ello. Primero tienen que localizar al pariente más cercano. Hay que obtener autorización.

—Bueno, todos sabemos que ciertos obstáculos se pueden salvar. Aunque ya soy viejo, creo que podría salvar éste.

—Debería ir un día a visitarles, señor Wilson. Y saludar a la señora Wilson.

A Ken Wilson se le hizo un nudo en la garganta. Sintió que se le llenaban los ojos de lágrimas y miró la pequeña arma del 32.

—Llama más a menudo, maldita sea. Echo de menos hablar contigo —dijo.

—Lo haré.

Wilson se quedó en silencio. Ahí estaba, en el río Banana, hablando con un hombre al que conocía desde que era un crío, un hombre que era casi como el hijo que él no tendría jamás.

—Siempre he estado orgulloso de ti, el modo en que cambiabas de idea... en que te sobreponías, hijo. Todos los hombres deberían hacerlo, pero la mayoría ni siquiera lo intenta. Tú sí, y me enorgullezco de ti. Por si sirve de algo.

—Será mejor que cuelgue ya.

—Yo también debería colgar. Cuídate.

Estaba bajando el auricular cuando se acordó de una última cosa.

—Elvis —llamó al aparato.

—¿Señor?

Lo había pillado justo a tiempo.

—Da igual quién fuera tu padre —dijo—. Tú todavía eres tú. ¿Oyes lo que te digo? No hay ningún callejón sin salida ni nada parecido... En este negocio, no. Sigue buscando. Encontrarás lo que necesites encontrar.

—Gracias, señor Wilson.

—Buenas noches.

—Buenas noches.

Se oyó el clic, y entonces Wilson colgó el auricular. De pronto las ranas y las mariposas volvían a hacer ruido, y el porche con la mosquitera fue de nuevo una jaula oscura.

Su pequeña cabaña junto al río Banana había parecido de pronto más luminosa mientras hablaba con el chico, pero la luminosidad comenzaba a desaparecer otra vez.

—¿Por qué demonios tenías que irte? —preguntó en voz alta.

Tomó el último trago de whisky, luego cogió la pistola, sacó el tambor y lo vació de balas. Lo dejó todo sobre la pequeña mesa de mimbre y entró a acostarse. Se durmió pensando en Edie, y en cómo le había fallado, en cómo se había fallado a sí mismo, pero con una última y vaga esperanza de que había hecho lo que debía con el chico.

25

Invasión

Frederick merodeó por el exterior del edificio de Cole hasta que el aparcamiento quedó vacío de coches; luego corrió hasta la quinta planta, donde se encerró en el lavabo de hombres hasta casi las ocho. Cuando le pareció que todo el mundo se había ido, bajó sigilosamente a la cuarta planta, a la oficina de Cole. Le preocupaba que lo viera un guardia o alguien de la limpieza, así que no se anduvo con chiquitas y abrió la puerta de Cole con una palanca. Cole sabría enseguida que alguien había entrado en su despacho por la fuerza (igual que algún guardia de seguridad que pasara por ahí); en todo caso Frederick se dio prisa. Cogió el archivo Rolodex y todas las facturas, cartas y demás correspondencia de la mesa. Se llevó todo lo que pudiera contener la dirección particular de Cole, luego corrió escaleras abajo hasta el vestíbulo, salió a la calle y se dirigió al coche. Llevaba guantes. No tuvo tiempo de examinar las cosas que había robado hasta que hubo llegado a su casa. Había sido un día horroroso, así que se sentía aliviado de estar a salvo. Le gustaba dormir en su cama. Se sentía seguro. Lo mejor de todo fue que en la tercera factura que revisó estaba la dirección que buscaba. Aquella noche soñó con Cole. Soñó con lo que haría. Soñó con los gritos de Cole.

26

A las tres y media de aquella madrugada, el tráfico se movía con fluidez y consistencia profesional. A esa hora los conductores de tráilers se desplazaban limpiamente y sin problemas, sin reparos a que yo me moviera entre ellos. La ciudad se diluía, y el este del cielo comenzaba a iluminarse mientras yo llegaba al Coachella Valley y giraba hacia el sur entre los lomos recortados de las montañas.

El mar Salton era el lago más grande de California, y también el más bajo respecto al nivel del mar, y ocupaba la cuenca amplia y llana de la depresión Salton como un espejo depositado en el suelo del desierto. Era poco profundo debido a la tierra plana, y estaba rodeado por desierto árido y rocas abrasadas como si se tratara de un charco perdido en el infierno. Cuando se morían periódicamente las algas, también olía como el infierno. En lo más tórrido del verano, la temperatura podía alcanzar los cincuenta y cinco grados en la orilla, pero ahora soplaba un aire fresco y agradable, y olía bien.

Bajé por el lado oeste del lago dejando atrás pelícanos y pescadores alineados en las rocas en busca de tilapias y corvinas. Tras pasar el lago, el suelo del valle se elevaba enseguida, atravesado por canales de riego y pequeñas carreteras rurales sin demasiadas señales que conducían a pueblos parecidos entre sí. A las seis y media de la mañana entraba en Anson. También estaba Imperial, que se hallaba a unos treinta kilómetros al sur, pero primero quería encontrar el lugar de donde era originario George Reinnike. A lo mejor algún vecino había mantenido contacto con la familia.

Anson era un aletargado conjunto de ferreterías, tiendas de alquiler de cintas de vídeo y pequeños comercios. Camiones de dieciocho ruedas cargados de tomates y alcachofas avanzaban pesadamente por la población, levantando enormes nubes de polvo que cubrían coches y edificios con un fino polvo blanco. A nadie parecía importarle.

Me paré en una gasolinera donde un hombre muy gordo tras un mostrador me saludó con la cabeza mientras daba cuenta de un burrito repleto de alubias, huevos y queso.

—Buenos días —dije—. Necesito un mapa local. ¿Tiene algo?

Con el burrito señaló un destrozado mapa pegado con cinta al cristal. No dejó el burrito. En cuanto uno tiene agarrado algo así, ya no puede soltarlo.

—Aquí. Usted mismo —dijo.

El mapa era de la Agencia de Administración de la Tierra y había permanecido pegado al cristal tanto tiempo que estaba descolorido.

—¿Tiene alguno que me pueda llevar? —pregunté.

—No. Pruebe en la Cámara de Comercio. Quizás allí tengan algo.

—Vale. ¿Dónde está?

—Segundo semáforo para abajo, cerca de la oficina de las Granjas Estatales, pero no abren hasta dentro de dos horas. Quizá yo pueda indicarle cómo llegar al sitio que busca.

Le di la dirección de Reinnike. Él miró el mapa y dio unos golpecitos en L Street con el nudillo.

—Bueno, esto es el noroeste de L Street, pero allí sólo hay campos. No vive nadie.

—¿No hay otra L Street?

—Que yo sepa no, y he vivido aquí toda mi vida. Al venir la ha dejado atrás.

Fui al servicio, tomé una taza de café y luego seguí sus indicaciones en dirección otra vez a las afueras. L Street estaba junto a una señal de cinco kilómetros, tal como él me había dicho. Giré a la izquierda hacia el lado noroeste y seguí hasta llegar a un letrero del condado que ponía FIN. Dos depósitos plateados se erguían silenciosos cerca del horizonte, pero eran las únicas estructuras que veía. Hasta el horizonte, y en todas direcciones, se extendían campos de coles de Bruselas. Irrigadoras mecánicas rodaban sobre finas y altas ruedas, lanzando despreocupadamente chorros de agua y sustancias químicas sobre plantas individuales para no despilfarrar dinero en suelo no utilizado. Allí no vivía nadie, y probablemente no había vivido nadie desde hacía mucho tiempo. El hombre del burrito tenía razón: hacía tiempo que las casas levantadas antaño en L Street habían sido arrasadas por la industria agropecuaria.

Volví a la autopista y puse rumbo al sur. Hacia Imperial.

Edelle Reinnike vivía en una sencilla casa de estuco junto a la carretera principal, en el extremo meridional de la población. Las casas eran de color blanco o beis, con el tejado de piedra blanca para reflejar el calor. La mayoría tenía un tráiler o un camión aparcado en el patio. La señora Reinnike abrió la puerta cuando yo me apeaba del coche. Era temprano, las ocho y media de la mañana; pero ya hacía calor.

—Señora Reinnike, soy Elvis Cole. Gracias por recibirme —le dije.

—Ya sé quién es. No se preocupe por el perro. No le morderá, a menos que haga usted cosas raras.

Edelle Reinnike tenía ochenta y seis años y la seca piel del desierto de una pasa dorada. Su perra era un doguillo con forma de boca de incendios y unos enormes ojos saltones a uno y otro lado de la cabeza. Parecía un pez de colores. Era imposible saber a quién miraba, pero cuando me acerqué gruñó. Quizá tenía un radar.

—¡*Margo*, chitón! —soltó la señora Reinnike—. Deja de hacer tonterías.

Me hizo pasar, me condujo hasta el sofá y luego fue a la cocina para preparar café. Yo no quería más café, pero siempre conviene mostrarse amistoso. *Margo* se plantó delante de mí. La señora Reinnike habló desde la cocina.

—Le ha caído bien.

—¿Ha podido mirar en las cosas de su madre? —dije yo.

—Sí. He encontrado una foto vieja de George, la única. Mamá no soportaba a la tía Lita, y acabaron muy peleadas. Lita era la madre de George. Mamá decía que Lita era vulgar. Y si mamá pensaba de ti que eras vulgar, eso significaba que eras escoria.

La señora Reinnike regresó con dos tazas de café y se sentó en un asiento abatible, a un lado del sofá. Se puso unas gafas de leer, cogió un deteriorado álbum de fotos y lo abrió por una página marcada con una tira de tela. La volvió para que yo pudiera ver.

—Mire, aquí están Lita y Ray (Ray era el hermano pequeño de papá), y éste es George. Mire cómo iba Lita cuando se tomó la foto. Era gente indecente.

Fantástico. Precisamente lo que uno quiere oír de personas que podrían ser familia suya.

En la foto se veía a un hombre, una mujer y un chico de cabeza triangular frente a un árbol de Navidad. Era George. Se apoyaba en muletas y miraba más allá de la cámara, como si no esperara que se tomase la foto. El padre era un hombre de aspecto blando y ojos vacilantes, y la madre presentaba unas facciones muy juntas que le daban un aire irritado. Capté los rasgos de George en Ray. De tal palo, tal astilla.

—Esto fue antes de la operación de George. Después Lita no habría sacado ninguna foto. Ray pidió dinero a papá para la operación, pero mamá dijo que teníamos nuestra propia familia que alimentar. Pues bien, Lita escribió la carta más tremenda que se pueda imaginar, y ya no los vimos más.

Le devolví el álbum.

—Así que después de aquello no mantuvieron contacto.

—No, qué va. A mamá le habría dado un ataque. Desde entonces no he vuelto a saber nada de George; bueno, supongo que fue al instituto. Pero no me ha dicho por qué está buscando a George.

—George está muerto. Lo mataron hace cuatro días.

Me miró fijamente unos instantes con semblante inexpresivo; luego dejó caer una mano a lo largo del asiento. *Margo* se acercó renqueante y resopló entre los dedos de ella.

—Vaya, es terrible. Qué cosa más atroz —dijo Edelle.

—¿Qué hay de sus hermanos? ¿Cree que siguieron en contacto con George?

—Bueno, no sé, pero lo dudo. Tanto mis hermanas como mi hermano han muerto. Yo era la más joven.

—¿Y sus hijos?

Soltó un leve bufido, y *Margo* dejó de resoplar.

—Ni siquiera vienen a verme a mí... Con George no se tomarían la molestia. George se escapó cuando ellos eran lo bastante mayores para que les importara un bledo.

—¿Cómo que se escapó?

—George dejó embarazada a una chica y abandonó la escuela. Mamá decía que la manzana no cae lejos del árbol. Mamá decía que, si había dejado embarazada a una chica, George, siendo Lita tan vulgar y Ray un bebedor, acabaría mal. Y ahora lo han matado. Mamá tenía razón.

Tomé un sorbo de café e hice una pequeña marca en mi libreta. Una diminuta línea negra que alteraba el orden perfecto de la página amarilla en blanco.

—Embarazada —repetí.

—La gente de clase baja hace esas cosas.

La mujer arqueó las cejas y en su cara se pintó una sonrisa repulsiva. Hice otra señal en la libreta y pregunté:

—¿Sabe quién era la chica?

Nada más formular la pregunta, sentí que tenía las manos húmedas. Me las froté en los muslos e intenté disimular.

—No —repuso la señora Reinnike—. En todo caso, puede que fueran sólo rumores. Si George estaba con una chica, yo desde luego no la vi nunca y no sé de nadie que la viera.

—El año en que George se marchó, ¿alguna de las chicas de aquí se mudó a otra parte?

—Nada de eso. Estábamos en 1953, hijo. Si una muchacha tenía un problema así, se iba derechita a Mexicali y regresaba al día siguiente. Lo llamábamos «el puente aéreo con función de noche».

Se rió socarrona otra vez, como si conociera a más de una que hubiera usado el puente aéreo.

—¿Recuerda lo que decía la gente de ella? —pregunté—. Si no era de aquí, quizá venía de fuera. ¿De otra ciudad tal vez?

—Parece que sepa quién es.

—Sólo quería ayudarle a recordar.

Se encogió de hombros como si no pudiera estar segura de nada.

—¿Qué tiene que ver todo esto con encontrar al pariente más cercano?

Pues sí que había disimulado bien.

—El hijo sería el pariente más cercano, y la madre quizá supiera dónde vivía George —dije.

—Es verdad. Ojalá pudiera ayudarle en eso, pero no lo sé, y no se me ocurre nadie vivo que pueda saberlo. George no era un chico simpático. Salió a Lita. Tal vez lo de las piernas lo volvió amargado y furioso, pero no recuerdo a nadie que pueda decir de él nada bueno. Siempre se metía en peleas y en líos y se las daba de gran señor. Nadie quería tratos con alguien así.

Dárselas de gran señor no cuadraba con los muebles baratos de la foto de Navidad y con el hecho de que Ray y Lita pidieran a los padres de Edelle dinero para la operación de George. Le pregunté al respecto.

—Oh, George tenía mucho dinero —contestó ella—. En el hospital le hicieron una chapuza, y hubo que repetir la intervención. Ray y Lita consiguieron una indemnización exorbitante. Bueno, ellos no cobraron el dinero, pero George sí. Recibía un cheque cada mes, a tocateja.

—¿Recibía pagos mensuales?

La señora Reinnike se mostró petulante.

—Fue cosa del juez. Echó un vistazo a Ray y Lita, y dio el dinero directamente a George. Pensaría que si George lo recibía poco a poco, Ray y Lita no podrían gastárselo.

—¿Fue en el hospital de San Diego?

—Supongo. La verdad es que no me acuerdo, pero imagino que sí.

Si George había estado recibiendo una paga mensual, el hospital o la compañía de seguros tendrían su domicilio en los archivos. Miré la hora. Aún no era mediodía, y seguramente podía llegar a San Diego en menos de dos horas.

Di las gracias a Edelle Reinnike, y los dos nos dirigimos a la puerta. Quería hacerle otra pregunta, pero tenía que calmarme. Salí al calor y me volví hacia ella.

—Señora Reinnike, ¿no le suena mi cara?

—No. ¿Debería sonarme?

El sol brillaba con fuerza en el despejado cielo del desierto y levantaba el polvo blanco como si fuera nieve.

27

El Hospital Infantil Andrew Watts parecía una ciudadela ibérica encaramada en las estribaciones de El Cajon, una de aquellas imponentes fortalezas de piedra y cemento armado que los arquitectos construían cuando tenían la esperanza de que sus edificios durasen para siempre. Pagué cinco dólares en el aparcamiento para visitas, entré en el vestíbulo principal y deambulé por ahí unos diez minutos buscando el mostrador de recepción. Si el exterior semejaba una ciudadela, el interior parecía la Estación Grand Central.

Un auxiliar de enfermería me dio las debidas indicaciones, pero me perdí y tuve que volver a preguntar. Encontré el pasillo correcto al tercer intento, y crucé unas puertas acristaladas dobles que conducían a otro recepcionista.

—Hola —dije—. Soy Elvis Cole. He quedado con el señor Brasher. Él me espera.

—Tome asiento si lo desea. Le avisaré —dijo el recepcionista.

Tras pasar dos horas en el coche, no quería sentarme. Volví hacia las puertas de cristal y miré en el pasillo. Había sillas y bancos pegados a las paredes, pero nadie sentado. Dos mujeres iban andando y riendo. Una me miró y yo le sonreí, pero ella volvió a lo suyo sin devolverme la sonrisa. Me imaginé a un niño con muletas cojeando por el edificio. El padre del chico olía a whisky y la madre era vulgar. Me pregunté si él había tenido miedo. Yo lo habría tenido.

—Señor Cole, soy Ken Brasher —dijo un hombre a mi espalda—. Vamos a mi despacho y le enseñaré lo que tenemos.

Ken Brasher era un hombre pulcro con poco pelo, en mitad de la treintena, con gafas de montura oscura y un apretón de manos formal. Le había llamado antes desde el coche, pensando que así le sacaría provecho a las dos horas de viaje. Estaba en el quinto infierno, apenas a unos kilómetros de la frontera mexicana, pero el móvil funcionó de manera impecable. Quizá debería ir a vivir al desierto.

Después de estrecharnos las manos, Brasher miró a la recepcionista.

—Por favor, dígale a Marjorie que él está aquí; que baje —le pidió.

La recepcionista cogió el teléfono mientras yo seguía a Brasher por otro pasillo.

—Nuestra asesoría jurídica quiere estar presente. Supongo que no le importa —me dijo Brasher.

—En absoluto. ¿Han podido hablar con el examinador médico?

—Sí. Ha enviado el certificado de defunción por fax.

—¿Me van a dar las direcciones? ¿Hay alguna pega?

—No creo, pero dejaré que esto lo resuelva Marjorie. Es nuestra responsable de asuntos jurídicos.

Durante nuestra conversación por teléfono, Brasher había corroborado que el hospital tenía un acuerdo legal con Reinnike, pero que no revelaría los detalles hasta tener confirmación de la muerte de Reinnike y haber discutido la cuestión con sus abogados. Le di el número de Beckett en la oficina del forense, y le pedí que llamara. Por lo visto, llamó. Por lo visto, Beckett le dijo que yo era quien decía ser.

Brasher giró, entró bruscamente en un despacho pequeño y sin ventanas y se sentó a la mesa. En la pared de enfrente había un pequeño cuadrado de papel de estraza clavado con chinchetas. El papel estaba lleno de rayas azules y amarillas que podían figurar un gato o un árbol, y un mensaje en rojo escrito por la mano de un niño: TEQUIEDOPAPI.

Me dirigió una sonrisa amable.

—¿Le importa si hago una fotocopia de su identificación? Marjorie la querrá para nuestros archivos.

Le di el carné de conducir y la licencia de detective. Él los puso en una fotocopiadora que había detrás de la mesa y pulsó un botón. Me sonrió un poco más mientras la máquina hacía las copias. Con aquella sonrisa parecía un tipo que quisiera venderme revestimientos exteriores de aluminio. No me gustaba tanta sonrisa.

—¿Está todo en orden, señor Brasher? —le pregunté.

—Marjorie bajará enseguida.

Ésa no era la respuesta que yo esperaba oír, y de repente tuve la impresión de que Marjorie no estaba ansiosa por compartir la información de que disponía.

—Ha hablado usted con Beckett —dije—. Seguramente él le ha dicho que está intentando localizar al pariente más cercano.

—Oh, sí. Marjorie también habló con él.

—El hombre fue asesinado. Vivía en un motel con un nombre falso y no ha habido modo de averiguar su identidad hasta ahora. Ustedes estuvieron mandándole cheques. Si la policía logra saber por qué utilizaba un nombre ficticio y por qué fue a Los Ángeles, eso quizá nos ponga sobre la pista de quién lo mató. Quien estuviera recibiendo los cheques podría saber estas cosas.

Brasher echó una mirada a la puerta, pero Marjorie aún no llegaba. La sonrisa titubeaba como si él no fuera capaz de aguantar mucho más sin ella.

—Intentamos cooperar hasta el máximo de nuestra responsabilidad legal, pero hay cuestiones pendientes de resolver —dijo.

—¿Qué cuestiones?

Miró otra vez hacia la puerta, y de pronto pareció aliviado. Regresó la sonrisa de vendedor de revestimientos de aluminio.

—Entra, Marjorie, te presento al señor Cole —dijo mirando por encima de mí—. Marjorie Lawrence, de nuestra asesoría jurídica.

Marjorie Lawrence era una mujer bajita, sin gracia, que lucía un traje azul de oficina. Saludó cortésmente, me estrechó la mano y luego se sentó en una silla lo más lejos de mí que pudo. Llevaba un grueso expediente que parecía deslucido y viejo.

—Nos han dicho que el señor Reinnike hizo la postrera declaración de que usted era su hijo. ¿Lo es? —preguntó.

Me miró a los ojos, y yo no aparté la mirada. Me sentía incómodo y sorprendido, pero no quería que ella lo notara. No había mencionado esa parte de la historia a Brasher porque creía que no venía al caso. Se lo habría contado Beckett.

—Eso dijo —respondí—, pero no tengo motivos para pensar que sea verdad. No le conocí.

Ella asintió, y en su lenguaje corporal todo revelaba que el poder en la habitación era suyo.

—Da lo mismo —dijo—. Seguro que entiende nuestra posición al ser usted un posible heredero.

Creían que había ido a sacar tajada. Paseé la mirada de ella a Brasher y luego meneé la cabeza. Heredero.

—Sólo quiero saber adónde iban los cheques. Me gustaría obtener esa información de ustedes porque esto ayudaría a agilizar las cosas, pero si no la comparten conmigo, sepan que deberán entregársela a la policía y entonces llegará igualmente a mis manos. Si quieren que firme algo que les ponga a salvo de una posible reclamación mía, lo firmaré.

Ella miró a Brasher, y éste se encogió de hombros.

Marjorie ya había preparado el documento. Lo sacó de la carpeta y yo lo firmé en la mesa de Brasher. Entretanto, él me devolvió los carnés. Cuando hube terminado, volvimos a sentarnos. Lo que cuesta poco de ganar cuesta poco de perder.

Ella volvió a abrir el expediente y examinó la primera página, luego alzó la vista y me miró.

—En 1948, este hospital (a través de nuestro proveedor de seguros de la época) llegó a un acuerdo de compensación con Ray y Lita Reinnike (los padres de George Reinnike) como representantes de su hijo. En vez de un pago único, acordamos pagos mensuales a nombre del paciente que durarían treinta años. Los pagos habrían terminado en 1978.

—En el setenta y ocho.

—Sí.

Sentí una deprimente sensación de derrota. Si los pagos habían acabado en 1978, el domicilio más reciente correspondería a treinta años atrás.

—Sólo por curiosidad... —dije—: ¿por qué he tenido que firmar un descargo? El dinero hace tiempo que ya no está.

—Señor Cole, es un poco más complicado que eso.

Ella abrió de nuevo la carpeta, sacó otra hoja y me la entregó. Era un registro de pagos a George Reinnike donde aparecían direcciones, números de cheque y fechas de abono. Era un procesamiento de datos preparado de antemano salvo por un sello pegado en la parte inferior que parecía formar parte de un registro de contabilidad: «DOCUMENTO 54».

—Usted mismo puede comprobar que los cheques se mandaron al señor Reinnike a tres direcciones, la primera de las cuales era la de sus padres en Anson, California...

Se acercó para indicarme el domicilio de Anson en la parte superior de la hoja. Yo todavía estaba pensando en el número del documento.

—¿Por qué hay aquí un número de documento? —pregunté.

—Los cheques se mandaron al señor Reinnike a la dirección de Anson hasta 1953, cuando hubo un cambio de domicilio a Calexico, California, donde recibió los cheques durante cinco años y siete meses antes de mudarse a...

Su dedo fue bajando por la hoja.

—... Temecula, California. Presentó el correspondiente cambio de domicilio, y a partir de entonces los cheques se enviaron a Temecula, hasta 1975, cuando descubrimos que se estaba produciendo un robo e interrumpimos los pagos.

Alcé la vista, y vi que Marjorie y Brasher estaban mirándome.

—¿Qué robo? —pregunté.

—Reinnike se mudó en 1969, pero no nos comunicó el cambio de domicilio —explicó Brasher—. Apareció un hombre llamado Todd Edward Jordan que ingresaba los cheques de Reinnike...

Marjorie hizo un gesto para interrumpirle. Ella estaba protegiendo la responsabilidad del hospital como un tercera base Guante de Oro.

—Si el señor Reinnike nos hubiera comunicado el cambio de domicilio como es debido, o se hubiera puesto en contacto con nosotros para preguntar por sus pagos, habríamos actuado enseguida para resolver el problema —dijo—. Éramos igual de víctimas que él.

Brasher prosiguió:

—Exacto, así que continuamos mandando los cheques a Temecula, sólo que no los cobraba Reinnike sino Jordan. Éste falsificaba el nombre de Reinnike y depositaba el dinero en su propia cuenta. En la Seguridad Social se hacen continuamente este tipo de falsificaciones. Descubrimos el fraude en 1975, y entonces interrumpimos los pagos y avisamos a la policía.

—¿Reinnike se marchó sin más?

—Al parecer, sí —dijo Brasher—. Todo lo que sabemos es lo que hemos leído en el expediente, señor Cole. Ninguno de nosotros estaba aquí entonces.

—Yo estaba empezando secundaria —apuntó Marjorie.

Miré fijamente la hoja como si la estuviera estudiando, pero en realidad me estaba dando tiempo para pensar. George Reinnike habría recibido un cheque durante otros nueve años, pero se había marchado.

Marjorie Lawrence volvió a abrir la carpeta, y esta vez sacó un montón de recortes de periódico.

—Estaban en nuestros archivos —dijo—. Son recortes de noticias sobre la detención y el procesamiento de Jordan. Quizá puedan servirle de algo, señor Cole.

Marjorie Lawrence me acompañó a una sala de reuniones vacía y me dejó allí con el expediente.

28

El expediente contenía once amarillentos artículos de periódico, todos del *Union-Tribune* de San Diego y ordenados por fechas. En el primero decía que un electricista parado llamado Todd Edward Jordan había sido acusado de robo, falsificación y fraude postal por cobrar cheques de indemnización dirigidos a un antiguo inquilino de la casa que Jordan alquilaba. Los hechos eran de poco calibre, lo que daba a entender que el reportero había enviado su crónica antes de conocer la desaparición de Reinnike. La siguiente historia era más interesante. Los investigadores eran incapaces de localizar a George Reinnike, y diversas fuentes del Departamento del Sheriff sugerían que quizás había sido víctima de un homicidio. Algunas especulaciones recordaban a los *best sellers* baratos y sensacionalistas.

La siguiente historia me dejó de piedra...

Víctima de falsificación, aún desaparecida
por Eric Weiss
Union-Tribune de San Diego

Hace seis años, George Reinnike desapareció de la modesta casa que alquilaba en Adams Drive 1612, Temecula. Según su antiguo casero, Reinnike no dijo a nadie que se marchaba. Reinnike no sólo abandonó su casa, sino que dejó atrás una pequeña fortuna en pagos mensuales por invalidez. Se sospecha que pudo haber una estafa.

Todd Edward Jordan, de 38 años, ha sido acusado de falsificar el nombre de Reinnike para cobrar los cheques mensuales. Jordan, electricista en paro, se trasladó a la casa varias semanas después de que Reinnike desapareciera, en mayo de 1969. Cuando Jordan descubrió que en el correo de Reinnike había un pago mensual de la Aseguradora Claremont, cobró el cheque, cosa que siguió haciendo durante los seis años siguientes.

Los investigadores del Departamento del Sheriff no creen que Jordan tenga nada que ver con la desaparición de Reinnike.

«El señor Jordan contestó a un anuncio de un periódico local y alquiló la casa. No creemos que llegara a conocer al señor Reinnike», dijo el sargento Martin Poole, del Departamento del Sheriff del Condado de San Diego.

El casero de Reinnike, Charles Izzatola, no sabía nada del fraude.

«Todd era un buen inquilino. Era educado y pagaba puntualmente.»

Según Izzatola, Reinnike se marchó sin avisar.

«El pago del alquiler se retrasaba, así que fui a preguntar. La casa estaba vacía. Se fueron sin decir nada.»

Reinnike, que vivía con su hijo adolescente, no era muy querido por los vecinos.

«Los vecinos se quejaban de George y su hijo. Llegaron a llamar a la policía un par de veces. Quizás alguno acabó harto de ellos y los echó.»

Según Poole, cuando Jordan fue detenido los investigadores del sheriff intentaron encontrar a Reinnike, pero para entonces éste ya llevaba seis años desaparecido.

«Un hombre no abandona dinero gratis así», decía Poole. «Reinnike podía haber comunicado un cambio de domicilio o notificado la mudanza a la compañía de seguros. No hizo una cosa ni la otra, y jamás volvió por su dinero. Me gustaría saber qué pasó.»

Todo aquel que sepa algo de George Reinnike y su hijo, David, de 16 años en el momento de su desaparición, debería ponerse en contacto con el sargento Martin Poole, del Departamento del Sheriff del Condado de San Diego.

Recorrí de arriba abajo la sala de reuniones y escuché el silencio. Era una sala preciosa, con una alfombra suntuosa y sillas tapizadas a todo lujo. Esas salas de reuniones donde se toman decisiones importantes.

«Todo aquel que sepa algo de George Reinnike y su hijo, David, de 16...»

Regresé a mi silla.

Reinnike había vivido como padre único con un hijo adolescente, y ese hijo no era yo. Pasé al artículo siguiente.

Las otras tres historias contaban más o menos los mismos detalles del procesamiento de Jordan. Al principio, éste negó haber falsificado los cheques; los registros bancarios revelaban unos ingresos regulares de cantidades parecidas en la cuenta de Jordan, cuya letra correspondía al endoso de los cheques; Jordan afirmaba no saber nada de Reinnike y que no lo había conocido; los inspectores locales de Homicidios no consiguieron establecer ningún vínculo entre los dos hombres. Con las crónicas criminales aparecía una historia final suplementaria que informaba sobre la condena de Jordan...

Nadie despidió con la mano
por Eric Weiss
Union-Tribune de San Diego

George Reinnike y su hijo David, de 16 años, vivieron durante casi diez años en una calle tranquila en las afueras de Temecula. Reinnike, padre solo, llevaba una vida discreta, pagaba puntualmente el alquiler y a menudo discutía con sus vecinos a causa de su revoltoso hijo. Una noche de primavera de hace seis años, los Reinnike metieron el equipaje en el coche y se fueron sin decir una palabra; y desde entonces no se les ha visto ni se ha sabido de ellos.

«La gente cambia de domicilio constantemente», decía el sargento Martin Poole, del Departamento del Sheriff del Condado de San Diego. «Pero esto nos ha desconcertado.»

La policía quizás estuviera desconcertada, pero cuando George Reinnike y su hijo se marcharon, la mayoría de sus vecinos suspiraron aliviados.

Tras vivir diez años en la pequeña casa alquilada de Adams Drive de Temecula, los Reinnike no habían hecho amigos, lo cual no parecía importarles. Por lo visto, muchos de los problemas los generaba David, el hijo de Reinnike.

«George era huraño y antipático, y yo trataba de evitar a David», decía la señora Alma Sims, de 48 años, vecina de la casa de al lado. «No dejaba que mis hijos jugaran con él.»

La mujer recuerda la vez en que David Reinnike,

que entonces tenía 12 años, iba andando por la calle mientras ella llevaba a sus hijos a casa después de jugar un partido de fútbol.

«David iba andando por el medio de la calle y no se hacía a un lado. Toqué el claxon, y él se puso a hacerme muecas y no se apartó. Intenté rodearle, pero se colocó delante del coche llamándome de todo. Estaba fuera de sí.»

Aquella noche, cuando el marido de la señora Sims, Warren, fue a la casa de los vecinos a discutir el asunto con el señor Reinnike, éste al parecer lo amenazó.

«Cuando la cosa tenía que ver con David», explicaba la señora Sims, «George se mostraba beligerante y a la defensiva. Al margen de lo que David hubiera hecho, si intentabas decir algo, George respondía con amenazas.»

Según los vecinos, el joven Reinnike se metía en líos a menudo. Eran habituales los episodios de vandalismo, peleas con otros niños y conducta extravagante.

«Una noche alguien rompió las ventanas de todas las casas de la manzana», contaba Pam Wally, de 39 años. «Todo el mundo sabía que había sido David, pero nadie podía demostrarlo».

Los vecinos creían que era David quien había roto las ventanas porque sólo quedaron intactas las de la casa de los Reinnike.

Karen Reese describió un incidente similar. Sus dos hijos habían tenido una discusión con David. Al día siguiente, cuando la señora Reese llevaba a sus hijos a la escuela en coche, pasó frente a la casa de los Reinnike, donde David esperaba junto al bordillo.

«Cuando pasamos», explicó la señora Reese, «nos tiró un martillo. Fue de lo más extraño, porque no le importó si le veíamos o no. La ventanilla de atrás se hizo añicos y quedaron cristales por todas partes. Menos mal que nadie se hizo daño».

La señora Reese dio parte a la policía, pero no se presentaron cargos. El señor Reinnike accedió a pagar la reparación.

«Creo que el chico no iba nunca a la escuela», decía Chester Kerr, de 52 años, que vivía al otro lado de la calle. «Durante el curso, al mediodía todavía lo veías por la calle.»

Tabitha Williams, de 44 años, madre de dos niños pequeños, nos cuenta una historia ligeramente distinta.

«David tenía dificultades para aprender y estaba escolarizado en casa. Yo nunca tuve un problema con David o con George. Era difícil para los dos sin la madre.»

La ausencia de la madre de David Reinnike también era un misterio, pues George Reinnike daba explicaciones diversas. En diferentes ocasiones, dijo a los vecinos que su esposa había muerto, que les había abandonado cuando David era pequeño, o que se había vuelto a casar y que vivía en Europa con su nueva familia.

Ahora el paradero de George Reinnike y su hijo David es tan misterioso como el de la madre. Aunque la policía recela de las circunstancias que rodean a la desaparición de los Reinnike, no tiene pruebas de que se haya producido alguna acción delictiva, y ha descartado cualquier implicación de Jordan.

«Podría ser que el tipo quisiera vivir en otro sitio y que los vecinos no le cayeran lo bastante bien para decírselo», dijo el sargento Poole. «Mudarse no va contra la ley; de todos modos nos gustaría saber qué ha pasado.»

Si tiene alguna información sobre George o David Reinnike, por favor, póngase en contacto con el sargento Martin Poole, del Departamento del Sheriff del Condado de San Diego.

Después de los hechos fríos y escuetos de las crónicas criminales, el artículo suplementario volvía reales a los Reinneke.

Comparé lo que sabía con lo que salía en los papeles. Ni la policía ni los vecinos mencionaban los tatuajes de George Reinnike u otro tipo de fervor religioso. Los tatuajes eran tan espectaculares que su omisión indicaba que Reinnike no había sido tatuado mientras vivió en Temecula. El hecho de que los tatuajes correspondieran a un período posterior hacía pensar en un cambio significativo en su estado emocional. La policía había sospechado la existencia de delito en la desaparición de Reinnike, pero treinta años después yo sabía que no había sido asesinado entonces; para que alguien lo matara tuvieron que pasar otros treinta y cinco años. Una persona razonable quizá no renunciaría a los pagos de la aseguradora, pero un hombre emocionalmente perturbado quizá sí, y un hombre desesperado también. Tenía sesenta y tantos. Mucha gente abandonaba, y por buenas razones. Tal vez Reinnike pensó que un cambio radical ayudaría a su hijo. Quizá dejó atrás los cheques porque éstos eran un recordatorio de todo lo que había detestado en su vida anterior. Acaso necesitara huir de sí mismo para curarse, y los tatuajes y las oraciones formaban parte del proceso. Treinta y cinco años después había llegado a Los Ángeles con la idea de que había engendrado a un hijo llamado Elvis Cole. Quizás estaba loco.

Al rato me cansé de darle vueltas al asunto. Recogí los recortes, fui en busca de Marjorie Lawrence y le pedí fotocopias de los artículos. También le pedí que me dejara usar su teléfono, a lo que accedió con mucho gusto.

Llamé a Starkey. Podía llamar a Diaz o a Pardy, pero Starkey trabajaba en el área de los jóvenes. Si David tenía sólo un expediente abierto en la sección, sería más difícil encontrar sus antecedentes. Los archivos juveniles a menudo se precintan o se eliminan.

—Eh, tío, ¿dónde estás? —preguntó Starkey.

—En San Diego. He encontrado algo. Quizá me puedas ayudar.

—Claro, vivo para eso. Me alegras el día al añadir más trabajo al que ya tengo.

Le hice un resumen de la desaparición de Reinnike y le hablé de su hijo David.

—¿El tipo tenía otro hijo? —soltó.

—No tiene gracia, Starkey.

—Vale, vale.

—¿Me lo mirarás o no?

—Sí, Cole, te lo miraré. No seas tan insolente. Escucha, ¿en estos artículos aparecía el nombre de los investigadores?

—Sí. El principal es un tío llamado Poole. Departamento del Sheriff del Condado de San Diego.

—¿Regresas esta noche?

—Sí, voy a salir en unos minutos.

—Me gustaría ver los artículos. Como todo pasó hace treinta años, tener los nombres podría ir bien.

—Sí, desde luego.

—¿Entonces?

—¿Entonces qué?

—Teniendo en cuenta las molestias que me estoy tomando, quizás esta noche debería ir a tu casa y tú deberías darme de cenar. Quedaría bien una invitación.

Starkey me hizo sonreír.

—¿Qué tal a las ocho? A esa hora ya habré llegado.

—A las ocho. Que no te maten mientras conduces de regreso.

Starkey siempre sabía qué decir.

Puse rumbo a la autopista. Había sido un día largo y difícil, y había recorrido un montón de kilómetros. Me quedaba aún otro montón; todo pintaba fatal.

Mi cabeza zumbaba con un dolor lejano debido a los pensamientos sobre George Reinnike y lo que él podía significar o no para mí. Si Reinnike creía que tenía un hijo llamado Elvis Cole, ¿por qué tardó tantos años en establecer contacto? Intenté dotar de sentido a lo que sabía hasta entonces, y no se me ocurría nada. Era posible cualquier cosa. Quizá Reinnike perdió tanto el hijo como la razón y luego se convenció a sí mismo de que yo era un sustituto perdido de vista hacía tiempo. Mi foto había salido en periódicos, revistas y televisión. A lo mejor David Reinnike se me parecía: dos hombres americanos intercambiables; moreno, pelo castaño, estatura media, corriente. Quizá George Reinnike me vio en las noticias y se persuadió a sí mismo de que yo era el «otro» perdido hacía tiempo y me metió en su locura. Y allí estaba yo, conduciendo en medio del tráfico, pensando en un absoluto desconocido llamado George Reinnike, pero que se había vuelto muy real para mí, hecho carne, y cuyo atormentado camino se había cruzado con el mío. Aunque no formara parte de mi pasado, yo había comenzado a sentirlo como propio. Cuando me acordaba de mi madre, aparecía él en mi memoria como una aparición transparente. Durante toda mi vida, esos recuerdos habían sido un rompecabezas en el que faltaba una pieza, pero ahora George Reinnike ocupaba ese espacio. La imagen era completa. Papá estaba en casa, tanto si era real como si no.

Tres horas más tarde me deslizaba entre los árboles de Mulholland Drive, camino de casa. Había sido un día largo. El cielo se había vuelto grisáceo, y la luz cada vez más débil pintaba los árboles de violeta.

Tomé mi calle y vi un coche oscuro aparcado frente a la puerta. El último coche que había visto ahí delante era el de Pardy. Decidí que si Pardy estaba otra vez esperándome en casa, le daría un susto de muerte.

Aparqué frente al garaje, saqué la pistola y entré por la cocina. No intenté ser silencioso. Abrí de golpe.

29

Starkey

Después de hablar con Cole, Starkey colgó y reculó en la silla con una sonrisa ancha y maliciosa. Estaba complacida consigo misma por haber comprometido a Cole en una cena. Habría sido más bonito si el idiota hubiera tenido la idea por sí mismo, pero a veces no se está en situación de exigir nada.

—Era tu novio Cole, ¿a que sí?

La sonrisa de Starkey vaciló. Ronnie Metcalf la estaba mirando desde la mesa contigua. Metcalf era un inspector D-2 de la sección de Robos de Hollywood, que tenía que compartir espacio con la sección de Delincuencia Juvenil. Se dio unos toquecitos en los labios.

—Lo sé por la sonrisa —añadió Metcalf, arrugando la boca e imitando el sonido de los besitos.

Starkey no se acobardó, ni se ruborizó ni se volvió.

—Gilipollas —dijo.

Metcalf soltó una carcajada, se levantó y se dirigió a la máquina de café con aire despreocupado. Starkey volvió a su trabajo, pero ahora su humor se había agriado. No le gustaba que Metcalf escuchara furtivamente sus conversaciones. Ella podía verse en apuros por utilizar recursos del Departamento de Policía de Los Ángeles para alguien de fuera, y un capullo como Metcalf era capaz de usarlo en su contra. Starkey pensó en las posibles repercusiones, y luego cayó en la cuenta de que su irritación no tenía nada que ver con meterse o no en problemas. Le fastidiaba que sus sentimientos fueran obvios. A nadie le importaba un comino lo que sentía por Cole —o cualquier otro—. Debería acordarse de no sonreír tanto cuando pensara en él.

Starkey hizo girar la silla, se puso frente al ordenador e introdujo el nombre de David Reinnike en el buscador del Centro de Información Criminal del Estado de California. Si alguna vez habían detenido a David Reinnike en edad adulta, aparecería en el listado. Hacía falta un número de caso, así que Starkey usó el de uno de los dieciséis casos en los que estaba trabajando en ese momento y tecleó el número de su placa. A la mierda Metcalf.

Starkey observó unos segundos la pequeña rueda giratoria hasta que se completó la búsqueda. El David Reinnike adulto no tenía antecedentes penales.

No iba a ser tan fácil.

Starkey pensó en lo que Cole le había dicho. El Departamento de Policía de San Diego había actuado al menos una vez ante una queja presentada contra el chico, pero esto no significaba que hubiera un registro juvenil accesible. Por lo general, los polis y los tribunales se mostraban indulgentes con los delincuentes de poca monta, y a menudo precintaban o eliminaban los expedientes. Pero los chicos con problemas crónicos de conducta a veces eran evaluados por agentes con una formación especial, sobre todo si el muchacho ponía de manifiesto comportamientos extravagantes o fuera de lo común, y normalmente estos antecedentes se conservaban en los archivos de la policía local.

Starkey miró el gran mapa de California colgado de la pared. Buscó Temecula y la encontró en el sector I-15, justo al norte de Fallbrook.

—Eh, Starkey.

Metcalf estaba aún con el café. Abrió la boca formando una O y abultó la mejilla con la lengua.

Starkey volvió al mapa.

Los agentes de patrulla de Temecula seguramente atendieron la denuncia, pero Temecula era demasiado pequeña para tener su propia sección de Delincuencia Juvenil. Probablemente pasarían el caso al sheriff del condado de San Diego, de modo que su comisaría tendría los datos si es que existían. Starkey llevaba en la sección Juvenil sólo unos meses, y no tenía ni puñetera idea de cómo ponerse en contacto con alguien de allí para que le buscara antecedentes juveniles de hacía treinta años.

Se acercó al cubículo de Gittamon y llamó a la puerta. Dave Gittamon, sargento supervisor de Starkey, llevaba treinta y dos años en la sección de Delincuencia Juvenil de Hollywood y tenía buenas relaciones con casi todos los agentes afines de alto rango de todo el suroeste.

Gittamon la miró por encima de sus gafas de leer. Era un hombre amable con sonrisa de predicador.

—Dave —dijo ella—. ¿Tienes a alguien en el condado de San Diego?

Gittamon contestó con su voz queda y tranquilizadora. Era el hombre más sencillo y comedido que Starkey había conocido en su vida.

—Oh, conozco a alguna gente.

Starkey explicó la situación de David Reinnike y le

dijo a Gittamon que quería averiguar si había antecedentes. No mencionó a Cole.

Gittamon se aclaró la garganta.

—Bueno, estás hablando de un menor de edad, Carol. Quizá necesites una orden judicial. ¿Adónde quieres llegar con esto?

Starkey advirtió la palabra elegida: «Quizá.»

—Si el chico fue detenido —dijo—, en los antecedentes podrían aparecer personas que tal vez me darían alguna pista para encontrarle. Es todo lo que quiero. Desaparecieron, Dave. Se cambiaron de nombre y se esfumaron.

—¿No sabes si fue detenido?

—No.

—Así que no sabes si tiene antecedentes.

—No.

—En Temecula.

—Exacto.

Gittamon dio un gruñido mientras pensaba en ello, y Starkey le apremió un poco.

—Supongo que lo que quiero ahora mismo es un favor personal, Dave —dijo Starkey—. Es como si yo tuviera un expediente, y alguien con motivos legítimos quiere verlo, y yo le dejo echar un vistazo, ni daño grave ni papeles. De poli a poli, ¿entiendes? Sin órdenes judiciales ni nada de eso.

—¿Cómo se deletrea el nombre?

Starkey sabía que lo tenía en el bote.

—Cuanto antes mejor, Dave.

Gittamon cogió el teléfono como si fuera la cosa más fácil del mundo.

—Sí, conozco a varios allí —dijo—. Y saluda al señor Cole de mi parte.

Starkey notó que se ruborizaba y se marchó.

30

La cocina estaba oscura y silenciosa, pero en el salón brillaba una lámpara. Las puertas acristaladas que daban a la terraza estaban abiertas. Avancé con sigilo, notando que se me tensaban los músculos de los hombros, pero luego olí su perfume y supe quién me esperaba. Se habían acabado el largo día y los kilómetros interminables.

Me oiría. Entró desde la terraza, y sentí que se me hinchaba el pecho.

—Me he permitido entrar. Supongo que no hay problema —dijo.

—Pues claro que no, Lucy.

George Reinnike se esfumó, y el mundo quedó en paz.

Lucy Chenier vio el arma y apartó la vista. Cuando estábamos juntos al principio, ella habría hecho algún comentario divertido ante esto, pero ahora el arma representaba la violencia que la hizo marchar. Hacía semanas que no hablaba con Lucy. No la veía desde hacía casi dos meses.

Me quité la funda de debajo de la camisa, guardé el arma y la puse encima de la nevera. Que no se viera.

—He tenido un problema con los ratones —bromeé.

Ella torció el labio en una sonrisa indulgente. Llevaba un suéter anaranjado de cuello vuelto sobre unos tejanos, el suéter perfecto para su piel dorada y su pelo castaño rojizo. El mejor color que se puede comprar con dinero, solía decir ella en broma.

—Toma, te he traído una cesta Care —dijo ella.

En la mesa del comedor había dos paquetes de Community Coffee Dark Roast, dos bolsas de alubias rojas Camelia y un paquete de seis unidades de cerveza Abita. Productos típicos de Baton Rouge. No habría sido fácil traer todo eso desde Louisiana. Consideré su esfuerzo una buena señal.

—CC Dark... —exclamé—. Es fantástico, Lucy. Gracias.

—Espero que no te importe que me haya presentado así. Joe me dijo que estabas de camino, así que he entrado.

—Venga, no pasa nada. Vaya sorpresa. ¿Qué estás haciendo en Los Ángeles? ¿Cómo está Ben?

Nada en su actitud me disuadió de ello, así que le di un beso cortés y retrocedí para que viera que respetaba los límites que ella había impuesto. Sus labios sabían a frambuesa.

—A Ben le va francamente bien —dijo—. Tú eres el héroe de la clase, ya sabes... todo el mundo en la escuela ha de saber acerca de Elvis Cole.

Me reí, pero sólo porque ella esperaba que yo me sintiera complacido. Al imaginarme a Ben Chenier hablándoles de mí a sus compis de diez años sentí una punzada en el pecho. Quería decirle a ella lo mucho que les echaba de menos, pero no quería que ninguno de los dos se sintiera culpable. En vez de ello cambié de tema.

—Eh, ¿te apetece una copa? ¿Quieres comer algo?

—Sí a las dos cosas. Déjame ver tu mano. ¿Se va curando?

Me cogió la mano y la volvió hacia arriba para inspeccionar la arrugada cicatriz que recorría tres dedos y parte de la palma. Me corté cuando ocurrió lo de Ben. Cuarenta y dos puntos y dos operaciones, pero dijeron que recuperaría el noventa y cinco por ciento de la movilidad, que no habría problema. Siempre y cuando no me importara sufrir dolor crónico.

—Está bien —dije—. Le metieron motores biónicos y cables de acero... Ahora soy como Terminator, yo y la sala de control.

Lucy examinó la cicatriz, luego me dobló los dedos y me devolvió la mano. Esbozó una sonrisa que los dos sabíamos era falsa.

—¿Qué hay de esa copa? —dijo.

—Ya va.

Ella había venido a reunirse con los abogados de Ben en el juicio del padre. Yo me había hecho un corte, pero Richard había recibido varios tiros y por poco se muere. Quizás habría sido más feliz si se hubiera muerto. Richard Chenier había contratado a tres mercenarios para que secuestraran a su hijo, y antes de que todo acabara habían muerto cinco personas. Richard no había apretado personalmente ningún gatillo, pero toda vez que había organizado el secuestro, era un instigador y un cómplice de facto. Según las leyes de California, Richard podía ser acusado de homicidio, como así era. Actualmente residía en el Centro Médico USC del Condado, donde aguardaba más intervenciones quirúrgicas y, al final, el juicio. Lucy me lo contó mientras se tomaba la copa.

—El juez accedió a oír el testimonio de Ben grabado,

pero quería estar segura de que entendían hasta dónde quería llegar yo. No le llevaré al juicio y no le permitiré comparecer ante el tribunal —dijo.

—¿Por qué Richard no ahorra a todo el mundo el follón y se declara culpable para obtener una sentencia más favorable? Sería mejor para Ben.

Lucy bebió un poco más.

—Es parte del proceso. Se enfrenta a dos cargos en primer grado y tres en segundo. Sus abogados quieren una reducción a homicidio por negligencia en los primeros y la absolución en los demás.

Lucy se quedó con la mirada perdida durante unos instantes, luego tomó otro trago y se encogió de hombros.

—Si se ponen de acuerdo en la sentencia, seguramente acabará con dos cargos de homicidio sin premeditación. Richard tiene que ir a la cárcel. Lamento que resultara herido, pero tiene que pagar por lo que hizo.

Apuró el vaso con un tintineo de cubitos, y lo miró como si estar vacío fuera sólo otro de los inevitables desengaños de la vida.

—¿Sabes una cosa? —dijo—, estoy cansada de ser buena. Sólo me sabe mal por Ben y por cómo esto le está afectando. Richard merece todo lo que le sucede.

Alcancé el vaso.

—Te pondré otra.

Lucy tendió el vaso y nuestras yemas se entrelazaron. Ninguno de los dos se movió. Estábamos trabados como dos luchadores paralizados por tensiones que jamás podrían superar o eludir...

Entonces Lucy dejó caer la mano y fingió que no había pasado nada. Yo tenía que haber hecho lo mismo.

—¿Cuándo te vas? —pregunté.

—Mañana por la tarde. Por la mañana tengo que ver otra vez al fiscal del distrito; luego voy al aeropuerto.

«Mañana por la tarde.» Me volví para preparar la copa. Le llené el vaso de hielo nuevo, luego corté un trozo de lima y lo exprimí encima. Intenté fingir que estaba tranquilo, pero seguramente mi esperanza era obvia. Dejé de enredar con la bebida y la miré. Hasta «mañana por la tarde» quedaba una noche entera.

—¿Te quedarás conmigo esta noche?

Ella negó con la cabeza sin siquiera contemplar la posibilidad, pero su voz fue amable.

—Limítate a preparar la copa, Mejor Detective del Mundo. Y dime cómo te ayudo a cocinar.

Estábamos ambos en una situación incómoda. Hay que ir con mucho cuidado al pisar terreno resbaladizo. Hay que ir despacio y cruzarlo lo antes posible. Sonreí, enviándole el mensaje de que volvíamos a estar bien y de que no la presionaría más. Acabé de preparar su copa.

—¿Qué tal espagueti con salsa *putanesca*? —dije.

Ella levantó la mano para indicar que le gustaba mi propuesta.

—Tengo salchicha italiana en la nevera. Podemos asarla, cortarla y mezclarla con la salsa —añadí.

Volvimos a entrelazar los dedos.

—Tráelo todo.

31

El vigilante

Frederick hacía su turno habitual, abriendo la gasolinera como de costumbre hasta que aquella tarde cedió los surtidores a Elroy. Elroy se quejaba de no tener noticias de Payne; Frederick era perro viejo, y antes de colgar al flacucho cabrón en el ascensor hidráulico y acuchillarle los ojos, prefirió fingir que era exactamente el mismo Frederick que Elroy esperaba: desconocedor del destino de Payne, así como de la terrible venganza de que había sido objeto éste a manos de Elvis Cole, y de la venganza más terrible aún que él a su vez descargaría sobre Cole. Frederick no daba a Elroy ningún motivo para sospechar nada. Elroy tampoco vio el par de tenazas que Frederick se llevó del taller cuando se fue. Frederick planeaba torturar a Cole igual que Cole había torturado a Payne: arrancándole la piel a tiras.

Frederick regresó a Los Ángeles aquella tarde. La casa de Cole era una araña sanguinaria acuclillada y agarrada al extremo de un acantilado, todo sombras y ángulos ruines. El garaje estaba vacío, y dos mujeres paseaban un perro por delante de la casa, así que Frederick siguió adelante. Aparcó en unas obras cercanas, se apeó y se resguardó bajo un olivo para vigilar.

Unos minutos antes de las seis, un coche se detuvo frente a la puerta de Cole y se bajó una mujer. No tocó el timbre ni llamó con la mano; entró con su propia llave, lo que dio a Frederick que pensar. Una mujer podía llamarse Elvis igual que un hombre. Quizás Elvis Cole era una mujer. Entonces recordó que James Kramer había hablado de Cole como si se tratara de un hombre, por lo que Frederick llegó a la conclusión de que seguramente era la esposa de Cole. Estaba pensando en si matarla o no a ella también cuando un sucio Corvette amarillo dobló la curva y entró en el garaje. Era uno de esos viejos Corvette de los sesenta que se conocían como Sting Ray. Frederick intuyó que era Elvis Cole; más que intuirlo, lo supo, como supo que Cole llevaba un disfraz tan perfecto como el del propio Frederick: el coche sucio, los vaqueros y las maltratadas zapatillas deportivas, la estúpida camisa hawaiana con los faldones colgando... no eran más que una fachada. Cole pretendía ser un hombre corriente para ocultar su verdadero yo —un despiadado asesino a sueldo con el corazón de hielo.

Las sospechas de Frederick se confirmaron inmediatamente, cuando Cole se metió la mano en la camisa, sacó una pistola y entró en la casa. Frederick se inclinó hacia delante, a la espera de oír disparos, pero no ocurrió nada.

Ahora Frederick no sabía qué hacer. Había planeado matar a Cole en cuanto éste llegara, pero Cole iba armado y esperaba problemas. Si Frederick se acercaba a la puerta, quizá Cole le disparara nada más verlo.

Un poco más tarde apareció un tercer coche, conducido también por una mujer. Aparcó en el camino de entrada. Cuando la conductora se bajó, Frederick vio una placa sujeta a su cintura. Se preguntó si habría venido a detener a Cole, pero cuando Cole abrió la puerta, hizo entrar a la mujer con una sonrisa radiante.

32

Estaba buscando la salchicha en la nevera cuando me acordé de Starkey. Starkey vendría. Seguramente ya estaba de camino.

—¿Te acuerdas de Carol Starkey? Se me olvidó. Va a venir esta noche —le dije a Lucy.

En sus ojos titiló algo parecido a la curiosidad. Pero acto seguido sonrió.

—Lo habías olvidado. Ya.

—No es nada de eso, Lucille. Starkey está verificando unos antecedentes juveniles de alguien a quien estoy buscando. Tengo estos artículos para ella, por eso la he invitado a cenar. Nada del otro mundo.

Los artículos estaban en la encimera.

—¿Es mejor que me vaya? —preguntó Lucy—. En serio.

—Por supuesto que no. Si hubiera sabido que estarías aquí, no le habría dicho que viniera. Ella lo entenderá.

Estábamos descongelando la salchicha cuando llamó Starkey.

—Es ella —dije.

—Dile que se quede.

Grité que ya iba mientras me dirigía a la puerta. Cuando la abrí, Starkey dio una calada a su cigarrillo, expelió un géiser de humo en dirección a los árboles y entró con una caja cuadrada de pastelería color rosa.

—¿De quién es ese coche? —preguntó.

Lucy salía de la cocina en el momento en que entraba Starkey. Sostenía el paquete de la salchicha y un cuchillo, con una sonrisa amable.

—Hola, inspectora, me alegra volver a verla —dijo.

Starkey miró a Lucy como si no pudiera poner nombre a aquella cara.

—Es la mamá de Ben —dije.

—Ya sé quién es, Cole. La señora Chenier. ¿Cómo está su chico?

—Bien, gracias. Le va muy bien.

Lucy hizo un gesto con la salchicha y regresó a la cocina.

—Me voy. Esto gotea.

Cuando Lucy se hubo ido, bajé la voz.

—Cuando llegué estaba esperándome. Yo no sabía que estaba en la ciudad.

Lucy habló desde la cocina.

—Invítala a cenar.

Bajé la voz un poco más.

—Starkey, mira, ¿te importa que lo dejemos para otro momento? Se quedará sólo...

Starkey dejó la caja en mis manos con brusquedad.

—Tarta de frutas. No te preocupes, Cole. Dame el rollo ese y me largo.

Llevé la caja de los postres a la cocina y le dije a Lucy que Starkey se marchaba. Recogí los artículos y Lucy me siguió de nuevo al salón. Starkey seguía impaciente junto a la puerta. No se había adentrado ni tres pasos en la casa.

—Por favor, inspectora, cene con nosotros —dijo Lucy—. Al menos tome una copa.

—No bebo... Fumo.

Starkey me arrebató los artículos de las manos, los dobló y luego trató de guardárselos en el bolsillo exterior.

—He buscado el nombre de Reinnike, Cole —dijo—. No tiene antecedentes de adulto, o sea que a joderse. Te diré si encuentro algo en Delincuencia Juvenil.

—Por favor —dijo Lucy—, quédese un rato. Podemos charlar.

—Tengo que irme —repuso Starkey. Seguía empujando los artículos en el bolsillo, pero no acababan de meterse. Los papeles se habían doblado dentro.

—El papel se ha doblado —señalé.

—Me cago en Dios.

—Lo estás empeorando —dije.

Starkey se dio por vencida con el bolsillo y se dirigió a la puerta.

—Me ha alegrado verla, inspectora —dijo Lucy.

—Dígale al chico que he preguntado por él —repuso Starkey.

Lucy sonrió amablemente, sin duda conmovida.

—Descuide. Gracias.

Starkey se detuvo en la puerta, me miró como si fuera a decir algo, pero volvió a mirar a Lucy.

—La echa de menos.

Lucy apretó la mandíbula, pero no dijo nada más mientras Starkey se iba. Me quedé en la puerta hasta que Starkey montó en su coche y regresé a la cocina. Lucy buscaba algo en el armario. Vio que yo estaba otra vez allí y sonrió alegremente.

—Muy bien, jefe, manos a la obra. Me muero de hambre.

—Lamento que haya dicho que te echaba de menos. No es asunto suyo.

Lucy puso en la encimera dos grandes latas de tomates troceados y se dispuso a abrirlas como si no pasara nada. Arqueó las cejas.

—Le gustas, señor Cole.

—No en el sentido que te imaginas.

Lucy me observó un momento, luego meneó la cabeza y volvió con las latas.

—Podrías explicarme cómo te está ayudando mientras yo cocino.

La miré unos instantes, pensando qué decir y cómo decirlo. Lucy me ablandaba. Quizá se debía a la calidez de su cabello (el mejor color que se puede comprar con dinero), o a la curva de su mejilla, o a la inteligencia resuelta en sus ojos; quizás era su olor o el modo en que uno de sus incisivos montaba sobre el otro o las casi imperceptibles arrugas que se juntaban en las comisuras de sus ojos. Toda ella me transmitía un sosiego que no había conocido con nadie más. Se me aflojaban los músculos del cuello y la parte superior de la espalda; se me calmaba el tenso zumbido del pecho...

No le hablé de Reinnike. Le dije que estaba trabajando en un caso de personas desaparecidas, y por ahí seguí. Un hombre y su hijo se habían esfumado y yo trataba de encontrarlos. No le mentí; simplemente no se lo conté todo. No le expliqué las cosas importantes. Tal vez ya estaba cansado de todo aquello, o tal vez no quería estropear la noche.

Cocinamos juntos como si nunca hubiéramos estado separados, y sólo me acordaba de que ya no éramos una pareja cuando quería tocarla pero no podía. Yo deseaba que todo fuera como había sido en otro tiempo, pero respetaba sus decisiones, y sabía que esas decisiones tampoco eran fáciles para ella. Lucy estaba haciendo lo que creía que debía hacer, y lo que consideraba correcto para su hijo. Tal vez yo podía hacerme cargo de esas decisiones más que otras personas, o tal vez simplemente estaba borracho. En mis fantasías, mi madre me quería mucho; mi padre se preocupaba por mí. El hecho de que Lucy renunciara a tanto por su hijo hacía que yo la amara más y estuviera dispuesto a sacrificar cualquier cosa para alimentar su amor. Lo que ella le daba a Ben era todo lo que yo había querido para mí; lo que ella era para él era todo lo que mis padres no habían querido ser para mí.

Cocinamos, comimos y nos sentamos en el silencio de mi casa, los dos en el sofá, juntos, su mano en la mía. Mi casa era acogedora y estaba llena de vida; no había sólo madera, vidrio y baldosas, sino algo más. Yo sabía que ella se iría pronto. Ella también lo sabía. Quizá por eso estábamos callados.

Al cabo de un rato, Lucy susurró bajito:

—Tengo que irme.

—Lo sé —respondí también en susurros.

No nos movimos. Yo creía que ella aún me quería, de lo contrario no habría venido a mi casa. Le había pedido una vez que se quedara, y pensé que si insistía, quizás acabaría aceptando. Podía haberle rozado la oreja con los labios, musitarle palabras dulces. Quizás una parte de ella deseaba que la convenciera, pero yo sabía que si lo hacía, le resultaría aún más difícil cargar con las difíciles decisiones que había tomado. No quería forzarla. No quería complicarle las cosas.

—Me voy —susurró.

Pero no se movía.

Era cosa mía.

Le besé el dorso de la mano y sonreí, tratando de decirle que no la envidiaba.

—Te acompaño a la puerta —dije.

Si en sus ojos brilló algo que yo esperaba que fuera decepción, lo pasé por alto.

Lucy cogió el bolso y salió conmigo hacia su coche. Una fría brisa nocturna hizo que me lagrimearan los ojos y comencé a parpadear. Ella me dio un beso en la mejilla y subió al coche.

—Me alegro de haberte visto —dijo.

Yo quería decir lo mismo, pero no pude.

Las luces traseras del coche de Lucy desaparecieron tras la primera curva. Titilaron en los árboles y volvieron a desaparecer. Me quedé en la calle, mirando, esperando vislumbrarla de nuevo, pero al cabo del rato supe que se había ido. Ken Wilson me había dicho que no hay callejones sin salida, pero se equivocaba.

33

Amor angelical

Cuando la agente de policía se marchó, Frederick decidió matar a Cole y a la otra mujer. Ya había oscurecido del todo, y ningún vecino vería nada. Se acercó a la casa. Cole quizá tuviera un arma, pero a Frederick le preocupaba más la presencia de la mujer policía. Ésta —obviamente subalterna de Cole— tal vez había ayudado a matar a Payne, y quizás incluso podía ayudar a Cole a identificar a Frederick. Así que diez minutos después de que se hubiera ido, Frederick sacó la escopeta del estuche y se preparó para matar.

Unas luces giraron en la curva y apareció un coche. Aminoró la marcha, y Frederick reconoció a la agente de policía. El vehículo aflojó el paso, pero pasó por delante de la casa de Cole sin pararse. A Frederick no le gustaba que hubiera vuelto; y tampoco alcanzaba a entenderlo.

Decidió esperar. Quizá Cole saldría a tirar la basura, y Frederick podría disparar sobre él desde los árboles. Tal vez Cole y la primera mujer saldrían a dar un paseo.

Al cabo de veinte minutos, pasó otra vez la agente de policía. ¡Estaba patrullando la casa de Cole!

Frederick temió que pudiera haber sospechado del camión. Se la imaginó llamando y avisando a Cole de que él rondaba por la zona. ¡Tal vez en ese mismo instante estaba llamando a más secuaces de Cole!

«¡Hazlo, Frederick! ¡Hazlo ahora mismo!»

Frederick se sentía atrapado entre su necesidad de vengar a Payne y su miedo a la policía...

«¡Hazlo, Frederick!»

Sólo tenía que correr hasta la puerta, abrirla de un puntapié e irrumpir en la casa. Si los cogía por sorpresa, podría abatir a Cole y a su esposa en el mismo lugar donde se encontraran.

La mujer policía volvió a pasar en coche, y en ese momento todo cambió. Frederick se convenció de que ella sabía que él estaba por la zona. Por eso estaba patrullando el barrio de Cole... ¡Sabían que él estaba allí! Lo buscaban. Aun hallándose ridículamente escondido entre los árboles, los enmascarados esbirros seguramente estaban acercándose, rodeándole en silencio como el humo; lo cercarían, lo atraparían y luego lo sujetarían para que Cole, igual que había matado a Payne, pudiera cortarle el cuello con un cuchillo largo y afilado.

Cole, ese monstruo.

Frederick salió tambaleándose de detrás de los árboles y corrió al camión, desesperado por huir antes de que volviera a aparecer la agente y antes de que sus asesinos lo cazaran.

34

Encendí el televisor para que hubiera ruido en casa, y luego volví a la terraza, preguntándome por qué no había sido capaz de hablarle a Lucy de George Reinnike. Las laderas estaban tachonadas de las inevitables luces, que seguían el cañón hasta la ciudad como un río centelleante. Por encima de las luces, un crucifijo rojo intermitente ascendía hacia el este: un avión de LAX con luces estroboscópicas en las alas y la cola. Despegan en dirección al mar, pero giran y cruzan la ciudad para el adiós final. Lucy tomaría uno al día siguiente.

Entré, preparé una taza de café instantáneo y me quedé de pie en el salón. En la televisión daban un avance de noticias durante una pausa publicitaria. El Asesino del Semáforo Rojo había añadido otra víctima al número de cámaras de tráfico derribadas. En el vídeo, una de esas cámaras mostraba una cantidad ingente de coches pasando en tropel por un cruce. Me pregunté si el Suites Home Away tenía una cámara de seguridad en el aparcamiento. Las gasolineras, las tiendas de horario libre y los supermercados tenían cámaras para vigilar sus aparcamientos. A lo mejor Suites Home Away también y el coche de

Reinnike había quedado grabado en cinta. Y en la cinta quizá se viera la matrícula.

Me lavé los dientes para disimular la ginebra, cerré la casa y puse rumbo al Suites Home Away. Mejor eso que amargarme pensando en Lucy.

No había mucho tráfico, y cuando llegué al motel, en Toluca Lake se respiraba tranquilidad. El aparcamiento estaba bien iluminado, aunque no tanto como para molestar a los vecinos de los pisos circundantes. Me apeé, pero no entré enseguida. Anduve entre los coches, buscando cámaras de vigilancia en los postes de la luz y en el exterior del motel, pero no vi nada. Acaso estuvieran ocultas.

Entré, me dirigí al mostrador y me identifiqué. La recepcionista de noche era una mujer de mediana edad que se irritó cuando supo lo que yo quería y por qué.

—No sé nada de ese asunto —dijo—. Por eso me trasladaron desde Bakersfield.

El director de noche había sido relevado de su cargo cuando la empresa se enteró de que el motel había recibido visitas de prostitutas. Ella se sentía fastidiada por su traslado desde Bakersfield, y no le parecía justo que hubieran despedido al director.

—Quiero peguntarle por el aparcamiento —le dije—. ¿Hay allí cámaras de seguridad?

La mujer señaló un rincón del techo, donde una pequeña cámara colgaba de un soporte metálico.

—Sólo tenemos la cámara interior. La policía ya pidió la cinta, pero no estaba en marcha. Ahora la gente de la oficina central está en la calle, y más gente perderá su empleo. Si quiere que le diga la verdad, todo para nada. Compran esas cosas baratas, y cuando no funciona algo echan la culpa a los directores.

—¿La policía preguntó por las cámaras? ¿Recuerda qué agente?

—Yo no estaba. Fue de día.

—Bien. Voy a dar una vuelta alrededor del edificio y por el aparcamiento durante unos minutos. Sólo quería que usted supiera lo que estoy haciendo.

—Con el jaleo que han montado todos, ahora tendremos que poner guardias armados en los moteles. Es como si a ese pobre hombre lo hubieran matado aquí en el vestíbulo. Absurdo.

Me fui antes de que siguiera hablando.

El Suites Home Away no tenía cámaras de seguridad exteriores, pero los edificios de apartamentos y oficinas de alrededor quizá sí. Thomas dijo que Reinnike había aparcado justo enfrente de la entrada del motel, que estaba en el lado norte. Eché a andar por la calle y miré atrás, al aparcamiento. Había una gasolinera Mobil justo al otro lado de la calle, al sur de la esquina sureste, y un centro comercial con una tienda de vinos y licores en diagonal respecto al cruce de la esquina suroeste. Tanto la gasolinera como la licorería tendrían cámaras, pero los ángulos no abarcarían el aparcamiento del Home Away.

Justo al otro lado de Cahuenga Boulevard había una tienda abierta veinticuatro horas. La tienda también tendría cámaras, y el ángulo quizá fuera mejor.

Crucé Cahuenga al trote. Dos coches estaban llenando el depósito en los surtidores de delante. De un pequeño Toyota tronaba un fuerte bajo.

Dentro hice cola en el mostrador junto a otras tres personas. El empleado era un muchacho con una barba pulcramente recortada que lucía una descolorida camiseta Mall Rats. Comprobaba lo de cada cliente mecánicamente y sin interés —«¿Qué tal está hoy?... Serán seis dólares cuarenta y dos centavos... Buenas noches»—. Tenía una visión despejada del aparcamiento del Home Away. Del techo de detrás del mostrador colgaba una cámara de seguridad, y había otra en la parte de atrás. Casi seguro habría más en el exterior.

Cuando me llegó el turno, el empleado dijo:

—¿Qué tal está hoy?

—Estoy investigando el asesinato de un hombre que se alojaba al otro lado de la calle. Me gustaría hacerle un par de preguntas.

—Vaya. Esto no es algo que se oiga todos los días.

Le pregunté si sus cámaras exteriores abarcaban el aparcamiento del Home Away.

—Lo siento, amigo, las cámaras no apuntan hacia allá. Si se inclina un poco verá por qué lo digo.

Se dio cuenta de que yo no podría ver gran cosa inclinándome, así que me hizo pasar al otro lado del mostrador. Había un monitor instalado en el estante debajo de la caja registradora. Mostraba imágenes granulares en blanco y negro de nosotros dos, los pasillos y la zona exterior entre los surtidores y la puerta principal. El muchacho señaló la pantalla.

—¿Ve? La cámara exterior no muestra la calle. No se ve el motel.

El motel no, pero sí veíamos claramente los coches en los surtidores. Puede que Reinnike pusiera allí gasolina, y que en la cinta apareciera la matrícula.

—¿Cuánto tiempo guardan las cintas?

—Veinticuatro horas. Ya no son cintas... es digital. Las imágenes van todas a un disco duro, pero la memoria se borra a las veinticuatro horas a menos que la guardes.

—Y ustedes sólo la guardan si sucede algo.

—Sí, por ejemplo, si entran a robar en la tienda o se dispara una alarma, o lo que sea.

Reinnike había muerto hacía más de setenta y dos horas. Veinticuatro no bastaban.

El muchacho se cruzó de brazos y me miró con curiosidad.

—Anoche vi por ahí coches de policía. ¿Tenía que ver con esto?

—Hace tres noches mataron a uno de los huéspedes —dije.

—¿En el mismo motel?

—No, en el centro, pero se alojaba aquí.

Le enseñé la foto de la morgue. El empleado estudió la imagen y luego meneó la cabeza.

—Todo se me mezcla —dijo—. No podría describirle el aspecto de mis tres últimos clientes.

—Conducía un Honda Accord marrón con una abolladura junto a la rueda trasera izquierda. Tal vez puso gasolina.

—Lo siento, amigo. Si su tarjeta de crédito pasa, ni me molesto en mirar.

—Pudo haber pagado en metálico.

—Un montón de gente paga en metálico. No me acuerdo.

Entró un trabajador de la construcción sucio de polvo blanco. Pidió dos perritos calientes sin nada dentro y un café largo con cuatro terrones de azúcar. Me aparté mientras el empleado sacaba los dos perritos del grill y llenaba una gran taza Styrofoam con café y azúcar. En la pared de detrás del mostrador había arrimados una nevera con refrescos, una máquina de café, una nevera con yogures congelados y el grill, pero no vi ninguna cafetera de expresos. Nada donde dijera «moca».

Cuando se hubo ido el tipo de la construcción, dije:

—¿Hay alguna tienda de café a la que se pueda ir andando?

—Starbucks, Riverside arriba. Pero está a unas diez o doce manzanas. Aquí tenemos café. ¿Qué quiere?

—No es para mí. Un testigo del motel me dijo que cruzó la calle para tomarse un moca. Me preguntaba adónde fue.

—Ya veo. Pudo venir aquí. Tenemos moca, vainilla, avellana... Son una porquería de mezclas instantáneas, pero las vendemos. ¿Sabía que casi todo esto es arena? Se mezcla con agua caliente.

De pronto, el muchacho arqueó las cejas con interés.

—Eh, ¿se trataba de un tipo negro? —preguntó.

Entrevistas a la gente, y nunca sabes qué va a decir o por qué; a veces das un puntapié a una piedra idéntica a las otras miles de piedras que has pateado antes, y algo brilla en el suelo.

—No lo sé —dije—. Descríbalo.

—Fue... —movía los labios silenciosamente mientras contaba con los dedos— hace cinco noches. Un tipo grandote, musculoso, el pelo corto y rapado a los lados y con un aspecto algo fiero.

Cinco noches atrás era la noche en que Dana había rezado con Herbert Faustina.

—¿Recuerda todos los mocas que vende? —pregunté.

Sonrió tímidamente.

—Ni mucho menos. Recuerdo a ese tío por su chavala. Amigo, estaba buenísima...

Ahuecó la mano para indicar el tamaño de sus pechos. Thomas no había dicho nada de que Dana se hubiera tomado un café.

—¿Ella también se tomó un moca?

—Entró él solo. Estaban jugando los Lakers, y él estaba matando el tiempo y mirando todo el rato hacia fuera. Y yo pienso: ¿qué está buscando el tío ese, me quiere robar? Pero entonces va y dice: «Mierda, aquí está mi chavala», y se acabó el café tan rápido que se salpicó toda la mano. Ay.

—Ay.

—Sí, la chica estaba buena de veras. Yo también habría derramado el café.

—Ajá.

—En todo caso, él cruzó la calle. Yo sólo miraba a la chica. Cuando corría, las tetas le bailaban cosa seria. Me alegró la noche.

Volvió a ahuecar las manos en su pecho e imitó el movimiento de vaivén.

—¿Por qué corría?

—Se metieron en el coche de él, pero ella volvió a salir. Corrió a ver a otro tío...

Thomas no le había dicho nada de que Dana se hubiera apeado del coche. Ni de tetas moviéndose arriba y abajo.

Sonó la puerta al entrar una pareja armenia con un bebé. La mujer era sensual, hermosa. El empleado se puso a mirarla fijamente y perdió el hilo. Le toqué el brazo.

—Descríbame el hombre hacia el que corrió ella.

—Yo no miraba al tío, hermano... le miraba a ella los melones dando botes.

—¿Un hombre mayor? ¿Delgado y con el pelo mal teñido?

—¿Se refiere al de la foto?

—Usted lo ha dicho.

El muchacho miró otra vez andar a la mujer, y luego exhaló un suspiro cuando volvió de nuevo su atención hacia mí. Fantasía interruptus.

—No vi la cara del tipo —dijo—. Supongo que era más o menos viejo, pero no podría asegurarlo. Cuando le abrazó, ella casi lo derriba.

Tenía que ser Reinnike. Reinnike había salido, y Dana fue hacia él. Thomas no había mencionado esa parte, y ahora yo me preguntaba por qué.

—¿Qué hay del tipo negro? —dije—. ¿También fue a ver al otro?

—Se agachó, como si estuviera escondiéndose. Me pareció algo raro. Creo que tomó una foto.

—¿Por qué cree que tomó una foto?

—Vi la cámara...

Alzó las manos a uno y otro lado de la cara como si estuviera enfocando con una cámara. Mientras hacía la demostración, el armenio le preguntó si tenía leche condensada. El muchacho le dijo que mirara en el último pasillo.

—¿Está seguro de que era una cámara fotográfica? A lo mejor era un móvil —dije.

—Amigo, sé lo que es una cámara. Y no era un trasto de mala muerte, sino una de verdad, con una buena lente.

Señaló un coche blanco del aparcamiento del Home Away, en la hilera de coches del lado de la calle.

—¿Ve el sedán blanco... a cuatro, cinco, seis plazas de la entrada, aquí en el lado de la calle? Ellos estaban aparcados ahí mismo. Vi la cámara.

—¿Cuánto rato estuvo ella con el otro hombre?

—Un par de minutos. Quizá menos.

—¿Y luego qué pasó?

—Se fueron.

—¿Siguieron al otro?

El empleado empezaba a estar harto.

—Yo qué sé si lo siguieron, amigo. Se fueron y ya está.

La familia armenia llevó al mostrador dos latas de leche condensada y un tarro de compota de manzana.

—He de volver al trabajo —dijo el muchacho.

—Yo también.

Le di las gracias por su ayuda, luego rodeé el mostrador, salí y me dirigí al coche. El aire era frío, pero yo no lo notaba. Eran las 22.53 cuando llamé a Joe.

—Tengo que verte —le dije.

Pike no preguntó para qué; sólo dónde. Le di la dirección de Dana.

Ken Wilson tenía razón. No existen los callejones sin salida. Lucy se había ido, pero volvería.

35

La gente miente. La mitad de las personas que hay en la cárcel fueron detenidas porque mintieron aun sin haber hecho nada malo. Un poli les perguntaba dónde se encontraban el martes por la noche, y no respondían que estaban tomando una cerveza en el Starlite Lounge, sino que estaban en Bakersfield. Y la siguiente cosa que sabían era que se les acusaba de un atraco en Bakersfield porque encajaban con una descripción. De pronto recordaban que habían estado en Starlite, pero ya era demasiado tarde. Habían mentido, los habían detenido y fichado, y cuando quedaba claro que los detenidos decían la verdad sobre el Starlite, resulta que los inspectores descubrían una orden judicial por no pagar una pensión alimenticia o no comparecer ante un tribunal. Y todo por haber mentido sobre la cerveza. Mucha gente es así. Su reacción automática es mentir.

Thomas y Dana mentían porque seguramente tenían algo que ocultar. Yo no veía ninguna relación entre sus mentiras y la muerte de Reinnike, pero quería ver las fotos.

La calle de Dana estaba bien iluminada, como lo están en los pueblos, con una luz dorada que suavizaba la dureza de los baratos edificios de estuco, con lo que todo parecía más bonito de lo que era. Había coches aparcados junto a ambos bordillos, como crías apiñadas junto a su madre. Ya eran más de las once cuando pasé sigilosamente frente al edificio de Dana; el barrio estaba inmerso en la calma nocturna.

El Jeep de Pike bloqueaba un camino de entrada dos edificios más allá del de Dana. Pike era una mancha negra e inmóvil oculta tras sombras negras. Tenía la ventanilla bajada.

La voz baja de Pike brotó tranquila desde la oscuridad.

—No sé si están en casa —dijo—. Tienen las cortinas corridas y todo está en silencio.

—Podías haber echado la puerta abajo.

—Te estaba esperando.

—Bien. Vamos a ver.

Le expliqué a Pike cómo quería hacerlo y eché a andar hacia el apartamento de Dana. Él salió del Jeep detrás de mí. Cuando abrió la portezuela, la luz de dentro no se encendió.

Fui a la puerta de Dana, escuché y llamé al timbre. El apartamento estaba a oscuras. Las sencillas ventanas eran correderas, de aluminio, con pomos de resorte que funcionaban como cerrojos. Intenté deslizar el vidrio, pero los pasadores aguantaban. Rellené el cañón de la pistola con el pañuelo, apreté la boca del cañón contra el vidrio junto al pomo, y luego di un fuerte golpe a la culata con el pulpejo de la mano. La boca atravesó el vidrio dejando un agujero irregular del tamaño de una pelota de tenis. Abrí la ventana, subí, salté dentro y corrí las cortinas.

—¡Hola! —grité.

Encendí las luces e inspeccioné el dormitorio y el

baño para asegurarme de que no había nadie escondido. Igual que mienten, las personas suelen ocultarse y luego no las ves venir. Y te pueden estropear el día.

Cuando visité el apartamento dos días atrás, había una cámara con un buen objetivo en la mesa del comedor, junto al ordenador. Ahora no. El escritorio estaba abarrotado de papeles, pelusas y un teléfono inalámbrico, pero destacaba una tarjeta impoluta del Departamento de Policía de Los Ángeles. Inspector Jeff Pardy. Al ver la tarjeta sonreí. Pardy sería simplón, pero estaba haciendo su trabajo. Me alegré por él.

Volví al salón, me senté en el sofá y esperé. Eran las 23.26 cuando empecé a esperar. A las 0.17 se oyeron voces que se acercaban. Regresé al comedor, coloqué la silla frente a la puerta y me puse cómodo.

Una llave chirrió en la cerradura.

—Pero si apagué las luces... —dijo Dana desde fuera.

Thomas entró, pero no me vio porque estaba mirando a Dana. Llevaba la cámara. No me vio hasta que Dana lo adelantó, pero para entonces ya era tarde.

—Usted... —dijo Thomas.

Pike apareció al instante detrás de Thomas, y le rodeó el cuello con el brazo. Agarró la mano derecha de Thomas, se la levantó por detrás y lo llevó adentro en volandas. Thomas soltó una especie de borboteo, y la cámara cayó al suelo con un golpe metálico.

—¡Eh! ¿Qué está haciendo? ¡Pare! —dijo Dana.

Pike dejó que el peso de Thomas cayera sobre el brazo doblado. Thomas trató de alcanzar a Pike con su mano libre, pero Pike estaba fuera de su alcance. Thomas se retorcía y pateaba, pero Pike lo alzó más y le cortó la respiración. No puedes hacer mucha palanca cuando cuelgas del cuello y la lengua se te está volviendo morada.

Cerré la puerta a su espalda y luego acompañé a Dana al sofá.

—Él está bien —le dije—. Siéntese aquí y no se levante.

Cogí la cámara y me senté al lado de Dana. Era una Sony digital profesional con puertos para chips de memoria adicional y botones que yo no entendía. Le di la tarjeta y el teléfono a Dana.

—Tome, guarde esto, ¿vale?

—¿Qué quiere? ¿Por qué debo guardar esto? —dijo ella.

—¿Estás bien, Pike?

—Perfectamente.

—Vale.

La cámara tenía una pantallita para observar los encuadres. La encendí y apreté el botón que ponía EXAMINAR. Apareció la imagen de una calle corriente. Era la más reciente. Una barra amarillo brillante en la parte superior mostraba el número 18. En la memoria había almacenadas dieciocho fotos. Pulsé otra vez el botón para ver la imagen decimoséptima, y fui haciendo lo mismo con las restantes una a una. Las cuatro primeras eran fotos normales de cosas normales, pero en la decimocuarta se veía una habitación débilmente iluminada a través de lo que podían ser unas cortinas parcialmente corridas. La imagen era pequeña y anaranjada, pero distinguí lo que parecía ser la espalda de una mujer y las piernas de un hombre. Estaban tendidos en la cama, y la mujer estaba encorvada sobre las piernas. La única foto clara de Dana era cuando entraba en la habitación y aún seguía de pie. El ángulo mostraba una visión nítida de su cara. En ninguna de las fotos aparecía el Suites Home Away ni George Reinnike, alias Herbert Faustina, pero en cuanto las vi supe qué ocultaban Thomas y Dana.

—Encantador —dije—. Thomas toma fotos de Dana y sus puteros. ¿Por qué se supone que lo hace?

—¿Chantaje? —dijo Pike.

Thomas se retorcía y daba puntapiés en las piernas de Pike, pero éste hizo algo con el brazo doblado, y se acabó el pataleo. Dana no intentó levantarse. Parecía avergonzada.

—El otro día, a usted y el señor Tres Caídas —dije— se les olvidó contarme algo. El verdadero nombre de Herbert Faustina es Reinnike. Un testigo ocular vio a Thomas sacar una foto de usted y Reinnike frente al Suites Home Away. Quiero verla.

—No tomamos ninguna foto —me replicó Dana—. Quien diga eso miente.

—Oiga, quiero que llame al inspector Pardy. Aquí tiene su tarjeta. Veamos qué tal le va a Thomas cuando le acusen de chantajista, extorsionador y sospechoso de asesinato.

Thomas volvió a ponerse tenso y abrió los ojos como platos. Dana sostenía el teléfono.

—Dana no ayuda, Thomas, así que llamaré yo —dije—. Le diré a Pardy que usted no sólo es el proxeneta de su novia sino que además toma fotos para chantajear a los clientes. Veremos entonces si Stephen le denuncia para salvar el pellejo.

—Tercera caída. Uy —dijo Pike.

De repente Dana se incorporó en el sofá y soltó el teléfono.

—Es Stephen, no nosotros. Nosotros no hacemos chantaje a nadie... ¡Es Stephen!

Thomas emitió un gruñido para avisarle de que se callara, pero ella le habló a gritos:

—¡No fui yo quien le habló del coche! ¡Yo no iba a decir nada, pero tú tuviste que decir lo del coche!

Esperé la respuesta de Thomas, y vi la resignación instalada en sus ojos.

—¿Hablará conmigo si él le suelta? —le pregunté.

Thomas graznó algo parecido a un sí. Pike aflojó la presión y Thomas se tambaleó de lado, tosiendo, con el brazo derecho colgando fláccido. Dana seguía gritando:

—¡Tenías que decirlo! ¡Tenías que decir lo del coche!

Thomas fulminó a Dana con la mirada, pero en sus ojos había más dolor que furia.

—¡Con las tres caídas me jugaba el cuello! —berreó—. Stephen ya les dijo que estábamos ahí. Ese cabrón les dio nuestros nombres. Tenía que darle algo a este tipo, ¡si no, pensarían que ocultábamos alguna cosa!

—Enséñeme la foto de Reinnike —le dije a Thomas.

—No puede ser. Mandé esas fotos a Stephen.

«Esas fotos.» Más de una fotografía de George Reinnike. Más de una oportunidad de ver su matrícula.

Cogí el teléfono y busqué el número de Pardy.

—Escuche, estoy diciendo la verdad —prosiguió Thomas—. Se las mandé a Stephen, y después de mandarlas las borré. Las tiene él. Yo no guardo mierda comprometedora en mi ordenador.

Bajé el teléfono. Lo observé atentamente y luego miré el ordenador. Quizá Thomas estaba diciendo la verdad, pero yo no estaba del todo seguro.

—¿Qué hace Stephen con las fotos? —pregunté.

—Un montón de puteros utilizan tarjetas de crédito y cargan la factura a su empresa —dijo Thomas—. La novia de Stephen tiene un hermano que trabaja en una agencia calificadora de crédito o algo así, de modo que él puede obtener información. Esos tipos van a casa, y unas semanas más tarde reciben una copia de la foto. Un montón de ellos aflojan mil pavos para librarse de Stephen. Stephen no aprieta mucho; no pide demasiado a cambio de no amargarles la vida. No es un malaleche redomado; sólo busca dinero fácil.

—Reinnike pagó en metálico.

—Ahí estaba ese tío, con toda su pasta, contratando a las chicas... Stephen dijo que valía la pena intentarlo. No tomé ninguna de sexo. Sólo ellos dos en el aparcamiento. Sólo eso, y nada más. Y se las mandé a Stephen.

Me acerqué a su ordenador. Había aparecido un salvapantallas. Una bola rebotando lentamente entre los cuatro lados, una bola que arrastraba una onda expansiva que se superponía sobre sí misma y se consumía. Quizá Thomas mentía, pero a mí me pareció que decía la verdad.

—Mi problema es el siguiente, Thomas. Estas imágenes podrían estar ahí mismo y yo no las he encontrado. Los expertos del Departamento pueden volver esto del revés.

—Le digo que no encontrarán nada. Escogí las mejores fotos, se las envié a Stephen y luego eliminé las pruebas. Yo no guardo esa clase de mierda en mi ordenador.

—¿Mandó las fotos a Stephen por correo electrónico?

—Mandé las tres mejores. Las demás no eran muy buenas. Las recibió. Lo sé... escribió para confirmarlo.

—¿Cuándo? —dijo Pike.

—Hace cinco días, supongo. Han de ser cinco.

—El día después de que yo lo viera —dijo Dana.

Eché un vistazo a Pike, y él asintió. Los dos estábamos pensando lo mismo.

—¿Ha recibido algún correo electrónico de Stephen en los últimos tres días? —le pregunté a Thomas.

—No.

Pike torció la boca. Tres días atrás, Stephen había estado trabajando en un portátil. Era el único ordenador que vimos, y nos lo llevamos. La imagen de George Reinnike estaba en mi coche.

Hice a un lado el ordenador de Thomas, coloqué el portátil sobre la mesa y lo encendí. Thomas se acercó a ver.

—Si usted tenía el ordenador de Stephen, ¿por qué no le pidió las malditas fotos? —dijo.

—Cállese —le sugirió Pike.

Ocupó la pantalla un escritorio azul oscuro. El icono de ARCHIVOS ESCRITORIO abrió el disco duro, pero no apareció nada salvo una larga lista de archivos con nombres sin sentido. Yo sabía que la lista de las chicas y los registros del negocio estaban en algún sitio, pero no había nada etiquetado como «Chantaje» o «Puteros». Tendríamos que obligar a Stephen a mostrárnoslo, pero él ya había comunicado a su abogado que nosotros nos habíamos llevado su ordenador. Si Stephen aparecía apaleado, a lo mejor el abogado sospecharía.

—¿Hay algo? —dijo Pike.

—Nada obvio. Tendremos que hablar otra vez con Stephen.

—Una pregunta —terció Thomas—. ¿Por qué es tan importante que yo tomara esa foto? ¿Qué espera ver?

—La matrícula del coche de Reinnike.

Thomas pareció dudar por momentos, pero de pronto su ojo derecho se puso a parpadear. Se le estaba ocurriendo algo.

—Creo que la cogí —dijo—. En una de las fotos que envié se puede ver bastante bien la parte trasera del coche.

—¿Sabe su contraseña? —pregunté.

—¿Cree que él quiere que yo mire su correo? ¿En serio?

Esperé. No mucho. Thomas vio una salida y estaba rebobinando para hacer su oferta.

—Le mando las fotos, él las descarga, ¿vale? Las guarda, las imprime, hace copias, lo que sea, y así puede utilizarlas para sacarles pasta a los puteros. Si las descarga en un archivo, no necesitamos su contraseña para entrar en su correo; lo único que hemos de hacer es encontrar los archivos de las fotos, ¿vale?

—Siga.

—Imagino que hay tres maneras de hacerlo. Usted lleva la cosa esa a la policía, como iba a hacer con lo mío, y a lo mejor allí encuentran las fotos. La otra es que usted lo lleva todo a casa de Stephen, esperando que él esté en casa, que no haya testigos ni nada, y luego le pone una pistola en la boca rezando para que él no borre nada mientras usted mira para otro lado.

—¿Y la tercera?

Me miró fijamente y sin expresión, de un modo que me hizo sentir transparente. Noté que me ruborizaba.

—Usted busca algo que le importa —dijo—. Ha estado aquí dos veces y tiene prisa. No quiere esperar a la policía y quiere dejarse de tonterías con Stephen. No estoy diciendo que yo pueda encontrar las fotos, pero tengo una idea de cómo hacerlo, y así usted se ahorraría algún tiempo.

Lo dejó ahí. Estaba claro lo que quería.

—Cuando mandé a Stephen las fotos, puse a cada una un nombre —continuó—. Si Stephen no cambió los nombres, yo podría encontrarlas. Le ahorraría a usted todo ese tiempo. Pero debo ser absuelto de los delitos. Tendría las tres caídas.

Tal vez Pardy podría conseguirlo. Me dijo que los delitos sexuales no le interesaban, pero esto era una condena por chantaje y extorsión en toda regla, un caso grave. Si no lo conseguía, lo intentaría Diaz. Pensé que podía aceptar el acuerdo.

—Enséñeme las fotos —dije.
—Ha de garantizarme el acuerdo.
—Se lo garantizo.

Thomas se sentó frente al portátil. Abrió y cerró varias unidades de despliegue visual hasta que apareció una pantalla que le preguntaba qué archivo quería encontrar. Tecleó DANA1.JPEG y pulsó un botón para iniciar la búsqueda. En DANA1 apareció un gráfico ramificado con archivos dentro de archivos. Y JPEG al final.

De pronto Thomas rió y se liberó de la tensión.

—Puta madre.

El gráfico mostraba que DANA1.JPEG estaba en un archivo llamado TESTAFERROS, que estaba en un archivo llamado SOCIOS, que estaba metido en otro llamado vacaciones de ed, que había sido guardado en otro con el inocente nombre de CARTAS ADJUNTAS, que estaba alojado en el disco duro. Thomas copió los nombres y cerró la ventana del buscador para abrir el disco duro. Abrió cada archivo en orden inverso, empezando por CARTAS ADJUNTAS, luego VACACIONES DE ED, después SOCIOS. Cada vez que abría un archivo, Pike y yo nos inclinábamos sobre sus hombros, intentando reconocer el siguiente nombre en un revoltijo de archivos. Cuando Thomas abrió finalmente TESTAFERROS, ocupó la pantalla una lista de nombres de pequeños archivos en orden alfabético:

ALLIE1.JPEG
ALLIE2.JPEG
ALLIE3.JPEG
ANGELA1.JPEG
ANGELA2.JPEG

Había cientos de JPEG. Quizá mil. Muchos de los nombres mostraban más de una serie:

BARB1.JPEG
BARB2.JPEG
BARB3.JPEG
BARB2/1.JPEG
BARB2/2.JPEG

—¿Por qué algunos de los nombres tienen series distintas? —pregunté.

—Puteros distintos.

—¿Tomó usted todas estas fotos?

—Ajá.

—Es usted un indeseable —soltó Pike.

Thomas sabía que no debía alzar la vista. Sabía que no debía perder la compostura o desafiarle.

Me levanté de la silla y fui por la lista. Dana había sido fotografiada con siete hombres diferentes. Cuando abrí la primera serie, vi una lechosa imagen nocturna de Dana en el exterior de un bar con un hombre gordo en traje de calle. El ángulo de la foto daba a entender que había sido tomada desde el otro lado de la calzada, y los colores pálidos indicaban que, en vez de flash, se había usado otro tipo de iluminación. Por la expresión del hombre, era evidente que éste no sabía que estaba siendo fotografiado.

En la serie siguiente aparecían Dana, otra mujer joven y dos hombres mayores en una embarcación blanca e impecable en Marina del Rey. Dana y la otra mujer lucían microbiquini y protector para la nariz. El ángulo y la granulosidad revelaban que la foto había sido tomada con un objetivo largo, seguramente desde uno de los restaurantes o apartamentos que bordeaban el puerto deportivo.

Abrí la primera foto de la última serie y vi a George Reinnike. La imagen tenía el mismo tono lechoso que las otras fotos nocturnas: colores degradados debido a la iluminación. Reinnike llevaba una camisa a cuadros de manga larga con los puños abotonados, sin americana, y en su mano derecha se veían claramente las llaves de un coche. Dana le daba un beso en la mejilla, pero él parecía sorprendido y azorado, como si no quisiera esa clase de atenciones en público. Se encontraban junto a la parte trasera de un Honda Accord marrón, aunque tal como estaban yo no alcanzaba a ver la abolladura ni la matrícula.

—Pasemos a la siguiente —dijo Thomas—. Sé que en una se ve la placa.

La otra foto era más grande, mostraba más cosas. Dana se estaba acercando a Reinnike, pero aún no había llegado a su altura. Él estaba inclinado hacia el motel, como sorprendido en el incómodo momento en que estaba decidiendo cómo reaccionar. Su expresión dubitativa sugería preocupación por si ella le montaba una escena o le pedía más dinero. Vi la parte superior de la matrícula, pero estaba borrosa y era ilegible.

—Maldita sea —soltó Thomas—. Sé que la cogí. Aquí hay otra. Ábrala.

El tercer ángulo era el que abarcaba más. Dana estaba de puntillas, con los brazos al cuello de Reinnike. Se veía bien la abolladura junto a la rueda trasera izquierda y que faltaba el tapacubos. Thomas había echado sólo una rápida ojeada al coche y no se acordaba bien; había estudiado las imágenes a fin de elegir las mejores tomas para Stephen. Se veía toda la matrícula, pero borrosa, ilegible, como un rostro en la niebla.

Thomas se acercó más.

—Mierda. No se ve.

Parecía una matrícula de California, pero no estaba seguro.

—¿Puede enfocarla?

—Amigo, esto es ciencia. He encontrado las fotos. ¿Teníamos un trato o no? Ha dicho que teníamos un trato.

Me concentré en la placa borrosa. No se aclaraba. Tal vez un técnico en gráficos de ordenador podría ajustar la imagen. Hacen milagros. Pero no siempre. Cerré el archivo y George Reinnike se esfumó.

Me puse el portátil bajo el brazo e hice a Pike un gesto con la cabeza. Se dirigió a la puerta y esperó. Me volví hacia Thomas.

—Lo organizaré con Pardy —le dije—. Tendrá que declarar contra Stephen, pero me aseguraré de que respetan nuestro trato. Si intenta escabullirse o hacer cosas raras, ya no hay acuerdo, y dejaré que le detengan. ¿Queda claro?

—Queda claro.

—Tendrán su testimonio sobre la prostitución, el chantaje, todo, ¿está claro?

—Sí —dijo Dana.

Parecían conejos sorprendidos por los faros de un coche cuando Pike y yo nos marchamos.

Caminamos en silencio hacia el Jeep de Pike, hasta llegar a la calle.

—Casi —dijo él.

—Encontraré algo para hacer la imagen más nítida. Ha de haber un modo. Tal vez Chen.

Dejé a Pike en su Jeep y yo seguí hasta mi coche, pensando en el asunto. Casi, pero aún fuera de mi alcance, como una imagen imaginada de mi padre.

Cuando aquella noche llegué a casa, dejé el portátil de Stephen en el armario de mi habitación, lo cubrí con un impermeable y luego me bebí un vaso de leche. Comí un plátano, me duché e intenté dormir, pero veía todo el rato la larga lista de nombres. Me preocupaba que Pardy no estuviera de acuerdo y yo no fuera capaz de hacer valer el trato con Thomas y Dana pese a que había dado mi palabra. Me preocupaba no ser capaz de descifrar la matrícula de Reinnike y no averiguar nunca la verdad. Permanecí mirando fijamente la oscuridad congregada en el techo, pensando en todas esas cosas hasta que me enfadé conmigo mismo y salté de la cama.

Encendí todas las luces de la casa y llevé el ordenador de Stephen a la mesa del comedor. Mientras trabajaba, el gato entró y se sentó en silencio, observándome.

Abrí los archivos uno a uno como había hecho Thomas hasta llegar a la larga lista de JPEG. Fui bajando hasta las tres imágenes denominadas VICTORIA, cuyo verdadero nombre era Margaret Keyes. Las borré.

Aún tenía el número de teléfono de Margaret. Eran las dos de la madrugada, pero aun así la llamé. No esperaba que contestara, pero lo hizo al quinto tono. Por el ruido de fondo, se hallaba en un club o un restaurante con otras personas. O quizás era sólo la televisión.

—Hola —dijo.

—Soy Elvis Cole. No tiene por qué decir nada. Sólo escuche.

Ella vaciló, y me pregunté si también estaba despierta a esa hora por la furia y las imágenes en su cabeza. Respondió con cautela, tal vez por las personas que la acompañaban.

—Sí, claro. Entiendo —dijo.

Intentó que su voz sonara alegre y coloquial, como si hubiera recibido la llamada de un amigo.

—Me dijo que Stephen tenía algo suyo. Fotos, ¿no?

No contestó.

—Sí o no, Margaret —insistí.

—Así es.

—Él tenía fotos de usted practicando sexo que luego utilizaba para hacer chantajes, y amenazó con implicarla a menos que siguiera trabajando para él. Sí o no.

—Sí.

—Esas imágenes ya no existen. Es usted libre.

Colgué sin aguardar a que respondiera y subí a acostarme.

Al cabo de un rato, la oscuridad ya no era tan mal presagio, y pude quedarme dormido.

36

Starkey

Tras despertar de su sueño, Starkey pasó una noche fatal; dio unas caladas a un cigarrillo, trató de volver a dormir, pero cada vez que las sombras tomaban forma, se despertaba sobresaltada. Ahora vislumbraba a Sugar, después a Jack Pell, pero casi siempre era Cole, siempre el mismo sueño atroz, una y otra vez. Cuando Pell se le acercaba, sonreía con ojos brillantes y saltones y señalaba algo que estaba detrás de ella, pero Starkey no se volvía lo bastante rápido y se despertaba en la oscuridad antes de poder ver nada. Finalmente, Starkey se dijo que ya era suficiente de estupideces y se levantó de la cama.

Se tomó un antiácido que sabía a moco con sabor a menta, y luego se preparó una taza de chocolate caliente. Desde la explosión, no había podido volver a tomar café. Lo echaba en falta, pero el café enconaba las cicatrices de su estómago como alcohol vertido en una herida. Su estómago era un lío.

Se sentó a la mesa de la cocina, fumando mientras pensaba en Cole, que ahora mismo estaba con la Señorita

Consuelo Sureño Embadurnada de Miel. Starkey estaba enamorada del ganso tontorrón y ya está, y no había sido capaz de quitarse eso de encima. No paraba de pensar en razones para llamarle, volar a su casa en mitad de la noche, incluso llamar a Pike, a ver si podía llegar a Cole a través del Mejor Amigo del Hombre. Toda aquella confusión la dejó con la sensación de ser una degenerada.

Starkey tomó una decisión. Tenía que sentarse con Cole y dejarlo claro: «Mira, Cole, estoy enamorada de ti, ¿vale? Quiero estar contigo. ¿Cómo lo ves?»

Visualizó la escena en su cabeza, de cabo a rabo, y luego hundió el cigarrillo en el chocolate. No tenía narices. Allí estaba ella, la misma mujer que solía desarmar bombas, sabiendo que no se arriesgaría a saber la respuesta de él. Vaya puto lío.

Encendió otro cigarrillo, aspiró hondo y tosió. Menos mal que tenía tabaco.

Carol Starkey siguió sentada a la mesa, fumando, y aquella noche ya no durmió. Allí estaba ella, muerta de miedo por una pesadilla.

El maestro de esgrima

En el sueño, Starkey se esconde en la oscuridad bajo las escaleras de una gran torre de piedra que pertenece a una bella princesa. Starkey nunca ha descrito el sueño a su psiquiatra porque los protagonistas son demasiado obvios. La primera vez que se despertó del sueño, pensó, madre mía, no hace falta ser Sigmund para entender esto. A Starkey le avergüenza lo que cree que revela el sueño.

En el sueño, él es el maestro de esgrima. Nunca llega ni se marcha, no tiene ninguna historia que contar, sino que está atrapado para siempre en el momento del sueño. Ella jamás le ha visto la cara, pero él tiene la complexión y la elegancia de un bailarín, vestido con mallas y una túnica de piel. Se conduce con el orgullo de su pasado, pues en una ocasión fue el Héroe del Rey, famoso por su bravura y su coraje. Ahora visita la torre cada día para enseñar el arte de la esgrima a una princesa hermosa. La princesa se merece por lo menos al Héroe del Rey. Él no se merece menos que una princesa.

Starkey odia a esa jodida princesa.

La princesa tampoco tiene rostro, pero Starkey —con tristeza— sabe que la maldita bruja es apasionada. Su cabellera color miel le cae en cascada sobre unos impecables hombros dorados, y un suntuoso vestido de terciopelo envuelve un cuerpo fuerte, atlético, perfecto.

Por su parte, Starkey viste harapos de arpillera, lleva los pies sucios y tiene manchas en las mejillas. Por algún motivo se ha abierto camino hasta la torre; por algún motivo se ha escondido debajo de la escalera; y por algún motivo observa las interminables lecciones desde su escondite. Y ha acabado perdidamente enamorada de él.

El sueño empieza siempre igual. Starkey, oculta, ve lo siguiente: grandes muros de piedra se alzan altos alrededor de ellos, iluminados por parpadeos cobrizos de antorchas y velas. Cuelgan tapices de las paredes; una delicada alfombra cubre el suelo de piedra. En un lado, una maciza puerta de roble conduce a las cámaras de la princesa; en el otro, una puerta parecida lleva al exterior. La habitación está vacía, como una sala de baile; se pierden los detalles, como en un sueño. El maestro de esgrima y la princesa atacan y esquivan al unísono, adelante y atrás, los ojos de uno absolutamente concentrados en los del otro. Sus floretes despiden destellos de luz, el acero tintineando como campanillas. Él ataca, ella esquiva, ella contraataca, él rechaza, adelante y atrás hasta que el sudor les cubre el rostro y se les acelera la respiración...

Normalmente, después de despertar, Starkey pone los ojos en blanco y piensa: «¡Ya lo tengo! ¡Están follando!»

Pero ahora no. Ahora, en el sueño, la respiración de ella se acelera con la de él. Ella quiere ser la que esté con él en el salón; quiere los ojos de él concentrados en ella, viéndola sólo a ella. Quiere salir de las sombras para ocupar el lugar que le corresponde...

Pero no lo hace.

Lleva arpillera, no terciopelo.

Está llena de defectos, no es una princesa.

Entonces todo cambia, como cambian las cosas en los sueños: la oscuridad la abruma. De pronto Starkey es consciente de que más allá de los muros de la torre todo ha cambiado. Irrumpe en la ciudad un ejército invasor. El grito de hombres acuchillados cabalga sobre el estrépito metálico de las hachas de guerra y los chillidos de los caballos moribundos. Llegan los demonios. Starkey no ve nada de esto, pero, hostia, es un sueño... sabe que está pasando más allá de donde puede ver.

El maestro de esgrima está solo en la sala redonda de la fortaleza. La princesa mira asustada desde su puerta. Él le dice que huya escaleras abajo. Ella sale corriendo...

Starkey, atrapada en su escondite, grita en silencio: «¡Bruja cobarde!»

Se produce un estruendo en la puerta más alejada. El maestro de esgrima se da la vuelta.

Starkey grita en silencio:

—¡Que la bruja estúpida se joda! ¡Sálvate! ¡Corre!

Pero está atrapado en el sueño igual que Starkey.

La puerta maciza se hace añicos. Los mostruosos guerreros entran en tropel, gigantes con sables y músculos imponentes, a cuál más enorme.

—¡Corre, estúpido noble tarado! ¡Corre!

Starkey no sabe que él quiere correr. No sabe que él tiene miedo. Pero él es lo único que hay entre los guerreros y la princesa, así que levanta el florete con calma. Como Starkey, no tiene opción. Es su papel en el sueño, dar su vida por la princesa.

—¡Corre!

Él mira hacia atrás a cámara lenta, al umbral vacío donde antes estuviera la princesa. Le salta una lágrima. Se le mueven los labios. Starkey ve las palabras.

«Te quiero.»

Él se enfrenta nuevamente al enemigo, y su hoja golpea como el rayo. Esquiva, corre disparado y se abre paso entre ellos. Se amontonan los cadáveres ante su habilidad y su furia. Es el maestro de esgrima, el Héroe del Rey, famoso por su bravura y su coraje.

Pero al final son demasiados.

Sus espadas dan con él.

Su cuerpo se rompe.

Starkey es testigo.

Los ojos de él llenos de lágrimas.

Su mirada hacia la princesa.

Su amor eterno.

Su muerte inevitable.

CUARTA PARTE

SU MUERTE INEVITABLE

37

El día despuntó claro y luminoso, inundando la claraboya de mi casa en forma de A con un resplandor ambarino. Abrí las puertas de la terraza en busca de brisa. Aún era agradable el olor a ajo y tomates que Lucy y yo habíamos cocinado. Me gustó, incluso cuando reparé en que Lucy no me había dicho dónde se alojaba. Si no lo sabía, no podía llamarla. Tal vez era lo mejor.

Preparé tres huevos revueltos, bebí café Community y ya estuve listo para ver a Diaz y Pardy. Confeccioné rápidamente una lista de las personas que entrevisté en Anson y San Diego e hice copias de los recortes y artículos de periódico sobre los Reinnike. Cuando acabé con las copias, llamé a Diaz a su oficina.

—Vaya, Mejor del Mundo, ¿todavía no ha resuelto el caso? —dijo.

—Tengo algo que quizá sea de ayuda. ¿Saben algo de Tráfico?

—Oh, vamos, que no es tan fácil.

—He de hablar con usted y Pardy de algo importante. Tengo una foto digital de Reinnike y su coche. Se ve la matrícula, pero está borrosa...

—¿Cómo que borrosa? ¿No se ven bien los dígitos? —me interrumpió Diaz.

—No, pero quizá se pueda hacer una ampliación. Es una foto bastante buena, pero no sale gratis...

—Un momento. ¿Hay alguien más en la foto?

—Una de las chicas de Golden.

—¿Dónde fue tomada? ¿Reconoce usted el lugar?

Diaz estaba buscando otros testigos.

—No es eso —le dije—. Fue tomada en el exterior del Suites Home Away tres noches antes del homicidio.

Se quedó callada, así que seguí adelante.

—Escuche, tenemos que hablar de lo siguiente. Golden no se dedica sólo a proporcionar señoritas. Está metido en un chanchullo de chantajes, y ustedes han de hacer la vista gorda con los que tomaron la foto. Estaban implicados.

—Venga aquí, y veremos qué tiene.

—Necesitan la absolución. ¿Estará Pardy de acuerdo?

—Pardy hará lo que yo le diga.

Cogí el ordenador de Golden del armario y me dispuse a salir por la cocina. Al abrir la puerta, vi que había un sobre sin cerrar de papel manila apoyado en la puerta. Miré dentro y saqué un montoncito de faxes. La primera página estaba dirigida al sargento D. Gittamon haciendo referencia a David Reinnike. El membrete señalaba las páginas enviadas por fax desde el Departamento del Sheriff del Condado de San Diego, Comisaría Norte del Condado, sección de Intervención Juvenil. No había más notas adjuntas.

Seguramente Starkey lo había dejado a primera hora de la mañana, y seguramente no había llamado ni dejado ninguna nota porque estaba cabreada por lo de la cena. Eso me hizo sentir mal. Volví a entrar, y cuando la llamé al móvil saltó su buzón de voz.

—Starkey, soy yo —dije—. Escucha, quiero pedirte

disculpas por lo de anoche. No sabía que Lucy estaba en la ciudad y supongo que fui brusco contigo. Fui un grosero. Tengo lo que me has dejado. Lo leeré ahora y te llamaré luego.

Colgué, pero no me sentía mejor.

El expediente de detenciones juveniles de David Reinnike ocupaba nueve páginas. La primera era un impreso con información general, como el nombre, la dirección, la fecha de nacimiento y la descripción del detenido. Debajo había un recuadro con los antecedentes de detenciones. Según los artículos que leí en el hospital, los vecinos de los Reinnike habían llamado a la policía a causa de David al menos dos veces, quizá tres, pero en la lista sólo figuraba uno. David había sido detenido a los quince años, algo más de diez meses antes de que él y su padre desaparecieran. Se le acusó de amenazas hacia terceros y de crueldad animal, pero el expediente se marcó con NF. La notación NF significaba que el agente encargado del caso había decidido no llevar el caso al Tribunal de Menores.

La cubierta iba acompañada de dos informes. El primero era el de los agentes de la detención. Estaba escrito a mano y tenía sólo una página y media.

Presentado por:
Agente Carl Belnap, #8681
Agente Gregory Silias, #11611

Detención de David Reinnike, 15 años, varón menor de edad, 12-9

Acus.: Código Penal 16-7218a

Agentes de patrulla rutinaria fueron enviados a Adams 1627, un domicilio, a las 16.40 del día 12 del 9. La reclamante (señora Francine Winnant, de 46 años, mujer) abrió la puerta en un estado de angustia emocional. Junto con la señora Winnant estaba la señora Jacki Sarkin, de 42 años, mujer, que se identificó como vecina. La señora Winnant condujo a los agentes a un lado del patio, donde se observó un perro *collie* adulto muerto con lo que parecía una estaca de madera o una lanza clavada en el pecho.

La señora Winnant declaró que David Reinnike, de 15 años, varón menor de edad, de Adams 1612, había amenazado con matar al perro. La señora Sarkin confirmó que la señora Winnant le había hablado de esta amenaza tres días antes, cuando se produjo la misma al decir de ambas. La señora Winnant declaró que había sorprendido a David Reinnike orinando en su patio delantero y le dijo que se fuera. Declaró que la respuesta de él fue la amenaza sobre el perro.

La señora Sarkin declaró que fue testigo del enfrentamiento desde su casa, pero no oyó la amenaza. Declaró que después habló con la señora Winnant, quien le explicó lo de la amenaza.

Tanto la señora Winnant como la señora Sarkin declararon que David Reinnike había cometido actos vandálicos y mostrado conductas extravagantes en el pasado.

Durante las declaraciones de la señora Winnant y la señora Sarkin, la señora Sarkin señaló que actualmente David Reinnike se encontraba en su domicilio, en el garaje abierto.

Los agentes se dirigieron a pie al domicilio de los Reinnike. Se identificaron como agentes de la policía y pidieron al menor adolescente que se identificara. Éste dijo: «David Reinnike.»

Quedó establecido que no había ningún adulto presente, tanto por la declaración de David Reinnike como tras llamar al timbre. No había ningún vehículo en el garaje ni en el camino de entrada.

David Reinnike fue interrogado en relación con las declaraciones de la señora Winnant respecto al perro. David Reinnike negó esas declaraciones y luego ya no habló más. Parecía tener dificultades de concentración. Negó estar bajo la influencia de drogas o medicamentos.

La señora Winnant y la señora Sarkin salieron de su casa y se acercaron. El agente Silias les pidió que volvieran a casa.

David Reinnike se estaba poniendo nervioso. El agente Belnap intentó calmarlo, pero la agitación de Reinnike iba en aumento. Gritó improperios a la señora Winnant y a la señora Sarkin e hizo amago de acercarse a ellas. El agente Belnap lo retuvo en el garaje. En ese momento, Reinnike gritaba a la señora Winnant: «La mataré.»

Reinnike fue detenido bajo la acusación de amenaza a terceros, quedando pendiente la investigación de la Sección de Delincuencia Juvenil y de Control de Animales sobre el asunto del perro. Reinnike fue entregado a la Sección Juvenil, Comisaría Norte del Condado. En el momento de la detención o de la redacción de este informe, no había presente ningún padre o tutor adulto.

Firmado:
Agente CARL BELNAP, #8681
12/9/68

Dejé el primer informe a un lado. El segundo estaba escrito por un inspector de la sección Juvenil llamado Gil

Ferrier. Empezaba con dos páginas que describían la investigación de Ferrier y concluía con el resumen y las recomendaciones:

David parecía tranquilo, pero convenientemente preocupado por su situación. Dijo lamentar su arrebato contra la señora Winnant, pero negó saber nada sobre la muerte del perro. Explicó que su arrebato se debió a la acusación de ella, que según él es incierta e injusta, y a una serie de acusaciones parecidas de la familia Winnant. Declaró que ha sido acusado repetidamente por la señora Winnant de actos cometidos por el hijo de ella, Charles. Según David, Charles, que de acuerdo con David es dos años mayor, ha acosado a David desde que éste se mudó al barrio. David admite que, en una de esas ocasiones, años atrás golpeó en respuesta a Charles Winnant con un bate de béisbol. David declara que desde ese incidente los Winnant lo han hostigado, acusado y amenazado con frecuencia.

El padre de David confirmó por separado la relación antagónica entre su hijo y los Winnant, y explicó el incidente del bate de béisbol. El señor Reinnike declaró que, en aquella época, su hijo tenía un problema de enuresis nocturna. Declaró que en un intento de curar a su hijo, colgó las sábanas sucias de su hijo en el tendedero del patio, y que los otros niños, instigados por Charles Winnant, se burlaron de David durante muchos meses. Declaró que, el día en cuestión, Charles Winnant estaba una vez más riéndose de David por mojar la cama cuando David golpeó al chico mayor con un bate de béisbol. Charles Winnant no sufrió daño grave ni requirió puntos de sutura ni hospitalización. George Reinnike asumió toda la responsabilidad de haber provocado la situación. Declaró que pidió disculpas personalmente a los Winnant, pero que éstos ahora tenían miedo de David y desde entonces han propagado historias sobre él.

David Reinnike parece inteligente, pero es dado a conductas inadecuadas y acusados vaivenes emocionales. Ha sido criado sólo por su padre, George Reinnike, que está discapacitado y en el paro. George Reinnike declara que la madre de David los abandonó poco después del nacimiento de éste. Ella no tiene ningún contacto con su hijo, y se desconoce su paradero.

Vecinos tanto implicados como no implicados en las acusaciones en cuestión afirman que David Reinnike ha exhibido violencia, vandalismo y conductas extravagantes. En los archivos policiales no consta dato alguno acerca de estas imputaciones. David Reinnike no tenía detenciones anteriores.

George Reinnike admitió que su hijo ha cometido dos actos de vandalismo, pero declaró que estos incidentes no se han repetido. Niega los otros incidentes. Los vecinos que hacían estas acusaciones fueron nuevamente interrogados sobre cuándo se produjeron esos supuestos incidentes, y reconocieron que no eran recientes.

Aunque la acusación de la señora Winnant de que David Reinnike amenazó con matar a su perro es creíble, no hay pruebas ni testigos de que David Reinnike matara realmente al perro. Está claro que existe mucha hostilidad entre varios vecinos y los Reinnike. Esta hostilidad se hace patente en las declaraciones.

En mi opinión, el procesamiento de David Reinnike en este asunto no prosperaría. También opino que David Reinnike podría sacar provecho de la terapia psicopedagógica adecuada. George Reinnike declaró que sometería a David a esta clase de terapia.

Mi sugerencia es que los cargos contra David Reinnike no promuevan ninguna acción judicial.

Firmado:
GIL FERRIER, inspector
#1212
14/9/68
JD/SDCSD

Cuando terminé de leer el informe, copié el nombre y el número de placa de Ferrier y los nombres y números de los agentes de la detención. No esperaba que éstos se acordaran, pero estaba claro que Ferrier había sido riguroso y se había preocupado a fondo, y puede que incluso siguiera un tiempo implicado en el caso de David. Treinta y cinco años era mucho tiempo, pero tal vez supiera qué les pasó a los Reinnike después de irse de Temecula.

La imagen del *collie* muerto era difícil de borrar, y me causó cierta turbación. El incidente del perro tuvo lugar casi un año antes de que los Reinnike desaparecieran, y en el archivo no constaba la presentación de otra denuncia, pero yo creía a los vecinos. David Reinnike había sido un niño aquejado de problemas graves, y esa clase de problemas no se desvanecen simplemente abandonando una casa. Quizá George llevó a David a alguna terapia, y David se había enderezado. Pero tampoco me convencía.

Volví al teléfono, y otra vez apareció la voz grabada de Starkey.

—Hola, acabo de leer el material —dije—. Ahora voy a ver a Diaz, pero quiero hablar contigo de esto. Te llamo luego.

Puse rumbo a la Comisaría Central.

38

Veinte minutos más tarde dejaba el coche en la misma plaza de aparcamiento de antes. Me identifiqué en el mostrador y esperé diez minutos a que bajara Diaz. Empecé a esbozar las actividades de Golden mientras subíamos en el ascensor, pero ella me cortó.

—Antes de entrar en materia, veamos si la foto nos sirve de algo —dijo.

En la sala de la brigada había mucho movimiento. En casi todas las mesas había inspectores hablando por teléfono. Pardy era el único que no parecía ocupado. Estaba repantingado en su mesa de la pared más alejada, con la mirada perdida y los brazos cruzados. Tenía el libro de homicidios negro abierto encima del escritorio, pero no parecía mirarlo. Diaz lo llamó y le hizo una señal para que se acercara a su mesa.

—Eh, Sherlock, ven a ver.

Pardy la contempló unos instantes antes de levantarse. Seguramente se estaba hartando de las humillaciones de Diaz. Cerró el libro, comprobó su busca y echó a andar. Cogió una silla y se sentó lo más lejos que pudo de nosotros.

—¿Está haciendo progresos? —le pregunté a Pardy.

—Estoy siguiendo varias pistas. Ya sabe —repuso él.

—¿Tiene alguna idea?

—No estoy buscando ideas.

—Muy bien, Cole —terció Diaz—. Veamos qué es lo que trae.

Mientras arrancaba el ordenador, les di la hoja con los nombres y números de Edelle Reinnike y Marjorie Lawrence. Les di también las copias de los artículos de periódico y les expliqué lo que había descubierto. Diaz fue mirándolo todo y pasándoselo a Pardy. Cuando les hablé de David Reinnike, Pardy alzó la vista.

—Supongo que esto le deja fuera, Cole —dijo—. A menos que los separaran al nacer.

Diaz se puso colorada de la mala leche.

—Lo uno no tiene nada que ver con lo otro. ¿Qué tal si metes el nombre en el sistema y vemos si hay algo?

—Era sólo un comentario. ¿Por qué pensaría Reinnike que Cole era su hijo si ya tenía uno? No tiene sentido.

—¿Por qué se tatuó cruces por todo el cuerpo y pagaba a putas para que rezaran con él? Lo sabremos cuando encontremos a personas que conocieran de veras al tipo —sentenció Diaz.

Encontré el archivo y abrí la foto. Reinnike y Dana ocuparon la pequeña pantalla, de pie junto al Accord marrón. La placa de la matrícula era un rectángulo borroso en el extremo inferior izquierdo. Pardy se acercó.

—Su novio es Thomas Monte —dijo.

—En efecto —repuso Diaz.

Pardy parecía decepcionado.

—No está mal, pero tampoco es gran cosa. Está borrosa.

—Quizá la sección de Investigación Científica pueda sacarla. Con un par de dígitos ya podríamos entrar en el registro.

Pardy regresó a su silla.

—No tengo mucha esperanza —dijo—. Este retraso es un coñazo. Si tenemos que esperar meses para comprobar un arma, ¿cuánto tardarán en verificar esto?

Les interrumpí.

—También puedo ayudar en eso.

—¿Qué pasa? ¿Tiene su propio Miércoles de Puertas Abiertas?

En Los Ángeles se cometían tantos delitos que el Departamento de Policía llevaba un retraso de meses. Se daba prioridad a los casos delicados o que iban a juicio, pero aun así el problema era tan gordo que el Departamento de Policía había puesto en marcha un programa experimental llamado Miércoles de Puertas Abiertas. Cada miércoles, los inspectores podían llevar personalmente pruebas al laboratorio con el criterio de que se atendía al primero que llegaba, y así podían saltarse el papeleo. Pero había tantos casos, que las salas de espera estaban abarrotadas de inspectores perdiendo el tiempo.

—Algo así —dije—. En la sección de Investigación Científica tengo un amigo que me debe un favor.

—¿El pequeño mierda que resolvió lo de la tarjeta clave?

—Sí, Pardy, él.

El pequeño mierda. A Chen le encantaría.

Expliqué cómo llegó Thomas a sacar la foto y que en el ordenador había unas doscientas fotos parecidas. Diaz y Pardy escuchaban mientras yo detallaba los términos del trato, y entonces Diaz arqueó las cejas mirando a su colega.

—Deberías entregarlo en Bunco Suroeste, pero aun así pinta bien. Creo que podemos aceptar —dijo.

—Haz lo que quieras.

Diaz lo miró, claramente molesta.

—Escucha, Pardy, no abandones ahora. Esto podría convertirse en una investigación importante con los federales. Tienes que tomar parte. Debes desarrollar el caso para ver qué hay antes de rechazarlo. Así te llevas más méritos.

Pardy había recuperado su postura repantingada y la miraba fijamente con ojos soñolientos.

—Estoy ocupado. Hazlo tú, si quieres —dijo cansinamente.

Parecía que Diaz iba a decir algo más, pero se volvió hacia el ordenador y cambió el ángulo de la pantalla para ver mejor.

—Muy bien, a tomar por el saco —dijo—. Haremos que limpien esto, a ver si así vemos la matrícula. Lo quiero en la sección enseguida.

—¿Está de acuerdo con absolver a Thomas y Dana? —le pregunté.

—Sí, siempre y cuando no tengan nada que ver con el homicidio. Todo lo relacionado con esta muerte apesta a sexo. Si resulta que estuvieron implicados, ya no hay nada que hacer.

—El sexo no tuvo nada que ver —dijo Pardy.

Estaba arrellanado en la silla, con los brazos cruzados y las piernas estiradas, como si estuviera a punto de dormirse. Irritada, Diaz apretó la mandíbula.

—Muy bien, genio, ¿qué crees que fue?

—Un homicidio vulgar y corriente. —Diaz hizo girar la silla para mirarle, y Pardy prosiguió—. No he estado todo el rato calentando la silla, Diaz. Un testigo identificó a Reinnike en Union Station aproximadamente una hora antes del crimen. Describió los tatuajes de las manos y seleccionó su cara en una serie de seis.

—¿Qué testigo?

—Un sin techo que conozco de Metro. Reinnike rondaba por allí, dijo. El tío le pidió limosna, y Reinnike apoquinó. Pienso que si Reinnike estaba en Union Station, es que tenía que encontrarse con alguien.

Quizá Pardy tenía cara de sueño porque había estado trabajando en el caso toda la noche.

—¿Y qué más? —dijo Diaz—. ¿Alguien le recogió, y fueron en coche hasta un callejón en el quinto pino? ¿Por qué el callejón? ¿Por qué ese callejón?

Pardy la miró fijamente; parecía totalmente seguro de su respuesta.

—Porque estaba en el quinto pino. Porque quienquiera que lo llevara allí tenía intención de matarlo. Quizá lo mataron en otro sitio, y el callejón es sólo el lugar donde se deshicieron del cadáver. No encontramos casquillos. Ni el móvil que Cole decía que tenía. Faltan un montón de cosas.

Diaz torció el gesto, pero a mí me gustaba cómo Pardy lo ensamblaba todo.

—Beckett no encontró ninguna prueba de que el cuerpo hubiera sido trasladado allí —señaló ella.

—Si no lo trajeron desde muy lejos y lo hicieron enseguida, no había por qué encontrar nada.

—¿Y qué hay del coche? —dije yo—. ¿El tío ese vio el coche?

—No, pero tenía que estar cerca, o alguien llevó a Reinnike. El callejón dista un buen trecho de la estación. Yo mismo lo recorrí andando. Es imposible que Reinnike tardara sólo una hora.

Diaz observó a Pardy como si fuera la primera vez que lo veía. Una amplia sonrisa afloró lentamente a su cara, pero Pardy no sonrió en respuesta. Ella se toqueteaba la cadenita con el corazón de plata.

—Bueno, pues es un muy buen trabajo policial, inspector. Excelente de veras —le dijo.

Pardy asintió, y Diaz continuó.

—A ver si con un poco de ingenio puedes llegar hasta sus amigos. Habla también con ellos.

—Eso ya está en marcha.

Diaz le sonrió un poco más, pero Pardy no le devolvió la sonrisa.

—Muy bien, Cole, ¿va a hablar con su chico, el Chen ese? —dijo volviéndose hacia mí.

—Ahora mismo le llevo esto.

Pardy se levantó de la silla y cogió el ordenador de Stephen.

—Ya lo llevo yo. Quiero conocer a su colega Chen. Quizá consiga tener mi particular Miércoles de Puertas Abiertas.

—Dale a Cole un recibo de las pruebas —dijo Diaz.

—Desde luego.

Pardy rellenó un recibo por el ordenador, lo firmó y luego me dijeron que podía irme.

39

Frederick

Aquella mañana, Frederick no abrió la gasolinera de Payne. Había tenido el estómago revuelto casi toda la noche, con la creciente certeza de que no sería capaz de escapar. El ejército de fuerzas alineadas contra él era enorme, y podía ser cualquiera... Cole, un policía, el cura, cualquier automovilista que se detuviera en los surtidores: todo aquel que tomara el camino de entrada podía ser un tentáculo utilizado por la bestia que intentaba encontrarle. Frederick barajó una docena de hipótesis, todas con el mismo final, su propia y terrible muerte, hasta que finalmente cerró la caravana, llevó la escopeta al camión y puso rumbo nuevamente a Los Ángeles para ver si la policía seguía vigilando la casa de Cole.

40

Aquella mañana, John Chen no se encontraba en su oficina, sino trabajando en un homicidio producido cerca de Chavez Ravine. Le dejé un mensaje en el contestador en que le explicaba lo del ordenador de Golden y le pedía que me llamara. Después llamé a Starkey.

—Investigadores. Le habla Starkey —dijo ella.

—Soy yo.

—Ah, hola.

Parecía incómoda. Yo también estaba incómodo.

—Me sabe mal lo de anoche. No quería hacerlo así —dije.

—¿De qué estás hablando? No me lo pensé dos veces.

—Pude hacerlo mejor, eso es todo. Pude pedirte que te quedaras. Lucy estaba totalmente de acuerdo.

—Por favor, Cole, estás haciendo una montaña de esto. Tuviste que cambiar tus planes. Pues muy bien.

—Vale. Escucha, quiero hablar contigo sobre David Reinnike. ¿Nos vemos en Musso? Aunque sea un poco tarde, podríamos desayunar.

—Oye, Cole, ¿qué es esto, una comida para pedir clemencia? No tienes por qué darme de comer hoy para compensar lo de anoche. Yo también tengo una vida.

—No quiero compensar nada. Aún necesito un modo de encontrar a Reinnike, y quiero tu opinión.

Ella dudó.

—Vamos, Starkey. Por favor.

—Suplicar está bien, Cole. Me gusta. Te veo en veinte minutos.

Colgó antes de que yo pudiera decir algo agudo.

El Grill Musso & Frank, en Hollywood Boulevard, se hallaba a cinco minutos andando desde la comisaría de Hollywood. Ha estado en el mismo sitio desde 1938, cobijado tras unas puertas acristaladas que han mantenido el lugar seguro desde los inicios de Hollywood, cuando las estrellas de cine y los directores de los estudios llenaban las mesas de atrás. También se sirve más o menos el mismo menú desde 1938. Cuando otros restaurantes de Los Ángeles reducían las calorías con la *nouvelle cuisine*, Musso se pasaba con la mantequilla y la sal. Hollywood decayó en los sesenta, cuando el bulevar se llenó de gente de la calle, putas y criminales. Aquello se convirtió en una zona muy conflictiva, pero Musso sobrevivió y prosperó. Tal vez debido a su historia, o quizá gracias a los viejos duros que trabajaban de camareros y simplemente se negaban a que algo bueno desapareciese. Siempre ha sido uno de mis restaurantes preferidos. Me gustaba que sus dueños no quisieran cambiar, a pesar de que el mundo los alcanzase de nuevo. Un buen lugar para comer.

Aparqué en el aparcamiento trasero y me dirigí al interior. En la barra se alineaban varios comensales, y la mayoría de los reservados de cuero rojo estaban ocupados por la típica fauna de Musso formada por hombres de negocios, publicistas, músicos y corredores de apuestas.

Starkey estaba sentada en un estrecho reservado junto al pasillo central, en cuya mesa había agua y un par de cartas. Dejé los recortes y el expediente de Reinnike entre los dos y me senté enfrente de ella.

—Hola. Gracias por venir —le dije.

Starkey parecía inusitadamente complacida consigo misma.

—No intentes levantarme el ánimo ni nada de eso, Cole. Yo no follo en la primera cita.

El comentario de Starkey me hizo sentir incómodo, sobre todo cuando tres mujeres del otro reservado miraron.

—Mira, lamento que hubiera un malentendido —dije—. Yo no pretendía que lo de anoche fuera una cita «cita». Era sólo una cena.

—Te estaba tomando el pelo, Cole. Tomarte el pelo está chupado.

Starkey se tragó dos pastillas de antiácido cuando el camarero nos tomó nota. Yo pedí la tortilla Denver; Starkey, un bocadillo de lengua. Cuando el camarero se hubo ido, ella echó un vistazo a los informes y artículos.

—No sé qué puedo decirte sobre esto —observó.

—Si Chen no puede sacar la matrícula, se me acaban los caminos para encontrar a George. Pero dar con David podría ser tan interesante como dar con George.

Di unos golpecitos en la carpeta de David Reinnike.

—¿Lo has leído o me lo has pasado directamente?

—Lo he leído. El chico tuvo problemas.

—Sí, es verdad, pero en sus antecedentes sólo consta una detención. Los periódicos decían que los vecinos habían llamado a la policía tres o cuatro veces.

Starkey se encogió de hombros.

—Son los periódicos, Cole. Siempre se equivocan. Pero aunque fuera verdad, aparece la policía, alguien accede a pagar la ventana rota de no sé quién, todo el mundo se calma, y se acabó. Los polis podían haber ido una docena de veces, dos docenas, y no lo sabríamos.

—Yo no lo veo así, Starkey. Lo enfoco desde otro punto de vista. El investigador que se encargó del caso, Ferrier, recomendó terapia. Creo que la terapia funcionó... por eso el chaval fue capaz de no meterse en líos. ¿Puedo averiguar quién era el terapeuta?

—En los archivos de la policía, no. Aquí hay lo que hay.

—¿Lo sabría Ferrier?

Starkey miró a las tres mujeres y luego meneó la cabeza.

—Ferrier se jubiló en el ochenta y dos y murió en el ochenta y nueve. Lo he mirado. Ya pensé que querrías hablar con él.

No sabía qué más decir. Bebí un poco de agua y luego también miré a las tres mujeres. George Reinnike no estaba en la base de datos; sólo había este único expediente sobre David, y parecía difícil avanzar a partir de ahí.

Starkey pasó las hojas una a una.

—En la Brigada Antiexplosivos aprendí una cosa —dijo—. Si hay una bomba, esa bomba explotará.

—¿Qué significa?

—El mero hecho de que no volvieran a detener al chico no significa que éste fuera un ciudadano ejemplar. El chaval estuvo mostrándose agresivo y violento durante un período de tiempo significativo. Veo chicos así continuamente. Déjame decirte una cosa, esas detenciones son sólo la punta del iceberg; los trincan por una cosa, pero puede haber treinta o cuarenta incidentes de los que se libran.

—¿No crees que alguien puede cambiar? También verás continuamente chicos que cambian.

—Sí, veo cambios. Sólo que no los espero.

De pronto ella apartó las hojas a un lado; parecía turbada.

—Mira, Cole, no sé por qué nadie hace nada. Durante cuatro años, después de dejar la brigada, perseguí a maniáticos de las bombas. Esos bichos raros eran los degenerados más enfermos y con el coco más hecho polvo que te puedas imaginar. ¿Sabes cuál es la diferencia entre ellos y los demás? Las personas normales sienten el impulso de hacer algo inverosímil, pero no lo hacen. Los gilipollas sienten el impulso de hacer algo, y lo hacen sin más.

—No controlan sus impulsos.

—Este chico no controlaba sus impulsos. Veo muchachos así cada día. Por eso me los mandan a mí, porque se meten en líos. Pero éste no es sólo un chico desgraciado que exterioriza una mala vida familiar... —Pasó unas hojas del informe y los artículos en busca de ejemplos—. Agredió a un chico con un bate, se meó en el patio de una mujer... Eso pone de manifiesto una falta de control de los impulsos. Mira, aquí, donde arroja el martillo al coche... dice que estaba riéndose... ¿Y aquí, cuando está en medio de la calle hablando solo? Esto ya es un caso de psicosis.

Starkey alzó la cabeza; tenía la mirada seria.

—Le he dado vueltas a esto, Cole —prosiguió—. Aquí tienes a un chico con una historia, y él y su padre van y desaparecen dejando todo ese dinero. Muy bien, no hay pruebas que vinculen su desaparición a un delito, pero los del Departamento del Sheriff estaban investigando falsificación de cheques y estafa... pensando que las víctimas eran los Reinnike. No estaban investigando a un muchacho que atravesó a un *collie* con una estaca de jardín.

Estoy pensando que deberías verificar los crímenes violentos no resueltos en la zona justo antes de que se marcharan.

Asentí. Fue un gesto leve, pero Starkey hablaba con tino. Se podía ver también desde esa óptica; George tenía una actitud protectora y defensiva hacia David. Había acudido en ayuda de David una y otra vez, pero también había presentado excusas por la conducta de su hijo que bordeaban el desmentido. George bien pudo dejar de proteger a su hijo. Quizás abandonó el dinero y no volvió a mirar atrás.

—Es una buena idea, Starkey. Realmente buena.

—Pues claro que lo es, Cole. Y es también una posibilidad muy remota, pero te dará algo que hacer en tu tiempo libre.

Pensé en ello. Seguramente George no habría abandonado el dinero a menos que David hubiera hecho algo tan malo que George tuviera miedo de que fuera a la cárcel o de que se lo quitaran. Tendría que haber sido algo grave: incendio provocado, o algún delito contra personas, como violación, robo a mano armada u homicidio.

—Si quisiera una lista de los principales crímenes no resueltos cometidos en Temecula entre ciertas fechas hace treinta y cinco años, ¿podría conseguirla? —dije.

Starkey frunció los labios mientras pensaba, y luego cogió su móvil.

—Déjame hacer un par de llamadas. Miraré a ver.

El móvil de Starkey funcionaba perfectamente, lo que me fastidió. Por mucho que uno trate de entusiasmarse con esas cosas, no hay nada que hacer. Pensé que ella estaba llamando a Gittamon, pero no, hablaba con su antiguo jefe de la sección de Conspiraciones Criminales: un teniente llamado Barry Kelso. Los inspectores de la SCC investigaban bombas y atentados con bombas, lo que había hecho Starkey tras dejar la Brigada Antiexplosivos. Starkey copió un número que le dio Kelso, y luego llamó a alguien del Departamento del Sheriff llamado Braun.

—Barry Kelso me ha dicho que usted puede ayudarme —dijo al teléfono—. Soy la inspectora Carol Starkey, de la Brigada Antiexplosivos del Departamento de Policía de Los Ángeles.

La miré y arqueé las cejas; Starkey tapó el aparato.

—Si dices que eres de la Brigada, te prestan más atención —me susurró.

Le pidió a Braun si podía procurarle una lista de delitos graves no resueltos producidos en la ciudad de Temecula y alrededores en los catorce días anteriores a la desaparición de los Reinnike, treinta y cinco años atrás. Seguramente Braun preguntó para qué quería esa información. La voz de Starkey se volvió glacial.

—Sólo puedo decirle que afecta a componentes de Antiexplosivos y de Seguridad Nacional. No me pregunte más —dijo.

Braun debió de quedar impresionado. Pasaron otros diez minutos al teléfono, con Braun haciendo preguntas para restringir la búsqueda. Cuando hubieron acabado, Starkey volvió a cubrir el auricular con la mano para pedirme mi número de fax, que luego pasó a Braun.

—Muy bien, voy a darle mi número de fax particular —le dijo—. Me puede mandar la información allí.

Y ya está. Starkey desconectó el móvil y me miró.

—Ya veremos. No está muy seguro de lo que se va a encontrar. Puede que tarde un par de días.

—Gracias, Carol —dije—. De verdad.

Ella asintió, pero apretó nuevamente la boca como si

aún tuviera algo que decir. Se fijó en las tres mujeres del reservado de al lado, y luego me miró a mí. Puso la mano sobre el expediente de Reinnike. Apoyaba la palma con cuidado, como si estuviera tocando algo delicado. Meneó la cabeza.

—No creerás que este payaso es pariente tuyo, ¿verdad? —dijo.

—No.

—George no es tu padre. Sería absurdo pensar eso. No cuadra con todo lo que has dicho. ¿Lo ves o no?

—Me doy cuenta. Lo sé.

—Da igual lo que pensara o que tuviera esos recortes; sufría alucinaciones.

Yo quería que Starkey dejara de hablar de ello. Miré a las tres mujeres.

—Entiendo lo que dices.

—Entonces, ¿por qué no acabas ya con este disparate?

Starkey estaba encorvada sobre la mesa, con su mirada clavada en la mía. No apartó la vista. Yo tampoco.

—George se metió en ese callejón con fotos mías —dije—. Entró pensando que yo era su hijo. Quizás incluso pensando que yo estaría ahí. No sé por qué tenía las fotos e hizo eso, pero quiero saberlo. El único modo de averiguarlo es encontrar a alguien que pueda explicármelo. No quiero descartarlo tachándolo sin más de loco porque entonces nunca sabré realmente nada. Necesito que alguien me lo explique. Necesito verlo por mí mismo. ¿Lo entiendes?

—Sólo quiero que todo este rollo no te haga daño.

Asentí y esbocé una ligera sonrisa. Era bonito oírle decir esto.

—En el callejón —prosiguió Starkey—, cuado Diaz te lo dijo y tú viste los recortes, antes de saber nada de todo lo demás, ¿esperabas que fuera verdad? ¿Querías que fuera tu padre?

La respuesta era fácil.

—Alguien ha de ser. En algún lugar ha de estar.

Starkey puso su mano sobre la mía y la apretó.

—Tengo que volver al trabajo.

Se levantó para salir del reservado, pero yo no la imité. Starkey se agachó para darme un beso en la mejilla. Al inclinarse, se le cayó el pelo hacia delante. No había visto nunca a Starkey desde ese ángulo. Era guapa.

41

Cuando salí del Grill Musso & Frank, pensé en dejarme caer por mi oficina, pero no lo hice. La oficina estaba cerca de Musso, y pasar por allí habría sido fácil, pero nada. Estaba ansioso por saber algo de Braun y Chen, así que volví a casa a toda prisa. Habría debido ir a la oficina. De haberlo hecho, todo habría sido diferente.

Pero mi instinto de ir directamente a casa de algún modo mereció la pena: cuando llegué, me esperaba un fax recién enviado. La primera hoja estaba dirigida a Starkey y en ella se resumía que Braun había limitado la búsqueda a crímenes contra personas no resueltos que se habían producido a unos cincuenta kilómetros o menos de Temecula, lo que se traducía en veintisiete entradas. Braun había trabajado rápido gracias a las palabras mágicas de Starkey: Brigada Antiexplosivos.

Me llevé las hojas al sofá y las leí de arriba abajo. Las entradas individuales tenían cada una apenas unas líneas escritas en una jerga abreviada que se leía como un código:

SDC#R4123; 12/05/70; 11h 20m; AGRAV. AGRS/ROBO; 1255 Park Dr/Murrieta/domic.priv; VIC

Ronald L. Peters, blan, 41, agres mien/entr casa/arm. ladr rojo. RAS/DNS agres: no test; no detenc; no sosp. Ofc#664.

La primera entrada describía una agresión y un robo con agravantes ocurrido en Murrieta, California, a nueve o diez kilómetros al norte de Temecula. La víctima era un hombre blanco de cuarenta y un años llamado Ronald Peters, que al entrar en casa fue agredido por un desconocido provisto de un ladrillo. El ladrillo fue encontrado en la escena del crimen, pero Peters no vio a su agresor, no había testigos, y la policía no tenía ningún sospechoso. Seguramente los Reinnike no habían desaparecido para eludir acusaciones de agresión y robo. Probablemente Peters había hecho ostentación de dinero en un bar, y luego fue seguido a casa en lo que venía a ser un crimen de oportunidad.

La mayoría de las anotaciones eran agresiones y robos a mano armada como la primera, pero encontré dos violaciones que me dieron que pensar. Se produjeron en noches consecutivas aproximadamente una semana antes de que los Reinnike se marcharan. La primera tuvo ocasión a unos quince kilómetros al sur de Temecula, la otra a unos veinte al este. Ambas víctimas fueron secuestradas por dos enmascarados que conducían una camioneta blanca. Me pregunté cómo podía averiguar si George Reinnike tenía una camioneta blanca cuando vivía en Temecula. Lo anoté para recordarlo más tarde y seguí adelante.

Las otras entradas correspondían a agresiones y robos a mano armada de poca importancia, pero de pronto me encontré con un homicidio. Kenneth Dupris había muerto en Sun City, a unos doce kilómetros al sur de Temecula, nueve días antes de la desaparición de los Reinnike. Había sido asesinado en casa. La abreviatura de la causa de la muerte era MULTIP CUCH/CAB, un desconocido había apuñalado repetidamente a Dupris en la cabeza. La entrada señalaba que también había sido acuchillado el perro de Dupris. También lo anoté.

Cuando leí la octava entrada de la tercera hoja, cambió el contexto de todo:

> SDC#H5009; 22/05/70; 19h 15m; CAS (MULT-3); 625 Court Ln/Temecula/domic.priv; VIC H Diaz, h, mex, 36; VIC M. Diaz, m, mex, 32; VIC R. Diaz, h, mex, 12MC; COD BFT; agres en casa/arm.bateb/ RAS: TEST K. Diaz, m. mex, 4; no detenc.; no sospech. Ofc(s)#716,952. DME#FG877-2.

Una familia había sido asesinada a palos con un bate de béisbol nueve días antes de que los Reinnike se esfumaran. Las edades y los géneros de las víctimas indicaban que eran el padre, la madre y un hijo. La única superviviente de la familia fue una niña de cuatro años, que también era la única testigo. Las víctimas se apellidaban Diaz. La niña superviviente era K. Diaz.

Fui a la cocina, bebí un vaso de agua y luego leí de nuevo la entrada. K. Diaz. Comprobé las fechas e hice el cálculo. Ahora K. Diaz tendría la misma edad que Kelly Diaz, pero Diaz era tan común como Smith o Johnson. En la guía telefónica de Los Ángeles había miles de personas con ese apellido.

Aún seguía pensando en ello cuando sonó el teléfono. Era Chen.

—Ese Pardy es un gilipollas —soltó—. Me ha dicho que tenía que hacer por él lo mismo que por ti. Dijo que si no le echaba una mano, informaría de que yo hacía trabajos para otros en mi horario del departamento.

—Te protegeré, John, ¿vale? ¿Has podido ver la imagen?

—Sí, sí... Tengo los siete dígitos. El vehículo nos lleva a un tal Payne L. Keller, de Canyon Camino. Eso está por Magic Mountain.

Canyon Camino era una pequeña comunidad situada al norte de San Fernando Valley, a veinte minutos.

—¿Era robado?

—No hay multas pendientes de pago. O Keller prestó el coche a Reinnike, o es otro nombre falso, como Herbert Faustina.

Chen me dio la dirección de la matrícula. Le pregunté si se lo había dicho a Pardy.

—Sí, ese gilipollas me advirtió de que se lo dijera primero a él. También he tenido que llamar a Beckett. Beckett tiene que notificarlo al pariente más cercano, así que ya estarán llamando.

—Gracias, John. Buen trabajo. Te lo agradezco de veras.

—No eres tú, ¿verdad?... El pariente más cercano.

—No, no soy yo. Es que me pudo un poco la emoción.

Chen pareció algo desconcertado.

—Vale. Muy bien. Lo siento —se disculpó.

—No pasa nada.

Colgué sintiéndome dividido entre la dirección de Keller y la carta de Braun. Éste había incluido dos números de teléfono. Lo llamé a su oficina y procuré adoptar un tono formal. Payne Keller debería esperar.

—Señor Braun, me llamo Cole. Estoy trabajando con la inspectora Starkey sobre el asunto que ustedes discutieron.

—Ah, sí. ¿Ha recibido ella los faxes? —dijo Braun.

—Por eso le llamo, señor. Tenemos interés en saber algo más de esos casos. Nos gustaría ver los expedientes.

—Esos expedientes estarán en el almacén. Lo que he enviado son resúmenes de ordenador.

—Estamos sumamente interesados en uno de los expedientes. ¿Puede decirnos dónde está guardado?

—¿Es usted también de la Brigada Antiexplosivos?

—No puedo hablar de mi organización, señor, pero nos corre mucha prisa.

—De acuerdo. ¿Cuál es el número del expediente? Tengo que ir a mi mesa.

Le leí el número mientras él se dirigía a su mesa, y luego me dijo cómo encontrar el expediente. Habría podido tardar cinco minutos más en salir de casa. Habría podido ir al baño, ponerle comida al gato o lavar los platos. Todo habría salido mejor si me hubiera demorado unos minutos; pero no lo hice. Tenía prisa. Me fui.

42

Frederick

Frederick volvió a la casa de Cole. El garaje estaba vacío, e igual que cuando llegó el día anterior, parecía no haber nadie dentro. Frederick dejó el camión tras la curva, en las mismas obras, y luego se situó bajo los mismos olivos para vigilar la casa de Cole, pero ni éste ni la policía que patrullaba hicieron acto de presencia. Al cabo de treinta minutos, Frederick no dudó.

Salió directamente de los árboles, tomó la calle y llamó a la puerta de Cole. No contestó nadie. Intentó abrir haciendo girar el pomo, pero la puerta estaba cerrada. Pasó el garaje bordeando la casa y encontró una ventana apropiada.

Frederick la abrió a la fuerza, se subió con un gruñido, superó a duras penas el alféizar y saltó a la cocina. Una vez dentro de la casa, sacó la escopeta del estuche.

Cole tenía que llegar tarde o temprano. Frederick decidió esperar.

43

El Departamento del Sheriff guardaba sus archivos en un edificio gris de cinco plantas al sur de los almacenes ferroviarios de Union Station. Mientras aparcaba, pasó un largo tren con gran estrépito. La tierra temblaba con la tensión del acero aplastando acero, como si se tratara de un terremoto a cámara lenta. Esperé el furgón de cola, pero los vagones seguían pasando en una hilera continua. El temblor levantó en el aparcamiento una niebla baja de polvo. Esperé, pero venían más vagones, y la fila no acababa. Finalmente pude pasar y entré en el edificio.

Una mujer de mediana edad estaba sentada tras un estrecho mostrador, parecido al de una tienda de recambios de automóvil. No permiten que la gente entre a buscar archivos; un oficial jurado tenía que proporcionar un distintivo y un número de caso, y luego había que esperar a que el empleado encontrara el expediente. Yo había convencido a Braun de que el tiempo era crucial. Él había tenido la amabilidad de llamar antes.

—Un tren largo —dije.

—Una se acostumbra —repuso la mujer.

—Me llamo Cole. El sargento Braun ha llamado para solicitar un expediente.

Ella me miró detenidamente y luego se acercó a un carrito de la compra que tenía aparcado al lado de la mesa. Sacó un sucio archivador negro y lo llevó al mostrador. En el lomo llevaba escrito a mano el número del expediente.

—Muy bien, aquí lo tenemos, pero el expediente no está disponible —dijo—. Alguien lo pidió y no lo devolvió. A veces pasa.

Por el modo en que colocó la caja en el mostrador y la hizo girar hacia mí, no había duda de que estaba vacía. Quitó la tapa para que lo viera. Vacía. El expediente de Diaz no estaba.

—¿Hay algún registro firmado? —pregunté.

—Oh, claro, debería haberlo.

De una funda exterior de la caja sacó una tarjeta amarillenta. Todos los que pedían expedientes tenían que firmar el recibo, como se hacía en las bibliotecas de antes. Ella la miró y la dejó sobre el mostrador.

—Vaya modo de escribir, todos deben de creerse que son médicos —dijo.

Tres personas habían solicitado el expediente desde que había pasado a archivo definitivo. Los dos primeros nombres eran Álvarez y Tolbert, que lo habían consultado por separado hacía más de veinte años. Había una tercera entrada garabateada y difícil de leer, pero tuve bastante con las letras. «Ins. K. Diaz.» Diaz se había llevado el expediente hacía casi ocho años y no lo había devuelto.

Di las gracias a la empleada y regresé al coche. El tren ya no estaba. La tierra ya no temblaba con aquel enorme peso rodante, y por alguna razón el aparcamiento y el almacén parecían más pequeños sin él. Llamé a Diaz a su móvil y saltó la voz grabada. Le pedí que me llamara y luego telefoneé a su oficina. Contestó un inspector de guardia llamado Pierson.

—No está —dijo.

—¿A qué hora llegará?

—Ni idea, amigo. ¿Quiere dejar un recado?

—¿Y Pardy?

—Tampoco está.

Dejé el recado de que me llamaran y colgué. Los agentes de policía no aparecen en la guía telefónica. Para que los sociópatas criminales que detienen no disparen a sus ventanas. Pero Diaz me había dado el número de su móvil, y las facturas de los móviles tienen una dirección adonde ser enviadas. Llamé a una amiga de la compañía de teléfonos. Con el número que le di identificó la empresa de telefonía del móvil de Diaz, de la cual obtuvo la dirección. Para hacer algo así, un poli necesitaría una orden judicial, pero las entradas de los Dodgers surten más efecto.

Miré la dirección en mi Thomas Brothers y luego fui a ver qué me encontraba.

Diaz vivía al sur de Sunset Boulevard, en Silver Lake, en una calle sinuosa que en otro tiempo había estado abarrotada de refugiados centroamericanos. La mitad inferior de su dúplex había sido pintada recientemente de azul turquesa brillante, pero el pequeño patio delantero se veía descuidado. Aparqué en la cuesta y me dirigí a la puerta. El edificio era tan pequeño que los golpes seguramente resonaron en todo el apartamento.

—Diaz, soy Cole —dije.

Intenté abrir la puerta, luego retrocedí y estudié el apartamento de arriba por si había alguien en casa. Volví a llamar.

—¿Diaz?

A mi espalda sonó un claxon. Me volví y vi a Pardy marchando al ralentí. Me pregunté si había estado vigilando la casa o siguiéndome. Tocó otra vez el claxon y me hizo señas para que me acercara.

—¿Qué está haciendo aquí, Cole? —preguntó.

Vacilé. Quería hablarle del expediente, pero también quería ver qué había en la casa de Diaz.

—Pasaba a verla. ¿Y usted?

Pardy miró hacia el apartamento como si supiera que yo mentía y pasó por alto mi pregunta.

—¿Está en casa? —dijo.

—No contesta nadie.

—Tampoco contesta al teléfono. Vamos, entre.

—Estoy bien aquí.

—Hace demasiado calor para estar fuera. Vamos, aquí se está más fresquito.

Rodeé el coche por detrás y me subí. Pardy me observó, y yo me pregunté qué estaría pensando.

—Diaz nunca me contó que fueran amigos —dijo—. ¿Cómo es que sabe dónde vive?

—Ella me dio la dirección.

—¿Le está esperando?

—Sólo pasaba por aquí. Quería hablar de Reinnike.

Pardy asintió, pero no hizo ningún comentario, y volví a preguntarme qué estaba haciendo allí.

—¿Y usted, Pardy? ¿A punto de hacer alguna detención? —le pregunté.

—Ahí estamos.

—Y ha venido a hablar de ello con Diaz.

—Exacto.

—¿Por qué no hablan en la oficina?

Pardy miró por el retrovisor y observó el apartamento de ella como si esperara ver algo nuevo. No hizo amago de mover el coche.

—Permítame una pregunta, Cole. ¿Ha encontrado algo que explique por qué Reinnike tenía esos recortes?

—No.

—¿Nada que lo relacione a usted con él?

—Nada.

Pardy me miró fijamente y yo hice lo propio. Miró otra vez el apartamento, y estuve seguro de que sospechábamos las mismas cosas. Sólo que él no cobraba suficiente ánimo para decirlo.

—Ahora yo tengo una pregunta para usted, Pardy. ¿Y si dijera que lo mató un poli? ¿Qué respondería a eso?

—Diría que más le vale tener pruebas suficientes y el culo a buen recaudo. Diría que más le vale que no le queden cabos sueltos, que todas las íes lleven su punto y las tes el palito cruzado. Si no, mejor que tenga la puta boca cerrada hasta entonces.

—¿Ha hablado con Chen?

—Sí, sobre la matrícula. Y hace un par de horas, también con el sheriff de Canyon Camino. Por lo que el sheriff sabía, Keller nunca dijo nada de un hijo. Creía que vivía solo.

—¿Saben por qué vino a Los Ángeles?

—No sabían siquiera que hubiera desaparecido. Intentarán localizar al pariente más cercano.

—¿Les ha hablado de la detención en la que está pensando?

Pardy clavó otra vez en mí sus ojos oscuros.

—¿Por qué coño tendría que ir hablando por ahí de eso? —dijo.

—Aún no es capaz de poner los puntos sobre las íes y el palito en las tes.

—Eso es. Volveré a trabajar en ello ahora mismo. Voy a irme, y no regresaré, aunque estaré cerca. Quizás hablemos más tarde usted y yo.

Al decir esto, me miró sin apartar la vista, y supe que me estaba dando luz verde para que yo entrara en el piso de ella. Los dos estábamos pensando que Diaz tenía algo que ver con la muerte de Reinnike.

Me bajé del coche.

—Muy bien, Pardy. Hasta luego.

Se inclinó a través del asiento y me tendió su tarjeta.

—Tome mi número del móvil —dijo—. Tal vez necesite llamarme.

44

Contemplé a Pardy alejarse. Después me dirigí al flanco del apartamento de Diaz, a un patio de cemento agrietado cubierto de buganvillas. De la segunda planta sobresalía un balcón con unos peldaños de madera que conducían a una puerta estrecha. Debajo del balcón había una puerta parecida. Tardé ocho minutos en forzar las cerraduras.

Diaz tenía un piso pequeño, con un dormitorio y un cuarto de baño que surgían de la cocina y el salón. Los muebles eran escasos y no hacían juego, y tenía todo el aspecto provisional de un hotel, como si Diaz estuviera sólo de paso.

El expediente estaba sobre la mesa de comer. No lo había escondido, ni siquiera había intentado esconderlo. Como cualquier otro expediente, era una carpeta oscura de tres anillas con el apellido familiar escrito en el lomo: DIAZ.

Inspeccioné el apartamento porque es algo que uno siempre ha de hacer, en busca de cadáveres o de gente al acecho. Luego volví a la mesa. Me senté frente al expediente, igual que habría hecho ella, y lo abrí.

Las páginas tenían un tacto fino, pero no amarilleaban

ni parecían frágiles. El primer documento era un impreso estándar que recogía los hechos del delito. El oficial al mando se identificaba como inspector-sargento Max Alvarez, pero el impreso lo firmaba el inspector Korvin Tolbert. Los jefes suelen dejar el papeleo a sus subordinados.

A las 19.15 del 22 de mayo de 1969, los agentes Padilla (#1344) y Bigelow (#6191) entraron en el domicilio particular de 625 Court Lane, Temecula, en respuesta a la llamada de unos vecinos. Tras entrar en el domicilio, los agentes encontraron tres muertos (véase más adelante) y una menor superviviente (véase más adelante). Los agentes salvaguardaron la escena del crimen. A las 20.25 llegaron los inspectores M. Alvarez (#716) y K. Tolbert (#1952). La oficina del forense dictaminó que los muertos habían sido víctimas de homicido.

La identificación fotográfica (carnés de conducir) y la identificación visual de los vecinos (véase más adelante) permitieron establecer con carácter preliminar que las víctimas eran Herman Eduardo Diaz, de 36 años; su esposa, María Diaz, de 32 años; su hijo, Richard Raul Diaz, de 12 años. La identificación confirmada está pendiente del examinador médico. Según las indicaciones iniciales, los tres sufrieron traumatismo grave en la cabeza por objeto contundente. En la escena se recuperó un bate de béisbol Lugger Louisville de 75 cm, que ha sido sometido a las pruebas pertinentes. En el bate había restos de sangre, tejidos y cabello. (Véase más adelante.)

Los vecinos identificaron a la menor ilesa como Kelly Louise Diaz, de 4 años, hija de Herman y Maria. En la escena del crimen no se hizo intento alguno de interrogar a la niña. Fue tomada en custodia por la Sección de Menores quedando pendiente la localización del pariente más cercano.

Cuando vi el nombre completo de la pequeña, solté un leve suspiro en forma de siseo. La familia de Kelly Diaz había sido golpeada hasta la muerte con un bate de béisbol a diecinueve kilómetros y medio de la casa de los Reinnike, nueve días antes de que éstos desaparecieran. Dos días antes había sido acuchillado el perro de Dupris. David Reinnike había sido acusado de atravesar a un *collie* con una estaca, y en otra ocasión había agredido a otro chico con un bate de béisbol. Treinta y cinco años después, la inspectora Kelly Diaz del Departamento de Policía de Los Ángeles había sido la única persona presente cuando el padre de David Reinnike, George, fue asesinado en un callejón.

El primer informe sólo tenía tres páginas. Tolbert lo había redactado la mañana siguiente al asesinato, por lo que los hechos iniciales eran escuetos, pero horas después adjuntó informes escritos por los agentes que respondieron a la llamada y las declaraciones de los vecinos. Las víctimas fueron descubiertas por una vecina que había ido a preguntar si sus hijos podían quedarse esa noche con la familia Diaz mientras ella visitaba a una amiga hospitalizada. Creía que se encontraban en casa porque sus coches estaban en el camino de entrada. Nadie respondió a su llamada, pero la puerta estaba entreabierta, por lo que la abrió del todo y anunció su presencia. Entonces vio a Maria Diaz tendida sobre la alfombra empapada de sangre.

Tras las declaraciones iniciales seguía un croquis que mostraba la ubicación de los cadáveres y el bate de béisbol. Cada cuerpo era una pequeña figura en forma de palo con las iniciales al lado. Tolbert anotó que la casa no había sido destrozada, que los vehículos no habían sido robados y que parecía no faltar nada. El robo no se consideraba un móvil, pero no se descartaría hasta obtener resultados de las investigaciones.

Las siguientes páginas contenían fotos de la escena del crimen. En la primera aparecía Maria boca abajo junto a un sofá. La cabeza era una masa roja de pelo y tejido. Llevaba unos pantalones cortos y una camiseta negra estampada con la leyenda MOTHERS OF INVENTION.

En la segunda salía Herman Diaz. Estaba tendido de espaldas, mirando un techo que no podía ver. La sangre se le había encharcado alrededor de la cabeza, abriéndose en abanico desde la cara como pétalos rojos.

En la tercera se veía al hijo de 12 años, Richard. Estaba en parte oculto bajo la mesa de la cocina, pero una fina mancha roja se arrastraba por el suelo, como dejada por la fregona. El hermano había intentado huir.

Me sentí mareado, y me di cuenta de que había dejado de respirar. Alcé la vista y aspiré hondo.

Fui pasando fotografías de manchas y huellas borrosas. Los criminalistas del Departamento del Sheriff habían aislado una huella parcial de pulgar en la puerta de la cocina y tres fragmentos de huella en el bate de béisbol, pero con eso no fueron capaces de establecer la identidad de nadie. También encontraron huellas parciales en el suelo de la cocina que concordaban con una bota de trabajo claveteada del cuarenta y tres, lo que indicaba que el agresor era un hombre adulto de estatura y peso medianos.

La mayoría de los informes, declaraciones y entrevistas restantes habían sido incorporados al expediente durante las tres semanas siguientes al crimen. Tolbert introdujo los informes del laboratorio a medida que iban llegando, pero sus resultados —como las entrevistas y el resto de la investigación— no fueron de ninguna utilidad. No se habían identificado sospechosos y al cabo de un tiempo se fueron dejando de lado las pesquisas.

El último informe de Tolbert estaba fechado dieciséis semanas después de los asesinatos. La hermana de Maria, Teresa Evans, había revisado las pertenencias de su hermana e informó de que faltaba una cadena con un corazón de plata que originariamente había pertenecido a su abuela. Explicó a Tolbert que Maria solía llevarlo como collar a diario, pero no estaba entre las cosas devueltas a la familia por el forense y tampoco lo había encontrado en la casa. Teresa había mandado a Tolbert una foto de Maria Diaz con la cadena puesta. Tolbert la había incorporado al expediente. Maria Diaz lucía un vistoso vestido de primavera. Tenía los hombros bonitos y bronceados. Estaba de pie en un patio a la hora del crepúsculo. Habría podido ser la hermana de Kelly Diaz. El collar destacaba claramente. Kelly Diaz lo llevaba cuando fui a verla a la Comisaría Central, y también la mañana que estuve con ella ante el cadáver de George Reinnike.

Cerré el expediente y fui a la cocina. Abrí el grifo y ahuequé la mano bajo el fresco chorro para beber. Cuando hube terminado, me sequé las manos en los pantalones y regresé al comedor.

Alvarez y Tolbert no habían vinculado a los Reinnike con los asesinatos porque nunca se informó de su desaparición; se habían esfumado sin más. El casero no tenía motivos para sospechar un crimen, y además estaba contento de haberse librado de ellos. Seis años después, cuando la policía trincó a su inquilino por fraude postal, los asesinatos ya eran agua pasada. En el expediente, nada identificaba a los Reinnike como sospechosos, pero Kelly Diaz había terminado en un callejón con George Reinnike. Y recortes sobre mí.

Seguramente Diaz no había encontrado a Reinnike; probablemente George la había encontrado a ella. Les pagaba para que rezaran. Tras una vida arrastrando la culpa, tal vez George buscó a Diaz para suplicarle perdón y le llevó la cadena de su madre como prueba de su implicación en los asesinatos. Incluso el nombre falso delataba su culpa: Keller... Kelly. Él había tomado el nombre de ella mientras profanaba su carne —para sufrir un recordatorio diario de su pecado—. Seguramente Reinnike no había oído hablar nunca de mí; había ido a Los Ángeles en busca de Kelly Diaz.

Cuanto más pensaba en ello, más convencido estaba de que Diaz había dejado ahí mis recortes. También dejó la tarjeta de clave en el callejón y más recortes en la habitación del motel para inducirme a buscar a Reinnike; y había funcionado. Quizá Reinnike se lo confesó todo a Diaz salvo el paradero de David, por lo que necesitaba un modo de encontrarle que no la colocara a ella al frente de la investigación. Yo. El Mejor Detective del Mundo encontraría a David, y luego ella lo mataría igual que había matado a su padre.

Marqué otra vez el número de su móvil, pero aún respondía la voz grabada. Llamé a Pardy.

45

Starkey

Starkey regresó de Musso & Frank a su oficina sintiéndose triste e inquieta. El sol de la mañana caía con fuerza a través del cielo poblado de nubes, con lo que tras el corto trayecto hasta la comisaría de Hollywood acabó sudando. Le picaba el cuello, y también las cicatrices. Quería quitarse la chaqueta, pero ésta ocultaba la pistola, así que siguió andando a duras penas. Quería caminar bajo la lluvia con el pelo pegado, fumar cigarrillos empapados, y que todo el mundo supiera que era lisa y llanamente patética.

Amaba a Cole más que nunca.

Mientras estaban los dos sentados en Musso —intentando mantener sus sentimientos a raya como muñecos que simulan un cuerpo humano en una prueba de choque— se había dado cuenta de que Cole se camuflaba; se escondía tras camisas llamativas y bromas divertidas igual que su amigo Pike hacía con sus gafas oscuras y su mirada pétrea. Pero lo oculto está ahí; en un momento concreto, en Musso, Cole había dejado que Starkey viera la parte secreta y dolorosa de sí mismo, y ahora ella lo amaba aún más profundamente. Por haberle dejado ver. Por confiar en ella.

Maldita sea, qué mierda ser ella.

Starkey se desprendió de la chaqueta tan pronto llegó a su mesa e hizo un esfuerzo por quitarse a Cole de la cabeza organizando informes. Acababa de cerrar un caso de prostitución de adolescentes. Sólo le faltaba revisarlo. Nada más empezar, pasó Metcalf con una taza de café.

—¿Cómo va, Starkey? —preguntó—. ¿Cole te ha compensado por el pequeño favor que le hiciste?

Cuando ella alzó la vista, Metcalf le lanzó una mirada lasciva y abultó la mejilla con la lengua. Se fue riendo a su mesa.

Starkey volvió a su informe, pero ahora la llenaban de nuevo los sentimientos hacia Cole, y sin más tomó una decisión.

Starkey decidió jugársela. Le diría a Cole qué sentía exactamente por él; no más morderse la lengua ni esperar más que el ganso bobalicón se diera cuenta de que Starkey era la verdadera alternativa y que el Bello Pajarito Sureño era cosa del pasado. Con algunos tíos has de dejarlo claro ante sus narices, y Cole era uno de ésos, desde luego. Si le daba un ataque, pues que le diera; si escogía a lady Macbeth, entonces...

Starkey ahuyentó ese pensamiento.

Se tomó dos antiácidos, tragó un poco de agua y luego se tomó dos más.

Puso derecho el informe otra vez, y a continuación miró de arriba abajo a Metcalf, que refunfuñaba al teléfono en su mesa. Estaba tomando notas o hablando con alguna de sus novias. El café todavía humeaba en la taza. Le iría bien una taza con un eslogan impreso: «El Mayor Gilipollas del Mundo.»

Starkey se levantó, se puso la chaqueta y camino de la salida se acercó a Metcalf.

—Eh, Ronnie —le dijo.

Metcalf alzó la vista.

Starkey abultó el carrillo con la lengua como si estuviera haciendo una mamada y acto seguido le echó el café caliente en el regazo. Metcalf chilló mientras se levantaba a trompicones de la silla. Seguía brincando y maldiciendo cuando Starkey se marchó para dirigirse a la casa de Cole.

46

—Es Diaz. Diaz mató a George Reinnike.

—Escucho —dijo Pardy.

—Su familia fue asesinada cuando ella tenía cuatro años. El padre, la madre y un hermano... Ella fue la única superviviente. ¿Sabía eso?

Pardy emitió un suave silbido por teléfono.

—No, no tenía ni idea. Yo la suponía implicada en lo del callejón, pero de lo demás no tenía ni idea. Dios santo.

—El expediente original está en su casa. Los Reinnike desaparecieron ocho días después de los asesinatos. No aparecen en la investigación, pero el corazón de plata que lleva ella perteneció a su madre. Después del crimen se informó de que no estaba. Consta todo en el expediente. Los investigadores pensaron que el asesino se lo había llevado como trofeo. Ahora lo luce ella. Creo que Reinnike se lo llevó para demostrarle quién era.

—Diaz podría decir que mandó hacer una copia.

—Puede decir lo que quiera. Le digo que es culpable, y usted lo sabe igual que yo... Por eso le daba igual lo de Golden.

Pardy dudaba, como si aún le costara admitir lo que ambos sabíamos.

—Pensaba que era ella, pero no entendía la razón —dijo—. Tengo el arma.

—¿El arma del crimen?

—Mi gente la encontró detrás de Union Station. Una Browning 380. Su chico, el Chen ese, vio que correspondía a la bala de Reinnike. No está del todo claro, pero relaciono el arma con ella.

—Su propio Miércoles de Puertas Abiertas.

—No habría podido establecer la conexión sin esto, Cole. Esa arma fue utilizada en un asesinato el año pasado en lo alto de Angels Flight. Hubo testigos que vieron el arma en la escena del crimen, pero por alguna razón no pudieron recuperarla. Diaz llevaba el caso, Cole. Esto le da a ella acceso.

—No muy convincente.

—Tiene usted razón, poco convincente, maldita sea, así que necesito poner los puntos sobre las íes. Hay dos testigos que vieron a Reinnike con una mujer de cabello oscuro la noche que lo mataron. Necesito tiempo para armar todo esto. La cuestión de su familia me basta para ir a ver a O'Loughlin. Mi primer caso, y parece ser que el culpable es un agente de alto rango de mi propia comisaría. Antes de llevar esto adelante debo tenerlo todo bien cosido.

—¿Qué piensa hacer?

—Dejarlo todo tal como usted lo ha encontrado y hacerlo público. Puedo conseguir una orden de búsqueda y decírselo a O'Loughlin. Se va a poner como una moto, pero hará lo que tenga que hacer.

Pensé en la llamada de Chen a Pardy y a Beckett.

—¿Le ha llegado a ella la información sobre Payne Keller?

Pardy dudó, y entonces supe que sí. Pudo conseguir la dirección de Keller gracias a O'Loughlin, o pudo llamar a Chen ella misma.

—Pardy, Diaz está yendo para allá —dije—. Si tiene la dirección de Reinnike, irá a por su hijo.

—Un poco de calma, por el amor de Dios. Ni siquiera sabemos si David Reinnike sigue vivo, no digamos ya si lo estaba con el viejo. Hemos de reunir todas las pruebas y luego ponerlas en claro. Esa mujer es una inspectora de Homicidios del Departamento...

—Si lo encuentra, lo matará. Y esto empeoraría las cosas.

—Y si averigua que nosotros vamos tras ella, se largará, contratará a un abogado o hará algo incluso más estúpido. Ya he hablado con el sheriff de allá arriba. Reinnike vivía solo. Y por lo que sabía el sheriff, no tenía familia, así que seguramente no hay nadie a quien encontrar.

—Entonces, ¿dónde está ella, Pardy?

—Cálmese. Déjeme hablar con O'Loughlin, y luego subimos a echar un vistazo... No quiero que salga a la luz todo esto de Diaz antes de que esté detenida.

—Tómese el tiempo que quiera, Pardy. Cuelgo.

Colgué y me dirigí al coche.

47

Frederick

Cole tenía una casa bastante bonita; pequeña, con un dormitorio minúsculo y un baño en la planta baja, y arriba otro dormitorio en la buhardilla y otro cuarto de baño. El alto techo puntiagudo hacía pensar en una cabaña o una casita infantil en la copa de un árbol más que en una casa de verdad. Frederick fantaseó con mudarse allí después de matar a Cole. Sabía que era sólo una fantasía, pero le gustaba la idea.

Inspeccionó rápidamente las habitaciones. Buscó en los cajones y seleccionó un cuchillo de cocina con una buena hoja. Pensó que intentaría apuñalarle en vez de dispararle... Menos ruido. Después podía ponerse manos a la obra con las tenazas.

Frederick se asomó por detrás de las cortinas de la puerta de la cocina, miró en el garaje vacío y luego en el salón. Empezaba a acostumbrarse a estar en la casa, y se sentía más relajado. Vio los papeles extendidos sobre la mesa de Cole. El de encima era un artículo de periódico sobre la desaparición de George y David Reinnike.

Una oleada de frío invadió a Frederick, y la casa pareció hincharse a su alrededor convirtiéndose en enorme y tenebrosa.

Inspeccionó los otros papeles y encontró más recortes de periódico y lo que parecían ser documentos de la policía de carácter oficial. También había una factura del Suites Home Away. Entonces vio el nombre y la dirección de Payne garabateados en el margen de uno de los documentos.

Frederick tenía los ojos encendidos. Y temblaba.

Cole lo tenía todo.

Las voces susurraban mientras Frederick buscaba papeles y documentos con su nombre. Cole tenía el nombre y la dirección de Payne pero no de Frederick. Ahora mismo, Cole seguramente estaría en la casa de Payne. Frederick no lo encontraría allí, en su casa; lo encontraría en la de Payne. En un instante de intuición, Frederick vio el recorrido de Cole: buscaría en la casa de Payne y luego iría a la gasolinera. Elroy le hablaría de Frederick, y luego iría a su casa. Frederick vio que todo se desplegaba con palmaria claridad, y supo qué debía hacer. Encontraría a Cole en Canyon Camino, y allí lo mataría.

Decidió que saldría por la puerta de la cocina. Comenzó a caminar y ya cruzaba la cocina cuando oyó que un coche entraba en el garaje.

¡Cole!

La cara de Frederick quedó dividida por una irregular sonrisa burlona y corrió hasta la puerta. Sin embargo, cuando miró desde detrás de la cortina vio que se trataba de una mujer.

48

Starkey

Al ver que el coche de Cole no estaba, Starkey frunció el entrecejo. Maldita suerte la suya; después de haberse comido tanto el coco, ahora tendría que posponerlo todo. Se metió en el garaje vacío y apagó el motor.

—Mierda.

Starkey encendió un cigarrillo. Mientras fumaba echaba chispas. Decidió llamarle. Sacó el móvil del bolso, pero cuando hizo el marcado rápido del número no hubo señal.

—¡Hijo de puta! —estalló.

Pensó que podía ser su batería, así que enchufó el teléfono en el cable del encendedor. Seguía sin haber señal.

Bueno, mierda, pensó Starkey, usaría el teléfono de Cole. Se apeó del coche y buscó la llave de repuesto que le había visto a él usar una vez. La guardaba en el lado de la casa. La encontró, volvió al garaje y se metió en la cocina.

Cruzó hasta el inalámbrico de la encimera, entre la cocina y el comedor, y marcó el número del móvil de Cole. Se quedó de espaldas al salón, escuchando los tonos telefónicos con impaciencia.

49

Frederick

Frederick vio a la mujer bajarse del coche y reparó en que era la agente de policía que el otro día patrullaba la casa. Se le aceleró el pulso sólo de pensar en imágenes espantosas de su captura y su tortura. Estaba atrapado en una indecisión acuciante entre matarla o esconderse. No sabía qué hacer. ¡A lo mejor en ese mismo instante cámaras secretas les permitían conocer todos sus movimientos! ¡Tal vez hubiera más policía rodeando la casa de Cole en ese mismo instante!

Sin embargo, ella no parecía estar alerta. No había sacado su arma. No se oían sirenas acercándose.

Frederick salió de la cocina dando marcha atrás, cruzó el salón a la carrera y se escondió en el armario de la entrada. Apretó la escopeta contra el pecho y asió el cuchillo con fuerza. La oyó entrar en la casa en el mismo instante en que él cerraba la puerta.

50

Starkey

Starkey estaba a punto de colgar cuando Cole respondió.

—Hola.

El señor Ocurrente. Ella quiso hacer una broma, pero se abstuvo.

Cole no se mostraba insolente como de costumbre porque estaba afectado.

—Soy yo, Starkey. Estoy en tu casa —le dijo. Estaba a punto de soltarle su discurso cuando Cole la cortó.

—Starkey, es Diaz. Diaz lo mató.

Cole pasó a relatarle aquella historia imprecisa sobre los Reinnike y Diaz, y que Pardy llevaba el asunto, y que Diaz seguramente iba camino de Canyon Camino a buscar y matar a David Reinnike. Cuando Cole dijo que iba para allá a impedirlo, Starkey recordó el sueño.

... su muerte inevitable.

—Cole, no lo hagas. Espera a Pardy —le rogó, notando que le impregnaba la lengua un intenso sabor a monedas de cinco centavos... el sabor medicinal de la muerte de Cole.

—Todo irá bien —contestó él.

Fue lo último que dijo, y luego se cortó la señal.

—¿Cole?

Interrupción de la emisión.

—Maldita sea, Cole.

Starkey pulsó el botón de rellamada, pero esta vez salió enseguida el buzón de voz. Otra vez sin señal.

—¡Mierda!

Carol Starkey murió, y luego resucitó; había sido una borracha, y ahora era una persona sobria; era policía desde hacía trece años y había visto todas las depravaciones humanas imaginables; no creía en Dios; no creía en las premoniciones, la telepatía, los médiums, la percepción extrasensorial, la clarividencia, la adivinación del futuro, la astrología ni la vida después de la muerte. Pero sentía que iban a matar a Cole.

—¡Mierda! *¡Mierdamierdamierda!*

Marcó otro número y esperó. Era el número personal que él le había dado.

—Sí —contestó una voz masculina.

—Pike. Pike, soy yo.

Starkey le dijo dónde podían encontrarse y por qué.

51

Frederick

Frederick oyó el portazo cuando ella salió. Oyó el rugido del motor y el chillido de los neumáticos. Entonces abrió la puerta.

Allí dentro, en el armario de Cole, hizo las paces con su propia muerte, predeterminada y segura. Eran demasiados contra él, Cole y todos los demás. Estaban estrechando el cerco, lo encontrarían y lo matarían. Era el castigo que Payne había pronosticado. Por fin había acontecido, y, en un arrebato de emoción que le llenó los ojos de lágrimas, Frederick entendió por qué Payne había ido a Los Ángeles sin decírselo... Payne había ido para protegerlo. Payne se había sacrificado en una demostración final de su amor.

Frederick no podía ser menos.

Cole se dirigía a la casa de Payne, y allí es donde Frederick lo encontraría. Volvió al coche y puso rumbo a Canyon Camino.

52

La I-5 describía una curva al bordear el extremo oriental de San Fernando Valley y cruzar el Newhall Pass. Centenares de miles de personas utilizaban esa ruta a diario al ir o volver de las comunidades dormitorio que brotaban como setas junto a las autopistas. Casi todo el mundo gira al este al llegar a Newhall, donde las onduladas colinas y la desértica llanura están llenas de complejos de viviendas. Al oeste la tierra no es llana. Las montañas se escarpan dominando Magic Mountain, y los pequeños pueblos arropados en las lomas cubiertas de pinos parecen algo aislados aunque sólo están a veinte minutos de la ciudad. Canyon Camino era un buen lugar para esconderse.

La subestación del sheriff era un pequeño edificio marrón situado entre una tienda de horario libre y un videoclub. Aparqué frente a este último y fui andando hasta la sede del sheriff.

Cuando entré, un delgado ayudante vestido con uniforme caqui estaba hablando por teléfono reclinado y con los pies en el mostrador. Al verme, bajó los pies y colgó.

—¿En qué puedo ayudarle? —preguntó.

En su placa ponía BIGGINS. Me identifiqué, le enseñé mi licencia y dejé la tarjeta de Pardy sobre el mostrador.

—Mi presencia aquí tiene que ver con un vecino llamado Payne Keller —dije—. El inspector Pardy, del Departamento de Policía de Los Ángeles, ha hablado con alguien.

—Estaba yo. Vaya mierda morir así. Ahora el sheriff está fuera, informando a la gente. Tenía que cerrar bien la casa de Payne. Vaya mierda.

—¿Cuándo va a regresar?

—Sólo puedo decirle que volverá cuando haya vuelto. Esta mañana hemos estado muy ocupados.

—Pues aún lo van a estar más. Ahora viene Pardy, y un par de polis de Homicidios se encontrarán aquí con nosotros. ¿Ha llegado ya la inspectora Diaz?

—Usted es el primero.

—Tal vez ha llamado.

—¿Una mujer?

—Sí.

—Llamó alguien de Homicidios del sheriff... Mullen, creo que dijo. Después Pardy y alguien llamado Beckett...

Quizá Diaz se había hecho pasar por Mullen.

—De acuerdo —dije—. Necesito la dirección de la casa de Keller, y también tengo interés en hablar con sus amigos. Quizá podría darme algunos nombres.

Biggins parecía nervioso.

—Dígamelo otra vez... ¿Cuál es su grado de implicación en esto?

—Trabajo para la familia.

Di unos golpecitos en la tarjeta de Pardy.

—Llame a Pardy. Sabe que estoy trabajando en el caso, y está de acuerdo. Llámele.

Biggins miró la tarjeta con ceño y la apartó.

—No conocía muy bien a Payne —dijo—, sólo habíamos tomado alguna taza de café juntos cuando yo pasaba por la gasolinera. Antes de venir aquí, yo vivía en Riverside.

—¿Tenía una gasolinera?

—Sí, un poco en las afueras... Gasolinera y Reparación de Coches Payne.

—¿Familia?

—Escuche, ¿por qué no habla con los tipos de la gasolinera? Hay dos que trabajaban para él.

Biggins me dio la dirección de la casa de Keller, y dijo que de camino encontraría la gasolinera. Me dijo que los empleados de Keller eran Elroy Lewis y Frederick Conrad, y que cualquiera de los dos podría contestar a mis preguntas. Biggins fue servicial. Tras copiar la dirección, anoté el número de mi móvil en un papel que dejé junto a la tarjeta de Pardy.

—Si regresa el sheriff, dígale que tengo que hablar con él. Es importante.

Biggins miró el número.

—Aquí arriba los móviles no tienen cobertura. No reciben señal debido a las montañas.

—Yo vivo en el centro de Los Ángeles y tampoco recibo señal.

Biggins se rió.

—En Riverside era igual.

Me dispuse a salir, pero me detuve y miré a Biggins a los ojos.

—Si aparece Diaz, o Mullen, dígale que estoy aquí —le dije—. Dígale que he preguntado por sus padres, y que antes de hacer nada debería hablar conmigo.

—Muy bien. Descuide.

—Hay algo más que deben saber el sheriff y usted

—añadí—. Pardy no lo sabía, si no, se lo habría dicho. Payne Keller y su hijo son sospechosos de un homicidio múltiple. Si el hijo de Keller anda por aquí, será peligroso.

Biggins me miró con cara de no entender.

Hice un gesto en dirección al transmisor-receptor.

—Será mejor que se lo comunique al sheriff —dije.

53

Frederick

La cabaña de Payne estaba tan solitaria como el día anterior, pero eso era bueno. El aire aún conservaba el olor a humo de las hogueras que había encendido. No estaba mal. Olía como una chimenea fría.

Frederick abrió la puerta delantera y entró en el salón de Payne. Estaba intentando decidir dónde sería mejor esperar a Cole cuando un coche tomó el camino de entrada. Al oír el sonido, Frederick dio un brinco y se precipitó a la ventana, pensando: «¡Cabrón! ¡Esto es lo que te vas a llevar por haber matado a Payne, cabrón!»

Pero cuando miró, vio que no era Cole, sino Guy Rossi, el sheriff de Canyon Camino.

Frederick se apartó de la ventana, observando a Rossi aparcar al lado su coche patrulla. El sheriff vio el camión de Frederick, preguntándose seguramente de quién sería. Anduvo a lo largo del vehículo, y fue entonces cuando Frederick vio la pala. Había conducido hasta Los Ángeles, había trabajado duro para limpiar de pruebas la casa de Payne, y la pala que había utilizado para desenterrarlo todo todavía estaba en el camión. La pala, con pruebas en la plancha.

«Hijodelagrandísimaputa.»

Se había olvidado de la pala.

El sheriff se dirigió a la casa.

Frederick dejó la escopeta detrás del sofá de Payne, puso cara de circunstancias y salió. Quizá Cole ya había hablado con el sheriff. No, no era probable... un asesino no habla con la poli.

—Un día triste, chico, seguro que sí —dijo Frederick.

Cuando Frederick apareció en el porche, Rossi miró. En ese momento, fuera de contexto, era evidente que el sheriff no le reconocía.

—Soy yo, Frederick Conrad. Trabajo para Payne.

Por fin el sheriff pareció reconocerle.

—No esperaba que hubiera nadie aquí —dijo—. ¿Se ha enterado de la noticia?

—Sí, claro. Estaba dando de comer a los gatos de Payne. Payne tiene tres gatos por aquí. No sé qué va a ser de ellos ahora.

Frederick se movía tranquilamente mientras le contaba al sheriff lo de los gatos, de tal modo que éste apartó la vista de la pala. Frederick meneó la cabeza con tristeza.

—Supongo que podemos poner un anuncio en la gasolinera, a ver si les encontramos un hogar. Yo quizá podría quedarme uno, pero tres...

Frederick suspiró ruidosamente, como si la injusticia de lo que estaba a punto de sucederles a los gatos fuera aplastante.

El sheriff parecía examinar la casa de Payne; luego llevó la mano al cinturón del arma, como si no estuviera seguro de qué hacer a continuación.

—¿Le pidió Payne que los cuidara antes de irse? —preguntó.

—No, antes no, señor. Tengo entendido que hubo alguna urgencia familiar. Luego me llamó y me pidió que viniera.

El sheriff soltó un gruñido, como si no estuviera pensando realmente en los gatos.

—¿Le dijo qué había pasado?

Frederick supuso que el sheriff ya habría hablado con Elroy, así que ahondó en la misma versión.

—Su hermana sufrió una especie de accidente de coche. Pensaban que no iba a salir de ésta.

—¿Lo llamó desde Los Ángeles?

—Desde Sacramento.

El sheriff resopló, y de pronto Frederick temió que la policía de Los Ángeles le hubiera contado al sheriff mucho más de lo que estaba contando él.

—¿Dejó algún número?

—No, señor, sólo me dijo que volvería a llamar cuando supiera qué iba a hacer. Fue la última vez que supe de él.

El sheriff trazó un lento arco en torno a Frederick y en dirección a la casa. Examinó el techo de Payne como si esperara encontrar algo. Luego observó los árboles y el garaje. A Frederick no le gustaba la lentitud con que se movía Rossi y el modo en que se fijaba en todo. Empezaron a sudarle las manos y a latirle los oídos. ¿Qué sabía el sheriff?...

—¿Quiere que deje la puerta abierta o la cierro? —preguntó Frederick.

—¿Tiene llave?

—Payne guarda una bajo ese tiesto.

—Mejor démela a mí. Echaré un vistazo antes de que llegue la gente del Departamento de Los Ángeles.

Frederick le dio la llave; quería alejarse del camión pero temía que pudiera hacer algo fuera de lo normal.

El sheriff dejó caer la llave en su bolsillo y observó a Frederick.

—He estado toda la mañana en la iglesia católica —dijo—. Comprendo que Payne pasara tanto tiempo ahí.

—Payne era un hombre devoto. Yo no voy mucho, pero él sí era muy religioso. Ya verá cuando entre. Jesús está por todas partes.

—¿Sabe si Payne tenía relación con el padre Willie?

—La verdad es que no lo sé. Supongo que sí.

A Frederick se le deslizaban por la cara gotas de sudor como chinches. Estaba seguro de que Cole aparecería en cualquier momento y no le gustaba la forma en que el sheriff lo miraba. Ahora éste preguntaba por la relación entre Payne y el padre Willie. Quizá Payne se había confesado con el padre Willie y luego el padre se lo había contado a todo el mundo. El sheriff no dejaba de mirarle fijamente, y la respiración de Frederick se iba acelerando.

—Quiero preguntarle una cosa —dijo Rossi.

—¿El qué, sheriff?

El sheriff se acercó al camión. Miró en la caja, examinó la pala y luego dejó caer el brazo sobre el lateral. A Frederick el corazón le aporreaba el pecho.

—¿Desde cuándo conoce a Payne?

—No sé —murmuró Frederick—. Hará unos diez o doce años.

El sheriff parecía estudiarlo con más detenimiento.

—¿Sabe que él antes tenía otro nombre?

—No lo sabía.

—¿Nunca le mencionó el otro nombre?

—No, señor.

—George Reinnike.

—No.

—¿Le habló de su hijo?

A Frederick se le nubló la vista, y en sus pulmones no entraba suficiente aire. Logró hablar a duras penas.

—No me dijo nada.

Frederick estaba seguro de que el sheriff lo estaba evaluando. La cabeza de Rossi oscilaba arriba y abajo como en un gesto de asentimiento a cámara lenta. Ladeó la cabeza pesadamente mientras se fijaba de nuevo en la pala, y pareció estudiarla durante una eternidad antes de volver sus ojos hacia Frederick y taladrarlo con la mirada.

El sheriff sonrió. No era una sonrisa feliz, sino juiciosa. Astuta. Como si pudiera ver la conexión entre Frederick y Payne.

—Parece que Payne tenía algunos secretos —dijo. Luego se dirigió a la casa dejando atrás a Frederick—. Y parece que están a punto de salir a la luz.

—Sheriff —lo llamó Frederick.

Cuando el sheriff se volvía, Frederick ya había cogido la pala. La plancha se hincó profunda; y eso fue todo.

54

La dirección que me diera Biggins me llevó hasta una pequeña estación de servicio independiente con una sola fila de surtidores y una grúa aparcada en la parte de atrás. En el extremo del desvío, grandes letreros amarillos anunciaban TENEMOS PROPANO Y DIÉSEL. Cuando me paré, un hombre delgado con una cazadora azul salió por el lado del edificio. Un perro labrador amarillo cojeaba detrás de él y de pronto se dejó caer en el suelo, junto a la puerta delantera de la gasolinera. Cuando el hombre me vio, me saludó como diciéndome adiós. Era demasiado joven para ser David Reinnike.

—Lo siento, colega, acabo de desconectar los surtidores —dijo—. Está cerrado.

—¿Es usted Lewis o Conrad? Vengo de la subestación del sheriff. El ayudante me ha dicho que aquí encontraría a Lewis o a Conrad. Vengo de Los Ángeles. Es algo que tiene que ver con Payne Keller.

—Soy Lewis. Es la mierda esa, ¿eh? La puta mierda esa. Mañana tenía que llevar a mi esposa a Cambria y ahora pasa esto. Tendré que cerrar el negocio.

Lewis miró alrededor, moviendo los labios en silencio

como si estuviera elaborando una lista de todo lo que precisaba hacer. Señalé la carretera.

—Señor Lewis, ¿voy bien por ahí para ir a la casa de Payne?

—Sí, es por ahí. No queda lejos. El sheriff iba para allá.

—Bien.

Me sentí algo mejor al pensar que el sheriff estaba en la casa de Keller. Seguramente Diaz lo evitaría.

—¿Han pasado por aquí otros agentes? —pregunté.

Me miró fijamente como si le costara concentrarse.

—Sí, otra mujer de Los Ángeles. Quizás esté allí con el sheriff. Ha preguntado por lo mismo.

—¿Iba antes o después que el sheriff?

—Después. Escuche, tengo que cerrar el negocio. Venía para acá un camión con gasolina, y he tenido que cancelarlo. Payne está muerto, y venía ese maldito camión de gasolina.

De pronto se le abrieron los ojos y se precipitó a los talleres de servicio pasando por mi lado. Le ayudé a bajar la puerta y le hablé mientras él apagaba los elevadores hidráulicos.

—Señor Lewis, sé que es un mal momento. Lo siento.

—Sí, ya sé. Entiendo. Decían que Payne utilizaba un nombre falso. ¿Qué demonios es todo esto? No sabía que Payne tuviera otro nombre.

—George Reinnike.

—No lo sabía. Llevo aquí ocho años; sólo lo conocía por Payne.

—Payne tenía un hijo. ¿Sabía usted algo de ese hijo?

—Dios santo, no. Es lo mismo que dijo el sheriff. No sabía nada de ningún hijo.

—Se llamaba David.

—Dios mío, y luego me dirá que Payne era el condenado Elvis Presley.

Entramos en la oficina. Si Lewis había trabajado con Reinnike durante ocho años, seguramente podría nombrar a sus amigos más íntimos. Le pregunté pero Lewis vaciló, y comprendí que le fastidiaba saber poco del hombre con el que había trabajado tan estrechamente.

—Payne no tenía amigos —dijo—. Andaba más o menos siempre solo.

—Todo el mundo tiene a alguien.

—Tal vez en la iglesia. Era un entusiasta de la Biblia. Iba mucho a la iglesia.

—¿Alguien más?

—Sólo Frederick y yo, es todo lo que sé. Le ayudábamos en la gasolinera, y luego en su casa cuando hacía falta. Frederick lleva aquí más tiempo que yo.

—¿Desde cuándo está aquí Frederick?

—No sé... diez, doce años, algo así. ¿Quiere su número?

—¿Cómo es?

—Quizás un poco más joven que usted. Más o menos de su misma estatura pero grueso. No sé. ¿Por qué pregunta por Frederick? ¿Qué tiene que ver con Payne?

—¿Le dijo Payne que se iba a Los Ángeles?

—Pensaba que estaba en Sacramento.

—¿Le dijo que se iba a Sacramento?

—Llamó a Frederick. Al parecer su hermana acabó muy maltrecha en un accidente de coche. Yo pensaba que estaba en Sacramento cuidando de ella, no aquí en Los Ángeles recibiendo disparos.

—Entonces, llamó a Frederick.

—Sí. Frederick habló con él.

—Payne no tenía ninguna hermana.

Elroy Lewis murmuró en voz baja, y ambos nos preguntamos por qué había recibido las llamadas Frederick y no él. Elroy apagó las luces y cerró la puerta tras nosotros.

—Si ve al sheriff allá arriba, dígale que me he ido a casa —dijo Lewis.

—Le diré que se ha ido a casa.

—¿Va a la casa de Payne ahora mismo?

—Así es.

—Busque el gran sicomoro muerto junto al camino, si no, puede que no la vea.

—Muy bien. Gracias, señor Lewis.

El perro alzó la cabeza y se levantó con dificultad cuando vio que nos acercábamos. Se tambaleó de lado hasta estabilizarse. Lewis miró al perro como si fuera un sin techo.

—No sé qué coño vamos a hacer ahora —dijo. Luego me miró fijamente y empezó a parpadear otra vez—. Payne leía la Biblia todo el rato. La leía aquí sentado en la gasolinera. Tenía un montón de estatuas de Jesucristo. Iba a misa, no sé, tres veces a la semana, y va y lo matan de un tiro en Los Ángeles. No soy un hombre religioso, pero esto me parece mal.

Lewis se alejó y el perro lo siguió cojeando. Me subí al coche, pero no me marché enseguida. Pensé en Frederick Conrad. La casa de Payne Keller estaba cerca, y se suponía que el sheriff se encontraba allí. Yo tenía la dirección de Conrad y podría ir a su casa, pero decidí ver primero al sheriff. Precisamente la decisión equivocada, como la de no haber vuelto a mi oficina.

55

Lewis me advirtió de que buscara un sicomoro muerto junto al camino, y allí es donde lo encontré. El camino particular lleno de maleza era poco más que un claro entre los árboles sin siquiera un buzón para llamar la atención de quien pasara. Parecía más un sendero que una carretera, con grietas y baches horrorosos que disuadirían a los curiosos por si se les rompía el eje. Era un buen sitio para un hombre invisible y para vivir una vida invisible.

Me abrí camino entre los baches y los árboles. La casa de Reinnike era una cabaña rústica construida con tablas de madera y piedras de río, con un porche delantero cubierto. Yo esperaba ver el vehículo del sheriff, pero el que estaba aparcado frente al porche era el Passat de Kelly Diaz. No había más vehículos. Me situé detrás y cerré el coche. La puerta de la casa estaba abierta.

Diaz me oiría llegar, pero no apareció en la puerta. Me apeé y me dirigí al porche.

—¿Diaz? —llamé.

Crucé el porche y entré.

—Diaz, soy Cole.

Los muebles estaban tumbados, las revistas esparcidas por el suelo y los libros sacados de una estantería que había sido separada de la pared. Había estatuas y retratos de Jesucristo por todas partes, observando desde las paredes, la televisión y las mesas. Se veían más estatuillas desparramadas por el suelo.

—Diaz, ¿está aquí? —volví a llamar.

Habían registrado la casa de Reinnike, pero no había sido Diaz. Los polis saben que no se encuentra nada lanzando cosas al aire. Esta casa la había revuelto alguien con una mente trastornada. Parpadeó en mi cabeza la imagen de un *collie* con una estaca de jardín clavada en el pecho. Me asustaba lo que pudiera encontrar.

—¿David? —dije esta vez.

Pasé a la cocina. Los cajones habían sido vaciados; los armarios estaban abiertos, y el suelo aparecía sembrado de recipientes de plástico. No quería ir a la parte trasera de la casa. Me pregunté si Diaz se encontraba ahí cuando llamó David Reinnike.

Salí de la cocina de espaldas y me volví hacia el salón. Kelly Diaz estaba esperando en la entrada, con la pistola sujeta sin fuerza a lo largo de la pierna. Pudo haberme matado; pudo haberme disparado por la espalda, pero no lo hizo. Tenía la cara tensa como si hubiera alcanzado en el tiempo a su madre y arrastrara sus años perdidos, pero me dirigió una sonrisa radiante y maliciosa.

—Maldita sea, Cole, es usted realmente el Mejor Detective del Mundo —dijo—. Ha encontrado al hijo de puta... al maldito Payne Keller.

—También he encontrado a un sospechoso del asesinato.

Su camisa estaba tirante por el abultamiento del chaleco antibalas. Los inspectores nunca llevan chalecos, pero

Diaz había venido a hacer un trabajo. Meneó el arma hacia la habitación.

—Está aquí, Cole. El bicho raro se está cagando en los pantalones. Podemos cogerle.

—Pardy ya lo sabe. Ahora mismo está hablando con O'Loughlin. Van a traer una orden.

—Pardy no sabe una mierda.

—Encontró el arma y la relacionó con uno de sus casos. Usted tenía acceso a ella. Tiene un testigo que vio a una mujer que encaja con la descripción de usted y que estaba con Reinnike la noche del asesinato. Yo encontré el expediente en su casa...

Movió otra vez la pistola, pero se le había formado en la cara una película de sudor y le brillaban los ojos.

—Veremos qué dice el jurado.

—Sus huellas están por todas partes, Kelly. Lleva la cadena de su madre, por el amor de Dios.

La sonrisa dura flaqueó, pero se reforzó con la furia.

—Qué coño. Tomé mi decisión, lo acepto. Ese cabrón asesinó a mi familia. Oficialmente soy una enferma mental. Me quebré bajo la presión de enfrentarme al hombre que había matado a los míos. Temía por mi vida, y reaccioné en consecuencia. Luego inicié una investigación como parte de los preparativos. Veremos qué dice el jurado.

Seguramente se había dicho aquello a sí misma mil veces convenciéndose de que funcionaría.

—Había formas mejores, Diaz. Podía haber reabierto el caso y detenerle.

Su arma volvió a alzarse.

—Oh, a la mierda, Cole... Usted no sabe. Usted no estaba allí. Fue duro, amigo.

—Mire, yo entiendo...

—No puede...

—Usted no me conoce lo bastante bien para saber qué sé yo... todo lo que sabe lo ha leído en los periódicos.

Yo también estaba gritando, y quizá fue eso lo que la hizo sonreír, los dos en aquella casa, gritando.

—Los periódicos dijeron muchas cosas ciertas, amigo. Usted siguió adelante. Lo ha encontrado. Y aquí estamos, en su casa.

—Usted me ha conducido hasta aquí. Dejó los recortes y la tarjeta clave. Me hizo acompañarla al examinador médico para que viera otra vez el cadáver y así pudo usted meter el anzuelo aún más hondo. No me necesitaba para nada de esto, Diaz; podía haberlo encontrado sin mí.

Sus ojos refulgían como botones negros, y bajó el arma. Apoyó la cabeza en la pared y habló sin mirarme.

—Pero entonces todo el mundo habría sabido que yo lo había matado —dijo—. Quería que creyeran que era usted, ¿comprende?

Lo dijo como si nada y confirmó mis conjeturas. Había dejado que yo localizara a Reinnike para encontrar a David. Ella necesitaba que hiciera el trabajo callejero para poder cargarme luego los asesinatos, tanto el de George como el de David.

—Pero no ha funcionado —dije.

Echó de nuevo la cabeza hacia delante, y su sonrisa se tornó triste.

—Fue muy duro, Cole; todo pasó muy deprisa, y mientras sucedía yo me lo estaba imaginando.

—¿Encontró usted a George o él la encontró a usted?

Se irguió y se puso derecha.

—Cuando terminé la Academia y empecé a trabajar, en el *Daily News* apareció una pequeña crónica sobre lo que le había ocurrido a mi familia. Él la vio y se la guardó. Amigo, habían pasado años... años. Supongo que tardó todo ese tiempo en perder la chaveta. Llamó la semana pasada. Así, por sorpresa. Dijo que tenía información sobre la muerte de mi familia.

Se tocó la cadena, y entonces también supe que mi conjetura era correcta... él se la había llevado como prueba. Cuando llamó, ella aún tenía grabado aquel momento espantoso. «Tengo información sobre la muerte de su familia.»

—¿Qué le dijo?

Sus dedos acariciaron la plata; tenía la mirada perdida. Me acerqué despacio y le cogí el arma. No opuso resistencia.

—¿Le explicó qué pasó, Kelly? ¿Sólo fue David, o George también participó?

Los dedos se desprendieron de la cadena como si pesaran demasiado. Tenía los ojos hinchados y los cerró con fuerza. Le temblaba la barbilla, y se esforzó por dominarla.

—Mierda —soltó.

La rodeé con los brazos. Ella temblaba, y lloró un rato. Lloré con ella, por todo lo que había perdido y por todas las cosas que yo nunca había tenido. Cuando estuvimos agotados, ella me explicó cómo había muerto su familia: su padre y su hermano iban en coche y vieron a David Reinnike haciendo autostop. David Reinnike sería tres o cuatro años mayor que el hermano de ella, pero los dos chicos se llevaban bien, por lo que seguramente el padre llevó al autostopista a casa para que los chicos jugaran o para cenar o lo que fuera. Diaz sólo sabía lo que le había contado George Reinnike, y George sólo sabía lo que le había contado David. David apenas llevaba en su casa quince o veinte minutos cuando algo lo puso furioso. El hermano de Diaz enseñó su bate de béisbol a David.

Seguramente éste lo probó con algunos golpes de calentamiento, pero el hermano quizá quiso recuperarlo. Entonces David empezó a golpear de verdad. No había estado en la casa suficiente tiempo para saber que una niña pequeña estaba jugando en su cuarto. De lo que le dijo George y la información del expediente dedujo que David Reinnike los había matado a golpes, y luego simplemente salió e hizo autostop hasta su casa, sin que lo viera ni una maldita persona. Nadie de un barrio lleno de gente vio ni oyó los asesinatos, ni a David abandonar la escena del crimen. Cuando éste llegó a su casa cubierto de sangre —tenía que estar cubierto de sangre, ¿no le parece?—, su padre lo limpió bien, se lo llevó y jamás dijo una palabra a nadie. Su hijo tenía problemas, decía. Su hijo necesitaba cuidados.

—Se puso en contacto con usted —dije— porque quería quitarse el peso de encima, pero no le dijo nada de David.

—El hijo de puta no me dijo dónde estaba David, ni siquiera si estaba vivo, pero ahora sé que está aquí. George tenía que controlarlo de cerca. Ese malnacido lloraba como un niño, diciendo que esto lo devoraba vivo. Muy bien, a tomar por el culo.

Asentí.

—Entonces lo mató.

Diaz se aclaró la garganta, recobró la compostura y se apartó de mí. Parecía otra vez furiosa, dispuesta a todo.

—Exacto, Cole. Entonces, ¿qué va a hacer? ¿Me va a poner las esposas y esperaremos aquí a Pardy y a mi abogado y dejaremos que ese cabrón se salga con la suya? Mire este sitio... Él sabe que estamos cerca. Durante todos estos años papi ha evitado que fuera a la cárcel, pero ahora papi no está. ¿Cree que va a esperarnos?

—No voy a dejar que lo mate. Si lo hace, se estará matando a sí misma.

—Entonces, ¿qué?

—Vamos a identificar a David, y usted se lo llevará detenido. Lo encerraremos para demostrar que usted hizo lo que debía. Usted va a demostrarles que no permitió que lo sucedido la destruyera.

Diaz exhaló un profundo suspiro mientras intentaba librarse de algo que se había quedado encerrado en su interior. Echó otra vez la cabeza hacia atrás y miró al techo.

—Vaya puto lío —dijo.

—Pardy está al llegar. No tenemos todo el día.

Se puso derecha y asintió.

—Mi pistola —pidió.

Se la di y ella la guardó en la funda.

—¿Sabe quién es?

—Probablemente el otro tipo que trabajaba en la gasolinera. Eso deduzco después de haber hablado con Lewis. No puedo estar seguro, pero es lo que parece. Lewis me explicó cómo ir hasta su casa.

Diaz pasó frente a mí y se dirigió a la puerta.

56

Starkey

Starkey recogió a Pike en el cruce de la 405 con Mulholland. Si Pike se preguntó por qué estaba ella tan desesperada, no hizo preguntas ni discutió sobre el coche que cogerían. El de ella tenía las luces y una radio. Llegarían antes.

Starkey puso las luces de emergencia y salió zumbando del aparcamiento. Mientras se dirigían al norte por la autopista, sintonizó la radio, sorprendida de que el trasto funcionara.

—Seis-whisky-doce —dijo.

—Seis-whisky-doce, adelante —contestó un agente.

El «seis» la identificaba como procedente de Hollywood. «Whisky» les decía que era inspectora. «El «doce» era el número del coche.

—Necesito una conexión con la subestación del sheriff de Canyon Camino.

—Manténgase alerta, seis-whisky-doce.

Mientras Starkey estaba ocupada con la radio, Pike llamó al móvil de Cole.

Marcó el número tres veces, pero en vano. Para cuando Starkey tenía la conexión, estaban dejando atrás el aeropuerto Van Nuys, a veintiséis minutos de la casa de George Reinnike.

57

Frederick

El sheriff lo cambió todo. Pudo comunicar por radio que el camión de Frederick estaba en la casa de Payne, o decirle a Biggins que iba a pararse en la casa, o llamar a más policía. Con el cambio de planes, la mente de Frederick iba acelerada. Estaba seguro de que Cole no se acercaría con un coche patrulla, y Frederick quería largarse cuanto antes. Además, si la policía encontraba el coche de Rossi, quizá montara controles de carretera que le impedirían la huida. Se debatía contra el impulso de escapar. Cargó el cadáver de Rossi en el asiento trasero y llevó el coche patrulla detrás de la cabaña de Payne, entre los árboles. Lo alejó cuanto pudo y regresó a la casa resoplando. Se metió en el camión.

Mientras conducía, Frederick lloraba. Echaba de menos a Payne, y quería castigar a Cole, pero ahora se daba cuenta de que tenía que irse y de que no podría vengarse. Quizá si conseguía escapar. Quizás en unos años. Sabía dónde vivía Cole. Sabía dónde trabajaba. Tal vez en unos años.

Frederick oyó una voz mientras entraba en la caravana; era Elroy, que le dejaba un mensaje.

—... llámame, maldita sea. La policía de Los Ángeles está viniendo a hablar con nosotros, y yo no sé qué demonios...

Frederick cogió el teléfono.

—Elroy, soy yo. ¿Por qué quieren hablar con nosotros?

—Maldita sea, ¿por qué no me has devuelto la llamada? He...

—Estoy tan afectado por lo de Payne que no sabía qué decir.

Elroy se tranquilizó. Incluso él podía entender la pena.

—¿Payne te dijo alguna vez que se iba a Los Ángeles? —preguntó.

—A mí no.

—Bueno, pues eso es lo que están preguntando. El sheriff estuvo aquí. Dijo que vendrían unos policías de Los Ángeles, y quieren saber por qué fue para allá. Ha dicho que en realidad Payne no se llamaba Payne. ¿Ha ido a hablar contigo?

—Ha llamado. Acabo de colgar el teléfono.

—Voy a cerrar esta maldita gasolinera. No sé qué otra cosa hacer.

—Muy bien.

—¿Ese detective privado tampoco ha aparecido por ahí?

—Adiós, Elroy.

Frederick dejó el auricular suavemente en la horquilla. Sentía los ojos hinchados, como si estuvieran llenos de una presión tremenda y a punto de explotar. Cole sabía quién era él. Cole estaba acercándose a la caravana. Frederick se sintió atrapado. Estaban siendo castigados tal como había dicho siempre Payne. Frederick sollozó y se acordó de Juanita. Aún no había terminado. Aún podía adelantarse a Cole y después huir.

Frederick juntó todo el dinero en metálico que había cogido de la gasolinera, cerró la caravana y cogió la escopeta del camión. Se apresuró al patio de la casa manufacturada de Juanita. Era media tarde, así que estaría durmiendo la siesta. Juanita se despertaba cada mañana a las tres o las cuatro por culpa de las pesadillas, y después de comer se ponía a dar cabezadas. Con los viejos pasaba eso. Triste.

Las dos pequeñas estaban jugando en el otro extremo del patio. Las llamó y saludó con la mano. En cuanto le vieron, echaron a correr, exactamente lo que él quería.

Frederick se acercó a la puerta de Juanita, pero no llamó... Hizo girar el pomo de la puerta y cruzó el umbral de aluminio barato. Juanita se despertó con un sobresalto, pero Frederick cerró la puerta enseguida y sonrió.

—¿Frederick? —dijo Juanita, aún confusa por el sueño.

Frederick se ocupó de ella y se instaló en la oscuridad justo cuando dos coches giraban desde la carretera.

58

La comunidad de High Mountain era un viejo parque de caravanas y casas manufacturadas entre los árboles. En otro tiempo seguramente había sido un lugar bonito para vivir, pero ahora daba la impresión de ser un campamento de verano pasado de moda cada vez con menos gente. Algunas de las caravanas estaban bien conservadas, pero otras se veían mugrientas. Frederick Conrad vivía en la número 14, en la parte de atrás del parque.

Diaz me seguía en su Passat. Pasamos junto al parque central de vehículos mirando los números hasta que vi el 14. La casa rodante de Conrad parecía limpia y tranquila, y tenía aspecto de estar bien cuidada. Todo el parque de caravanas respiraba tranquilidad.

Aparqué junto a una camioneta de reparto F-150 y Diaz se paró a mi lado. Nos apeamos de los coches a la vez, echando miradas alrededor. Los ojos de ella eran oscuros como dos piedras negras abrillantadas.

—Su hijo estará aquí. Y si no, lo habrá estado. Nunca se encontraba lejos de su padre —dijo ella.

—Calma. No sabemos si ese tío es él.

Aparecieron dos niñas al otro lado del parque de

vehículos. Salían alegres de una caravana verde pálido, la pequeña intentando alcanzar a su hermana mayor. Ésta dijo algo que no entendí, y la otra le gritó que esperara. La mayor corrió hasta el extremo de su casa, riendo. La pequeña también reía mientras la seguía. Diaz las miró.

—¿Diaz? —dije.

Se volvió y se tocó el corazón de plata que le colgaba en el hueco del cuello.

—Estoy bien. Veamos qué nos dice.

Nos acercamos a la puerta de Frederick Conrad. Diaz iba empuñando su arma bajo la chaqueta.

Llamé a la puerta; insistí con más fuerza y grité.

—¡Señor Conrad!

No contestó nadie.

Diaz dio un manotazo a la caravana.

—Maldito gilipollas.

—Calma.

El camión estaba aparcado como si perteneciera a la caravana. Me acerqué. El motor hacía tictac, pero muy suavemente, como si llevara parado un buen rato. Las niñas habían desaparecido. Todo estaba tan tranquilo que me daban escalofríos.

—Hablemos con los vecinos —dijo Diaz.

Frente a la casa manufacturada más próxima a la de Conrad había un viejo sedán Dodge aparcado. La puerta estaba cerrada y las ventanas tenían las cortinas corridas, igual que las demás caravanas. Seguí a Diaz por la grava preguntándome si los habitantes del lugar eran vampiros.

Todo lo que puede hacer uno es llamar.

Frederick

A Juanita le gustaba la oscuridad. Tenía las luces apagadas y las cortinas echadas para que los merodeadores y los violadores no pudieran espiarla. Frederick siempre le decía: «Vamos, Juanita, por aquí no hay merodeadores», pero ella agitaba la mano como si él fuera tonto y le decía que mirara las noticias por la noche... ¡había asesinos por todas partes!

«Gracias, Juanita», se dijo ahora Frederick.

Permaneció en la oscuridad diurna de la casa de ella, observando a Cole y a la mujer llamar a su caravana. No era la misma mujer que había ido a la casa de Cole, pero se comportaba como una poli. Se pavoneaba.

Lo sabían. Para Frederick estaba claro que lo habían identificado. Los vio a uno y otro lado de su puerta mientras llamaban, y supo que querían matarlo.

Si Cole hubiera venido solo, Frederick habría salido de golpe y habría cortado por lo sano con su escopeta. A esa distancia sería fácil. Pero ahora dudaba. Pillar a los dos sería más difícil. A uno le daba seguro, pero a dos...

Por mucho que Frederick quisiera matar a Cole, esperaba que se subieran a los coches y se fueran. Si se iban, él aún podría escapar en el viejo Dodge de Juanita, bajar la colina en el viejo trasto y poner rumbo a Bakersfield. Vivir para luchar otro día. Vivir para dar caza a Cole en una ocasión mejor.

Frederick oyó a Payne decir: «Éste es mi chico.»

Payne había sido un buen padre.

Cole y la mujer se apartaron de la caravana de Frederick, y éste creyó que ya se había acabado, pero entonces se dirigieron a la casa de Juanita. Frederick agarraba la escopeta con tanta fuerza que tenía calambres en los antebrazos.

Cole rodeó el Dodge de Juanita y se acercó a la puerta rota.

Cole

El sedán Dodge estaba cubierto de una fina capa de polvo viejo. No circulaba por lo menos desde hacía una semana, pero a mí me pareció que llevaba años parado. Si los vecinos de Conrad utilizaban un segundo vehículo, seguramente no estaban en casa.

Fui a la puerta y llamé.

—¿Hola?

Diaz se hizo a un lado.

Volví a llamar y me di la vuelta por si salía alguien de las otras caravanas. Me volví nuevamente hacia la puerta y llamé otra vez.

—Miraré en la otra caravana —dijo Diaz.

Ella se alejó y llamé de nuevo.

—Eh, Cole —dijo ella. Yo la miré. Diaz arrugó los labios y se los humedeció. Pensé que estaba triste—. Lo siento.

Asentí.

El pomo de la puerta estaba doblado y hecho polvo. Toda la caravana parecía hecha polvo.

—Última oportunidad —dije, y llamé de nuevo.

Frederick

Mientras contenía la respiración, un fino reflejo de luz cruzaba el rostro de Frederick a modo de cicatriz. Se quedó a un lado de la puerta, observando a Cole y la mujer desde detrás de las cortinas. Oyó a Cole pronunciar el nombre de ella. Diaz.

Le sonaba, pero Frederick no tenía tiempo de pensar en ello; ella le dijo a Cole que iba a inspeccionar la otra caravana y se volvió para alejarse. Se estaban separando. ¡Ahora podía matar a Cole!

Frederick quitó el seguro de la escopeta y extendió la mano para alcanzar el pomo.

Ella se alejaba mientras Cole llamaba a la puerta.

«Gracias, Juanita.»

Frederick tocó el pomo doblado y roto con las puntas de los dedos, y luego oyó las sirenas que se acercaban...

Cole

Diaz y yo oímos las sirenas a la vez. Me aparté de la casa y di ocho pasos hasta mi coche pera ver mejor la calle. Exactamente ocho; luego me paré.

—Mierda —soltó Diaz—. Será Pardy.

—Le he dicho que iba a hablar con O'Loughlin.

Cuando se volvió hacia mí, Diaz tenía la cara arrugada de asco, y vi el instante en que sus ojos se centraron en algo que había a mi espalda.

Ojalá yo hubiera sido todo lo que los artículos me hicieron creer que era, y entonces me habría puesto en acción para salvarnos, pero los detectives y polis de verdad nunca son tan buenos. No oí nada. No lo vi venir. La explosión me derribó como si me hubiera atropellado un coche. Desde el suelo alcé la vista y vi a Diaz con una nitidez perfecta, como si mi visión se hubiera vuelto sobrehumanamente aguda. Ella tenía la mano bajo la chaqueta, buscando el arma, cuando de pronto se estrelló de espaldas contra el viejo Dodge. Debajo de sus pechos apareció un racimo de uvas negras. Diaz se tambaleó, pero el chaleco antibalas la había salvado y el Dodge la aguantaba. Aún estaba de pie.

Un hombre que yo no conocía salió corriendo por la puerta abierta de la casa. Era de constitución fornida, pero se movía deprisa. Pasó por mi lado con la culata de una escopeta corta puesta al hombro. Diaz sacó su pistola, pero la escopeta se disparó al mismo tiempo que ella abría fuego, y Diaz quedó fuera de combate.

El individuo corpulento se tambaleó de lado, se miró y me miró a mí. Le crecía en el pecho un corazón rojo. Levantó otra vez la escopeta, pero ahora ya no se movía tan rápido.

—¡Asesino! —chilló.

Yo estaba tendido de espaldas, pero para entonces ya tenía mi arma. Apunté hacia él y apreté el gatillo, una y otra vez. Mientras le disparaba, él se tambaleaba en círculo. Le disparé hasta que se cayó, y cuando se hubo caído seguí disparando al aire hacia donde él había estado porque tenía demasiado miedo para hacer otra cosa, sin pararme a pensar dónde podían ir las balas o si alguien resultaba herido. Disparé sin parar hasta que se desplomó.

—¿Diaz?

Veía sus pies, pero ella no contestaba. Había caído detrás del Dodge.

—Diaz, contésteme.

Intenté levantarme, pero no pude. Traté de rodar, pero mi cuerpo estalló en un calor atroz que me hizo gritar. Me palpé, y mi mano parecía llevar un guante de color rojo subido.

Oí gritar a una niña, y por un momento pensé que sería Kelly Diaz.

—No pasa nada —le dije a la niña—. No soy tu papá.

La sangre me latía en los dedos, y en el parque de caravanas empezaba a oscurecer. Lo último que vi fue a David Reinnike ponerse en pie. Se levantó de entre los muertos y cogió la escopeta. Yo intenté alzar de nuevo mi arma, pero pesaba demasiado. Apreté igualmente el gatillo, pero sólo se oyeron chasquidos. David Reinnike estaba delante de mí, bamboleándose de un lado a otro. Su camisa roja resplandecía bajo el sol de California. Levantó la escopeta y me apuntó a la cabeza. El hombre lloraba.

—Usted mató a mi padre —dijo.

Todo se borró, y yo dejé de ser.

59

Starkey

Starkey supo que su pesadilla era real cuando estableció contacto con Biggins a medio camino entre Van Nuys y Newhall. Biggins había comprobado una matrícula registrada a nombre de Frederick Conrad, antiguo empleado de Payne Keller, después de que el sheriff de la subestación hubiera informado de que el vehículo de Keller estaba en casa. Como el sheriff no respondía a la devolución de llamada de Biggins, éste había ido a la casa de Keller y había descubierto el cadáver.

Starkey anotó al vuelo la dirección del parque de caravanas de Conrad y llamó a la Oficina del Sheriff del Estado. No confiaba en Biggins. Parecía demasiado afectado.

—Más rápido —dijo Pike.

—Cállate.

—Dale fuerte.

Doblaron la curva chirriando y tomaron la salida antes de llegar al parque de caravanas entre nubes de polvo y grava que a Starkey le escarcharon de hielo el alma. Ella había muerto en un parque de caravanas. Había perdido a

Sugar Boudreaux en un lugar idéntico a ése, y ahora la inundaban los ecos de aquella explosión, y pensó: «Oh, Dios mío, otra vez no.»

Cuando vio a Cole, supo que estaba muerto. Los muertos tienen ese aspecto. No sabía lo que veía Pike. No estaba pensando en Pike.

Diaz estaba en el suelo, cerca del morro de un coche viejo. Cole también se encontraba en el suelo, entre el coche y una casa prefabricada. Un hombre rechoncho estaba frente a Cole con una escopeta, y la miró como si mirara a través de la pared de un acuario. Todos estaban cubiertos de rojo. Todos relucían bajo el sol brillante y caliente, y Starkey supo que Cole estaba muerto.

Pike emitió un sonido, una especie de gruñido agudo, y después Starkey ya no estuvo segura de lo sucedido. El volante le fue arrebatado de las manos; el pie de Pike aplastó el suyo sobre el acelerador; el coche salió volando, arrasando arbustos bajos y piedras y un banco de hierro forjado. El hombre fornido alzó la escopeta. El parabrisas se hizo añicos, Pike pisó el freno y tiró del freno de mano, y se desplazaron unos metros de costado. Pike estuvo fuera del coche antes de que éste dejara de deslizarse, y ella oyó los estruendos, dos detonaciones rápidas, tan seguidos que creyó que eran el mismo, y la escopeta salió escupida hacia arriba, girando en el aire sobre sí misma mientras David Reinnike se volvía y caía.

Pike llegó hasta Cole y Starkey salió del coche.

—Nueve, uno, uno. Hay que llevarse al criminal y atender a los heridos.

Pike nunca pensaba demasiado en los demás, pero aquello le pareció bien a Starkey, pero que muy bien. Con los ojos hinchados y moqueando Starkey llamó por radio a los servicios de emergencia. Luego se acercó trastabillando a Cole y vomitó mientras Pike trataba de reanimarle. El costado del pecho de Cole era pulpa roja que burbujeaba cuando Pike le presionaba el pecho.

—Hay que tapar eso. Tenemos que...

Llorando y temblando, Starkey se quitó la camisa, hizo un bulto con ella y la metió en la herida de Cole. Apretó y aguantó con fuerza.

Pike estaba temblando. Ella no se lo mencionó, pero notó que temblaba. Pike echó la cabeza de Cole hacia atrás y sopló con fuerza en la boca, una, dos veces; y otra vez.

—Espera, espera —decía Starkey, apretando más en la herida para mantener la sangre dentro—. No te mueras.

Pike soplaba. Soplaba honda e intensamente en la boca de Cole, y no dejó de soplar ni levantó la vista hasta que llegaron las sirenas.

60

El sueño de Elvis Cole

La muerte me traía a casa. Por las ventanas entraba aire fresco que transportaba lejana música de calíope y el olor de perritos calientes a la parrilla. En aquella casita perfecta, el momento no podía ser más agradable.

Mi madre me llamó desde abajo.

—¡Eh, despierta! ¡No vas a pasarte todo el día ahí arriba!

Le seguía la voz melodiosa de mi padre.

—Vamos, hijo. Estamos esperando.

Nuestra casa era pequeña y blanca, con un diminuto porche delantero y un césped aterciopelado. Bajo las ventanas se acurrucaban setos de espliego y un muro de imponentes cipreses, idénticos en altura y anchura, bordeaban el camino de entrada. Los cipreses se erguían como soldados inmaculados, protegiéndonos de una luz que era brillante pero nunca demasiado fuerte.

Me levanté de la cama y me vestí. Mi habitación estaba arriba, con ventanas que daban a la calle. Una habitación increíble, realmente la mejor, pero era un jaleo... Había desperdigados por el suelo cómics de Spiderman, juguetes y ropa; mi pistolera colgaba de un pilar de la cama, y la pistola estaba sobre el tocador. Las balas habían caído, pero no me molesté en buscarlas. Para desayunar no necesitaba el arma.

La camisa que llevaba el día anterior tenía remiendos de sangre. No quería que mi madre la viera, así que hice una bola con ella y la metí debajo de la cama antes de bajar las escaleras a la carrera. Amigo, no sé cómo mis viejos lo aguantaban, sonaba como una manada de búfalos en estampida... *Boom Boom Boom...* Aquellos dos eran unos santos; realmente los mejores.

—¡Elvis!

—¡Voy!

Teníamos esta tradición familiar. Cada sábado, mi mamá, mi papá y yo desayunábamos tarde antes de iniciar el día. Era lo mejor. Compartíamos las cosas buenas de la semana y escogíamos una película que pudiéramos ver juntos el domingo. Después nos quedábamos sentados, siendo simplemente una familia y disfrutando cada uno de los otros.

Bueno, entiéndanme, esto nunca lo habíamos hecho antes, pero ese día era especial. Antes de morirme, mi habitación estaba en un apartamento barato o en una caravana o en casa de mi abuelo, las conversaciones con mi madre eran siempre perturbadoras, y no conocí a mi padre.

Pero ese día era especial. Por fin iba a conocer al hombre, mi madre entraría en razón y seríamos una familia nuclear típicamente americana de verdad, normal en todos los sentidos. Así pues, comido por la ansiedad, yo, el Señor Anticipación, bajé las escaleras a lo loco, atravesé la casa y entré en la cocina patinando.

Mamá estaba en el fregadero y papá tenía la cabeza metida en la nevera.

Sin alzar la vista, papi dijo:

—¿Leche o cerveza, colega?

—Leche.

—Buena elección.

Mamá, de espaldas a mí, dijo:

—¿Has lavado la sangre?

—No ha quedado ni rastro.

—Es que en la mesa queda mal.

—Lo sé.

Puse los ojos en blanco, porque eso es lo que hacen siempre los niños normales del Medio Oeste en las ciudades normales del Medio Oeste; lo decía la televisión, y la televisión nunca miente.

Ninguno de los dos se volvió.

Mi madre se quedó en el fregadero y mi padre en la nevera. Las cortinas de la cocina se movían, pero aun con ese ligero movimiento la casa parecía estar quieta.

—Eh, que tengo hambre. Creía que íbamos a comer.

El agua borboteaba en el fregadero. Los huevos se freían en grasa de beicon. Fuera los niños perseguían al hombre de los helados, y los padres y las madres reían. Fuera, el día era tan hermoso que se podía oír la luz del sol y saborear su dicha.

Mi casa perfecta se notaba vacía.

—¿Papá? Papi, mírame. Tienes que mirarme. ¡Tengo que conocerte! Eh, por eso estamos aquí. Por eso he creado este lugar. ¡He luchado mucho por conocerte!

El hombre de la nevera se iba volviendo pálido y lechoso, y fue desvaneciéndose.

—¡Papá!

Estaba ahí, pero ya era demasiado tarde. Me dije a mí

mismo que él lo intentó. Me dije que él quería conocerme, y que si hubiera podido lo habría hecho.

—¡Mamá, no dejes que se vaya!

Él fue disipándose hasta esfumarse, y luego también desapareció ella. La nevera quedó abierta de par en par. La puerta rebotó una vez, y se quedó quieta. Entraba aire fresco por las ventanas trayendo voces lejanas. En aquella casita perfecta, el momento no podía ser más agradable.

No saber quién eres no es tan malo. Te inventas lo que quieres.

Anduve por la casa. El pasillo era largo, y se oía el eco de mis pasos. El salón era más pequeño de lo que cabía pensar, pero cómodo, con muebles coloniales americanos, fotos enmarcadas en la repisa de la chimenea y un reloj de pie antiguo que hacía tictac como un corazón moribundo.

Las voces que había oído antes se oían cada vez más fuerte, cabalgando en la brisa. Sonaban conocidas. Corrí a la cocina.

—¿Mamá?

Las voces eran cada vez más fuertes, de un hombre y una mujer, revueltas y mezcladas, y tuve la insensata idea de que ella lo traía a él de vuelta. Por la ventana de la cocina no vi a nadie, así que regresé corriendo al salón.

—¿Sois vosotros? ¿Dónde estáis?

Se oían pasos arriba; se movía alguien. Me precipité a las escaleras y subí los peldaños de tres en tres. Aún podía hacerlo. Aún podía encontrarlos.

—¿Dónde estáis?

Corrí arriba, siguiendo las voces.

61

Los de Cuidados Intensivos no eran unos entusiastas de las sillas; decían que las visitas eran buenas siempre y cuando no se quedaran mucho rato. Tenían una sola silla precisamente para evitar las visitas largas. Pike había estado al lado de Cole desde el principio y no había salido del hospital. Cuando se iban los demás, dormía en la silla o se quedaba en la habitación o el pasillo. Se lavaba en el cuarto de baño, y Starkey o los tíos de su tienda de armas le llevaban comida y ropa limpia. Pike no comía cualquier cosa. Era vegetariano.

A lo largo de los días se sucedían las visitas, y Pike las sentía moverse a su alrededor intercambiando apenas una palabra o un gesto. Lou Poitras y su familia venían casi cada tarde. Starkey aparecía dos veces al día, normalmente unos minutos en el cambio de turno y de nuevo por la tarde. La primera vez se quedó en silencio en un rincón, con los brazos cruzados, como acurrucada, los ojos enrojecidos, farfullando. «Sabía que esto iba a pasar, maldita sea, lo sabía.» La segunda vez vino con un tufo a ginebra y se sentó en la silla con la cara hundida entre las manos.

Pike la levantó amablemente. Se quitó las gafas oscuras y la abrazó. Le acarició el cabello y le habló con voz suave.

—No lo hagas. Tienes que ser más fuerte.

Starkey lo mandó a la mierda, pero a partir de entonces no apestó más a ginebra. Cada cinco minutos iba al baño a fumar a escondidas y a menudo olía a Binaca.

El inspector Jeff Pardy fue la tercera noche. Miró a Pike como si le avergonzara la escena que había montado en la casa de Cole y pidió perdón. Pike tuvo en cuenta las disculpas y así se lo dijo.

—Debo irme, pero tenemos una notificación para Diaz —dijo Pardy. Pike asintió—. Si Cole se despierta, dígale que hemos encontrado el Accord de Reinnike en un aparcamiento de estancia prolongada de LAX. En el asiento había huellas de Diaz. Parece que ella lo dejó allí, pero aún no estamos seguros.

—Se lo diré.

—No lo habríamos encontrado si ustedes no hubieran averiguado la matrícula. Fue un buen trabajo.

—Se lo haré saber.

Una tarde, a última hora, apareció uno de sus primeros clientes, el director de cine Peter Alan Nelsen. Llegó solo, luciendo una gorra de pescador y una camisa abotonada hasta el cuello esperando que así nadie le reconocería. Pike y Nelsen estuvieron un buen rato en el pasillo, frente a la UCI de Cole, hablando de lo ocurrido. Nelsen se sentó junto a la cama de Cole, rezando, y no se marchó hasta mucho después. Al otro día llegaron mil rosas, tantas que el personal tuvo que colocarlas en todas las habitaciones de la planta e incluso las repartió por el resto del hospital.

Al día siguiente llegó otro antiguo cliente, pero no vino solo. Frank Garcia había sido en otro tiempo un miembro de la banda de delincuentes White Fence, pero construyó un imperio alimentario de mil millones que incluía salsas, patatas fritas, comida mexicana y sus legendarias tortillas Monsterito. Cuando la hija de Frank fue asesinada, Pike y Cole encontraron al culpable. Ahora Frank llegaba con su abogado, Abbot Montoya, un concejal llamado Henry Maldonado, y a la zaga una legión de responsables del hospital. Frank Garcia había pagado el ala infantil del centro.

Frank ya no era tan fuerte como antes, y se agarró del brazo de Pike para apoyarse.

—¿Cómo está?

Pike miró la cama.

Frank se santiguó y luego hizo un gesto de enfado hacia Montoya.

—Lo mejor. Pónganle en la misma habitación donde pusieron al jodido presidente. ¿Esto es lo mejor que pueden hacer estos cabrones? Este hombre vengó a Karen. ¡Lo llevo en el corazón!

—Frank... —dijo Pike.

—Los mejores médicos, las mejores enfermeras... Ocúpate de ello, Abbot. Para siempre.

Frank seguía agarrando el brazo de Pike, llorando como un niño mientras miraba la cama.

El quinto día, Pike estaba junto a la cama de Cole a la una y cuarto de la tarde. Starkey acababa de irse. Antes habían pasado por allí Ellen Lang y Jodi Taylor, pero a la una y cuarto Pike era el único que quedaba.

Cole parecía estar soñando. Los ojos, bien que cerrados, se agitaban en el sueño REM.

Pike le cogió la mano.

Cole abrió los ojos, unas pequeñas rendijas, y los entornó por la luz.

—Bienvenido a casa —dijo Pike.

Cole se humedeció los labios e intentó hablar.

—No hables —agregó Pike.

Cole volvió a dormirse. Pike sostuvo la mano de su amigo y permaneció quieto mientras la sostenía, esperando.

Aquella noche, Pike estaba al pie de la cama de Cole, y quien sostenía la mano de Cole era Starkey.

—Eh, colega. Cole, ¿me oyes?

Durante toda la tarde, los ojos se le fueron abriendo cada vez más. Las enfermeras dijeron a Pike que hablar con Cole era bueno, que le ayudaría a volver en sí.

Cuando Pike le dijo a Starkey que Cole se estaba despertando, la expresión tensa y abatida de ella se transformó en una sonrisa radiante y fue volando hasta la cama de Cole.

—¡Fabuloso, tío! ¡Es fantástico! Eh, hermano, ¿otra vez con nosotros? ¿Me oyes?

Hablaban con Cole por turnos, sin soltarle la mano, y a Pike le complacía ver a Starkey tan animada. Parecía otra vez la de siempre, diciendo cosas divertidas y extravagantes y dando brincos por la habitación.

«Cole, adivina... te estoy enseñando las tetas.»

«¿A que no sabes, Cole? Me he mudado a tu casa. Tú no la estás usando, así que pensé, qué hostias. Y le pegué un tiro a tu gato.»

«Mira, Cole, es una táctica muy estúpida para no invitarme a cenar...»

A las siete y media, Pike dejó a Starkey con Cole y salió al pasillo. Se desperezó inclinándose hacia delante para aflojar la rigidez de la espalda. Cuando se incorporó,

Lucy Chenier corría hacia él. Tenía el rostro gris por la fatiga y la tensión, y hundido por la preocupación.

—¿Dónde está? —preguntó cuando llegó hasta él.

Pike hizo un gesto en dirección a la puerta.

Lucy irrumpió en la habitación. Pike observó a Starkey cuando Lucy se acercó a la cama. La luz inquieta en la cara de Starkey se apagó, y a Pike le pareció que su energía se desvanecía. Starkey se apartó de la cama para hacerle sitio a Lucy, y Pike volvió a ocupar su puesto al pie de la cama.

Lucy tomó la mano de Cole en la suya. Tenía los ojos hinchados, y las lágrimas se derramaban sobre las sábanas.

—No me dejes, por favor, no me dejes —dijo—. ¿Me oyes, Elvis Cole? Tú...

Lucy emitió un tremendo sollozo; jadeaba mientras lloraba.

Cole parpadeó. Abrió más el izquierdo que el derecho.

—¿Lucy?

Lucy lloró con más fuerza, pero ahora en su rostro se pintó una sonrisa.

Los ojos extraviados de Cole enfocaron mejor.

—Lucy...

—Sí, cariño. Estoy aquí. Estoy aquí. Ahora vuelves conmigo. Vuelves.

Starkey retrocedió. Pike la vio mirar a Lucy y luego fijar la vista en el suelo. Al cabo de un rato, Starkey salió al pasillo. Pike pensó en ello, pero no se iría del lado de Cole. Le dio unas palmaditas en la pierna.

—Elvis.

Cole lo miró.

—Se supone que tenían que dispararme a mí —dijo Pike.

Cole esbozó una sonrisa y se quedó dormido otra vez.

Pike se quedó allí. Cada día entraban y salían visitas, pero Pike permaneció en el hospital. Estuvo allí doce días seguidos hasta que se tomó un descanso, y sólo porque estaban seguros de que su amigo ya había pasado lo peor. Elvis Cole estaba de nuevo con ellos. Viviría.

EPÍLOGO

EL HOMBRE PERDONADO

62

—Aquí está bien —dije.

Pike detuvo el coche de alquiler a un lado de la carretera de grava, bajo la exuberante bóveda de un hermoso sauce.

—¿Sabes dónde está? —preguntó.

—Por aquí. La encontraré.

Pike me había llevado al lugar donde está enterrada. Aún me costaba andar y no me atrevía a conducir. Habría preferido ir solo, pero la compañía de Pike se agradecía.

—¿Quieres que vaya contigo? —dijo Pike.

—No, espera aquí. No tardaré.

Tenía que usar un bastón, y cuando me movía sentía en el costado agudas punzadas de dolor. Los terapeutas ya me habían advertido de que el dolor duraría unos meses, y quizá nunca desapareciera del todo, así que tenía que hacer las paces con él.

Mis abuelos y mi madre estaban enterrados juntos en la parte de atrás del terreno. Mi tía había muerto en un accidente de coche quince años antes y estaba enterrada en Chicago, donde había vivido con su esposo. Yo tenía dos primos, pero no los conocía. No había estado en la tumba de mi madre desde el día en que fue enterrada.

Encontré el pequeño rectángulo negro y miré su nombre. La piedra estaba sucia y erosionada, pero la hierba verde suavizaba los bordes y la hacía parecer mejor de lo que era. No quedaba nadie para llevar flores. Seguramente nadie había llevado flores desde que mi tía se mudó. Si me agachaba me dolía, pero me agaché de todos modos, y dejé las rosas sobre su nombre.

—Hola, mamá —dije.

Se me llenaron los ojos de lágrimas y lloré un rato. Me sabía mal no haber ido nunca a verla, y también haberla culpado de tantas cosas a lo largo de los años, pues ahora todo parecía egoísta y cruel. Su enfermedad era algo triste, que escapaba a la comprensión de cualquiera. Su único crimen verdadero había sido regalarme un sueño, y yo le había guardado rencor por ello. Mis verdaderos crímenes eran mayores. Como el dolor en el costado, algunas cosas simplemente hay que aceptarlas, y superarlas.

Regresé cojeando al coche y traté de ponerme cómodo. No resultaba fácil.

—Muy bien. Ya está —dije.

—¿Te encuentras bien?

—Sí. Hemos tenido una buena charla.

Pike y yo fuimos al aeropuerto y estuvimos en Los Ángeles el mismo día.

Qué bien volver a casa.

ÍNDICE